དབྱིན་བོད་ཤན་སྦྱར་གྱི་ཚིག་མཛོད་
གསར་བསྒྲིགས།

NEW ENGLISH-TIBETAN DICTIONARY

Paljor Publications Pvt. Ltd.

© Paljor Publications Pvt. Ltd.
First Print 1985
Reprint 1987, 1993, 1994, 1996, 1998, 2000,
2001, 2003, 2005, 2006, 2007, 2009, 2010

Published by:
Paljor Publications Pvt. Ltd.,
H-9, Jangpura Extn.
New Delhi-110 014
e-mail: manager@paljorpublicatons.com
www. paljorpublications.com

ALL RIGHT RESERVED

No part of this book may be reproduced in any form or by any means, electronic or mechanical, including photo-copying, recording, or by any information storage and retrieval system, without permission in writing from the publisher.

ISBN: 81-86230-00-9

Printed at Indraprastha Press (CBT), New Delhi-110 002

Publisher's Note

Welcome to the Fourteenth edition of "New English-Tibetan Dictionary", by Norbu Chophel. The dictionary has been well taken in by the students of English and Tibetan languages. It was brought to our notice that the Tibetan students of English language have found the dictionary simple and easy to understand, while foreigners studying Tibetan have found the book handy and easy to refer. For the school children, it has become a necessity now.

The Dictionary has been appreciated by both the students for its handiness and simple Tibetan equivalents of the English words. The Author has astutely worked on those words which are frequently used in written and spoken language. He has also tried his best to convey the exact or the nearest Tibetan equivalent of the English words. Those words which are likely to confuse the students are deliberately avoided in the text.

Dorjee Dewatshang

གླེང་བརྗོད།

༄༅། །དབྱིན་བོད་ཁ་སྒྱུར་གྱི་ཚིག་མཛོད་གསར་བསྒྲིགས་འདི་བཞིན་ལོ་ངོ་གཉིས་ལྷག་ཙམ་རིང་འབད་རྩོལ་བྱས་པའི་འབྲས་བུ་ཞིག་ཡིན་པ་དང་། འདི་ལ་དམིགས་བསལ་གྱི་ཁྱད་ཆོས་གསུམ་ཡོད་པ་ནི།

༡༽ ད་ཡོད་ཚིག་མཛོད་མང་ཆེ་བའི་ནང་བོད་ཡིག་ཚིག་བསྡུས་མང་པོ་ཡོད་པ་དེ་ཚོ་བོད་ཡིག་ཡག་པོ་མི་ཤེས་མཁན་དང་། སློབ་ཞུགས་སློབ་ཕྲུག་ཚོས་གོ་དོན་རྟོགས་ཁག་པོ་བྱེད་ཀྱི་ཡོད་པར་བརྟེན། བོད་ཚིག་དེ་རི་ཊ་གོ་བདེ་བར་བཀང་ཡོད།

༢༽ ཡང་ཚིག་མཛོད་གཞན་ནང་དེང་སང་བེད་སྤྱོད་མེད་པའི་དབྱིན་ཚིག་དང་། བོད་བསྒྱུར་ཚིག་དོན་རན་པོ་མེད་པ་དེ་རིགས་ཚང་མ་ཚིག་མཛོད་འདིའི་ནང་ཚུད་མེད། གང་ལ་ཞེ་ན། ཚིག་དེ་རིགས་ནས་གོ་དོན་ལ་ཕན་རྒྱུ་མེད་པར་མགོ་འཛོམས་གཞི་མང་པོ་བཟོ་གི་འདུག།

༣༽ དབྱིན་ཡིག་གི་ཚིག་དོན་བོད་ཀྱི་ཡིག་སྐད་དང་། བརྡ་རྙིང་ནང་ཡོད་པ་ཚང་མ་དེང་དུས་བོད་ཀྱི་སྤྱིར་བཏང་ཕལ་སྐད་ནང་ཕབས་བསྒྱུར་བྱས་ཡོད་པས་བེད་སྤྱོད་གནང་མཁན་ཚོར་ལམ་སེང་ཕན་ཐོགས་ཆེན་པོ་ཡོང་བའི་རེ་བ་དང་། ད་དུང་ལེགས་བཅོས་ཀྱི་དགོངས་འཆར་ཡོད་ན་རྩོམ་སྒྲིག་པར་ཐད་ཀར་གནས་འབྲེལ་གནང་སྐྱོང་ཡོད་པ་ཞུ་རྒྱུ། བཞུགས་སྒར་རྡ་རམ་ས་ལ་ནས་གུས་ནོར་བུ་ཆོས་འཕེལ་གྱིས ཕྱི་ལོ་༡༩༨༥ བོད་རྒྱལ་ལོ་ ༢༡༡༢ རབ་རྒྱལ་ཞིང་གླང་ཕྱི་ཟླ་༥ ཚེས་༡༥ ལ།། །།

A

a: ཞིག་ ཅིག ཤིག

aback: རྒྱབ་ཕྱོགས་སུ། ཕྱིར་ལོག་ཏུ།

abacus: ཟློན་ཕན། རྩིས་འཕྲེང་།

abandon: གཡུག་པ། འདོར་བ།

abase: དམའ་འབེབས་བྱེད་པ།

abate: དམའ་རུ་ཕྱིན་པ། ཉུང་དུ་ཕྱིན་པ།

abbot: མཁན་པོ།

abbreviation: མདོར་བསྡུས། བསྡུས་ཚིག

abdicate: གོ་གནས་སྤང་བ།

abdomen: གྲོད་ཁོག

abdominal: གྲོད་ཁོག་གི

abduct: བཙན་འཁྲིད་བྱེད་པ།

abduction: བཙན་འཁྲིད།

abductor: བཙན་འཁྲིད་བྱེད་མཁན།

abed: ཉལ་སར།

aberrant: ནོར་འཁྲུལ་བྱེད་མཁན།

aberration: ནོར་འཁྲུལ།

abhor: ཞེན་པ་ལོག་པ།

abide: གནས་པ། བརྩི་སྲུང་བྱེད་པ།

ability: འཛོན་སྦྱངས།

abject: ཐབས་སྐྱོ་པོ།

able: ཐུབ་པ།

abnormal: ཀུན་དང་མི་འདྲ་བ།

abode: སྡོད་གནས།

abolish: མེད་པར་བཟོ་བ། མཐར་སྐྲོད་གཏོང་བ།

abolition: མཐར་སྐྲོད།

abominable: ཆེན་པོ་མི་མཛེས་པ།

aboriginal: སྔར་ནས་ཡོད་པའི་མིའི།

aborigines: སྔར་ནས་ཡོད་པའི་མི།

abortion: ཕྲུ་གུ་མངལ་ནས་མེད་པར་བཟོ་བ།

abound: འབེལ་པོ། མང་པོ།

about: ཙམ། སྐོར་ལ། མཐའ་སྐོར།

above: སྟེང་ལ། གོང་ལ། ཡན།

abrasion: ཟད་བརྡར།

abreast: གཞན་དང་མཉམ་པ།

abridge: བསྡུས་པ།

abridgement: མདོར་བསྡུས།

abroad: ཕྱི་རྒྱལ་དུ། རྒྱལ་ཁབ་གཞན་དུ།

abrupt: དེ་མ་ཐག་ཏུ། ཧོབ་ཏེ་ཁ་ལ།

abruptly: གློ་བུར་དུ། ཧོབ་ཏེ་ཁ་ལ།

abscess: རྨ་ལ་རྣག་སོགས་བསགས་པ།

absence: མ་འཛོམས་པའི། འཛོམས་མེད།

absenter: མ་འཛོམས་མཁན།

absent: མ་འཛོམས་པ།

absolute: ཡོངས་རྫོགས། མཐའ་གཅིག་གི

absolutely: མཐའ་གཅིག་ཏུ། ཐད་དེ།

absorb: འཇིབ་པ། འཇིབ་འཐེན་བྱེད་པ།

absorbent: འཇིབ་མཁན། འཇིབ་བྱེད།

absorption: འཇིབ་འཐེན།

abstain: འཛེམ་པ།

abstention: འཛེམ་སྲུང་།

abstinence: འཛེམ་པའི། (ཆང་རག་སོགས་)

abstract: སྙིང་པོ། འཕྲུལ་བ།

abstruse: ཧ་གོ་ཁག་པོ།

absurd: ཚོ་མེད། མི་འཐད་པ།

abundance: འབེལ་པོ་ཡོད་པ།

abundant: འབེལ་པོ།

abuse: ཚིག་ངན་སྨྲ་བ།

abyss: ས་དོང་གཏིང་རིང་པོ།

academically: སློབ་སྦྱོང་ཐོག

academician: སློབ་སྟོན་པ།

academy: སློབ་སྟོན་ཁང་།

accede: འགྲིགས་ཀྱི་རེད་ལབ་པ། ཁ་མཐུན་པ།

accelerate: མགྱོགས་ཤུགས་སྤར་བ།

acceleration: མགྱོགས་ནུས།

accent: སྒྲ་ཤུགས།

accept: ལེན་པ། ངོས་ལེན་བྱེད་པ།

acceptable: ལེན་འོས་པ། ངོས་ལེན་བྱེད་འོས་པ

acceptance: ངོས་ལེན།

access: འགྲོ་ས། སྐབས་ས།

accessible: འགྲོ་ས་ཡོད་པ། སྐབས་ས་ཡོད་པ།

accessory: ཟུར་རྒྱན། ཙག་ཙིག

accident: རྐྱེན་ངན། བརྡབ་སྐྱོན།

accidental: ད་ག་སེ། རང་བཞིན་གྱི།

accidentally: ད་ག་སེ་བྱུང་བ། གློ་བུར་ཐོག་བྱུང་བ།

acclaim: དགའ་འདོད་ཀྱི་སྐད་འབོད་བྱས་པ།

acclamation: བསྟོད་བསྔགས།

accommodate: སྡོད་བཅུག་པ། བཅུག་པ།

accommodation: སྡོད་ས། སྡོད་ཁང་།

accompaniment: རོགས་པ། ཆ་རོགས།

accompany: འགྲོ་རོགས་བྱེད་པ།

accomplice: ངན་ལས་བྱེད་རོགས།

accomplish: གྲུབ་པ། བྱེད་པ།

accord: མོས་མཐུན། འཆམ་པ།

accordance: མོས་འཆམ།

accordiing: ལྟར། ལ་བརྟེན་ནས།

account: རྩིས།

accountant: རྩིས་པ།

accrue: སྐྱེད་འབབ།

accumulation: བསྡུ་གསོག

accumulate: གསོག་པ།

accusation: ངན་ཚིག སྐྱོན་བརྗོད།

accuse: སྐྱོན་བརྗོད་བྱེད་པ།

accustomed: གོམས་འདྲིས།

ace: མཁས་ཕོས། ཡག་ཕོས། ཕོ་མིག་གཅིག

ache: ན་ཟུག ན་བ།

achieve: འགྲུབ་པ། ཐོབ་པ། བྱུང་བ།

achievement: འགྲུབ་འབྲས། མཐར་སོན།

acid: སྐྱུར་རྩི།

acknowledge: ངོས་ལེན་བྱེད་པ།

acknowledgement: ངོས་འཛིན། འཛིན་ལན།

acne: ཐོར་པའི་ན་ཚ།

acquaint: ངོ་ཤེས་གཏོང་བ། གོམས་འདྲིས་བྱེད་པ།

acquaintance: ངོ་ཤེས།

acquiesce: འགྲིགས་ཀྱི་རེད་ལབ་པ། ཁས་ལེན་པ།

acquire: ཐོབ་པ། བྱུང་བ།

acquisition: འགྲུབ་ཐོབ། ལག་སོན།

acquit: གློད་དགྲོལ་གཏོང་བ། ཚེ་ཐར་གཏོང་བ།

acrid: རྩུབ་པོ།

acrimony: ག་ཞེ་རྩུབ།

acrobat: རྩལ་ཅན།

acrophobia: མཐོ་ཚད་ལ་འཇིགས་དངང་སྐྱེས་པ།

across: འཕྲེད་ལ། ཕར་ཕྱོགས་སུ།

act: འཁྲབ་པ། གཏམ་བརྗོད་ཀྱི་ལེའུ།

acting: འཁྲབ་སྟོན། ཚབ།

action: བྱེད་སྟངས། བྱ་སྤྱོད།

activate: འགུལ་ཀྱོག་གཏོང་བ།

active: ཧུར་པོ། འཁྱུག་པོ།

activity: བྱེད་སྒོ། བྱེད་རྒྱུ།

actor: ཟློས་གར་བ། གར་འཁྲབ་མཁན།

actual: ངོ་མ། དངོས་གནས།

actually: དངོས་གནས་བྱས་ན། ངོ་མར།

acute: རྣོན་པོ། ཚབས་ཆེན་པོ།

adage: ཁ་དཔེ།

adamant: མི་མགོ་མཁྲེགས་པོ།

adapt: འཚམས་པོ་བཟོ་བ། བཅོས་སྒྲིག་བྱེད་པ།

add: སྡོམས་པ། ཁ་སྣོན་རྒྱབ་པ།

addendum: ཁ་སྐོང་།

addict: སྐྱག་ལང་ཞོར་བ།

addition: སྡོམ་རྩིས།

additional: ཐེལ་པ། ཁ་སྣོན།

address: ཁ་བྱང་། གསུང་བཤད། སྡོད་ས།

addressee: ཡི་གེ་གཏོང་ཡུལ། སྐད་ཆ་ཤོད་ས།

adept: མཁས་པོ། རྩལ་ཅན། ཉམས་མྱོང་ཅན།

adequate: ཚད་ལོང་པ།

adhere: འབྱར་བ། མོས་མཐུན་བྱེད་པ་དང་བསྟུན་པ།

adhesion: འབྱར་མཐུད།

adhesive: འབྱར་རྩི། འབྱར་རས།

ad hoc: དམིགས་བསལ།

adieu: ག་ལེར་ཕེབས།

ad infinitum: ཚད་མེད་པ། མཐའ་མེད་དུ།

adjacent: ཉེ་འགྲམ་གྱི།

adjoin: མཐུད་པ། གཅིག་ཏུ་བསྒྲིལ་བ།

adjoining: མཐུད་འབྲེལ། འདྲེས་པ།

adjourn: ཕར་འགྱངས་བྱེད་པ།

adjust: རན་པོ་བཟོ་བ། སྒྲིགས་པ།

ad libitum: རང་འདོད་ཀྱིས། གང་འདོད་བཞིན།

administer: སྐྱོང་བ།

administration: འཛིན་སྐྱོང་། སློབ་སྟོན་ཁང་།

administrator: སློབ་སྟོན་པ། འཛིན་སྐྱོང་པ།

admirable: བསྟོད་བསྔགས་འོས་པ། ཧ་ལས་པའི་ཡག་པོ།

admiration: བསྟོད་བསྔགས། ངོ་མཚར།

admire: དགའ་པོ་བྱེད་པ། བསྟོད་ར་གཏོང་བ།

admirer: བསྟོད་མཁན། དགའ་མཁན།

admissible: གྲལ་དུ་བཅུག་འོས་པ།

admission: འཛུལ་བཞུགས།

admit: ནང་དུ་གཏོང་བ། ངོས་ལེན་པ། གྲལ་དུ་བཅུག་པ།

admonition: ལམ་སྟོན། བསླབ་བྱ།

ado: བྱེད་རྒྱུ།

adolescent: མི་དར་མ།

adopt: ལེན་པ། མོས་འདེམས་བྱེད་པ།

adore: སེམས་ནས་དགའ་བསྐྱིལ་པ།

adorn: གྱོན་པ། སྤྲོན་པ།

adrift: ལྡིང་བཞིན།

adultrate: ལྷད་རྒྱབ་པ།

adultery: ལོག་གཡེམ།

adust: ཐལ་བར་འགྱུར་བ། འཚིགས་པ།

advance: སྔ་འདོན། སྔོན་ལ་འགྲོ་བ།

advantage: ཁེ་ཕན།

advent: སླེབས་པ། འབྱོར་བ།

adventure: ཡ་ཡུད།

adventurer: ཡ་ཡུད་འཚོལ་མཁན།

adverb: བྱ་ཚིག་ཁྱད་པར་སྟོན་པའི་ཚིག

adversary: དགྲ།

adverse: ལྡོག་ཕྱོགས། འགལ་ཟླ།

adversity: འགལ་ཟླ།

advertise: ཁྱབ་བསྒྲགས་བྱེད་པ།

advertisement: ཁྱབ་བསྒྲགས།

advice: བསླབ་བྱ། སློབ་སྟོན།

advisable: སློབ་སྟོན་བྱེད་འོས་པ།

advise: བསླབ་བྱ་རྒྱབ་པ།

advocate: ཁྲིམས་རྩོད་མཁན།

adze: སྟེའུ།

aegis: སྲུང་སྐྱོབ། འགོ་འཁྲིད།

aeon: སྐལ་པ། དུས་ཡུན་ཧ་ཅང་གི་རིང་པོ།

aerial: རླུང་གི། རླུང་འཕྲིན་གྱི་གནམ་སྐུད་

aerie: ཤ་ཟ་མཁན་བྱ་རིགས་ཀྱི་ཚང་།

aerodrome: གནམ་གྲུ་བཟོས། (ཁང་པ་)

aeroplane: གནམ་གྲུ།

aesthetic: མཛེས་རིགས་ལ་དགའ་པོ་བྱེད་མཁན།

afar: ཐག་རིང་པོ།

affable: ཁ་བསང་པོ།

affair: ལས་དོན།

affect: མཛའ་བརྩེ། ཕན་གནོད།

affection: བརྩེ་བ། བརྩེ་གདུང་།

affectionate: མཛའ་བརྩེ་ཅན།

affidavit: གན་རྒྱ།

affiliate: གྲལ་དུ་བཞུགས་པ། བདག་སྐྱོང་།

affinity: རང་བཞིན་གྱི་འབྲེལ་བ།

affirm: དག་རང་རེད་ལབ་པ།

affix: འབྱར་བ།

afflict: སྡུག་པོ་གཏོང་བ།

affluent: འབྱོར་ལྡན། འཕེལ་པོ།

afford: འགྲོ་སོང་གཏོང་ཐུབ་པ། སྤྲོད་པ།

afforest: -ཤིང་ནགས་སུ་འགྱུར་བ།

affright: ཞེད་སྣང་སྐྱུལ་བ།

affront: ཚིག་རྩུབ་ལབ་པ། སྨད་ཀྲོ་བ།

afield: ས་གཞིར།

afire: མེར།

aflame: མེའི་ནང་དུ། མེ་འབར་བཞིན་

afoot: རྐང་ཐང་ལ།

afore: མདུན་དུ། སྔོན་དུ།

afraid: ཞེད་སྣང་། འཇིགས་སྣང་།

afresh: གསར་དུ། ཡང་བསྐྱར།

African: ཨ་ཕེ་རི་ཀའི་མི།

after: རྗེས་སུ།

aftermath: རྐྱེན།

afternoon: ཉིན་གུང་རྒྱབ། ཕྱེད་ཡོལ།

afterthought: བསམ་བློ་བསྐྱར་འཁོར།

afterwards: རྗེས་སུ། ཕྱིན་ཆད།

again: ཡང་བསྐྱར། སླར།

against: ལྡོག་སྟེ། འགལ་ཏེ།

agamous:

agape: ཁ་གདང་ནས། (ཧ་ལས་པའི་ཚུལ་)

age: ལོ།

aged: རྒས་ཁོག

agency: ཚབ་བྱེད་ཀྱི་ལས་ཁང་།

agenda: གྲོས་གཞི། ལས་རིམ།

agent: བར་མི། ངོ་ཚབ་པ།

aggrandize: ཚད་ཆེ་རུ་གཏོང་བ། (གོ་གནས་དང་། དབང་། དཔལ་འབྱོར་སོགས་)

aggravate: ཚབས་ཆེ་རུ་གཏོང་བ།

aggregate: གཅིག་ཏུ་བསྡུལ་བ། ཁྱོན་བསྡོམས།

aggression: བཙན་འཛུལ། བཙན་གནོན།

aggressive: འཁྲུགས་པ་སྙིང་ཆེག་ཆོག ཕྱོགས་གནོན།

aggrieve: སྡུག་བསྔལ་བྱེད་པ།

aghast: འཇིགས་དངངས་སྐྱེས་པ། ཧ་ལས་པ།

agile: འཁྱུག་པོ། ཧུར་པོ།

agility: འཁྱུག་རྩལ།

agitate: སྐད་རྐོ་བ། འགུལ་ཀྱོག་གཏོང་བ།

agitation: ངོ་ལོག

agitator: ངོ་ལོག་པ།

aglow: མེ་འོད་ཅན།

ago: སྔོན་ཚར་བ།

agony: ཟུག ན་ཟུག་གི་དཀའ་ངལ།

agrophobia: མི་འཁོར་ལ་འཇིགས་དངངས།

agree: མཐུན་པ། འཆམ་པ།

agreeable: མོས་མཐུན་བྱེད་འོས་པ།

agreement: མོས་མཐུན། ཆིངས་ཡིག

agriculture: ཞིང་ལས། སོ་ནམ།

aground: ས་སྟེང་དུ།

ahimsa: སྲོག་མི་གཅོད་པའི་ལམ་ལུགས།

aid: རོགས་རམ།

aim: དམིགས་ཡུལ། གཟེར་བ།

air: རླུང་།

aircraft: གནམ་གྲུ།

air-force: གནམ་དམག

air-hostess: གནམ་གྲུ་སྡེ་ལེན་བུ་མོ།

air-liner: གནམ་གྲུ།

airport: གནམ་ཐང་།

airworthy: ཕུར་བསྐྱོད་རུང་བ།

airy: རླུང་ཅན། བསིལ་བུ།

ajar: ཁ་ཕྱེས་ཏེ།

akin: འདྲ་པོ།

alarm: འོས་བསང་བྱེད་དགོས་པའི་བརྡ།

alas: ཨ་ཁ་ཁ། (ཀྱི་མ་)

albeit: ཡིན་ཀྱང་།

album: པར་སོགས་བླུགས་སྣོད། (དེབ་)

alcohol: ཆང་རག

alcoholic: ཆང་རག་མང་པོ་འཐུང་མཁན།

alert: དོགས་ཟོན། སྐྱང་སྲུང་།

algebra: ཡིག་རྩིས།

alias: མིང་ཚབ།

alibi: ཁ་འདྲི་བྱེད་པ།

alien: གཞན་ཡུལ་གྱི། རང་གི་མིན་པ།

alight: འབབ་པ། (རྟ་སོགས་ནས་) མེར།

alive: གསོན་པོ།

alliance: མཐུན་འབྲེལ། འབྲེལ་བ།

allegation: ར་སྦྱོད།

alligator: ཆུ་སྲིན་རིགས་ཤིག

allocate: གནང་བ། སྐལ་བ་སྤྲོད་པ།

allopathy: ཕྱི་རྒྱལ་སྨན་བཅོས་རིག་པ།

allot: གནང་བ། སྤྲོད་པ།

allotment: སྐལ་བ། ཐོབ་སྐལ།

allowance: ཟུར་པོགས། ཆག་ཡང་།

allure: སླུ་བ། ཉམས་བཅུག་པ།

almanac (ack): ལོ་ཐོ།

almighty: མཐུ་སྟོབས་ཀུན་ལྡན།

almost: ཕལ་ཆེར། ཧ་ལམ།

alms: གསོལ། སྦྱིན་པ།

aloft: སྟེང་དུ།

alone: གཅིག་པུ།

along: མཉམ་དུ།

aloof: རྒྱང་དུ།

aloud: སྐད་ཆེན་པོར།

alphabet: གསལ་བྱེད།

already: ད་གིན་ནས། (འདས་པའི་དོན་)

also: ཀྱང་། ཡང་། འང་།

altar: མཆོད་གཤོམས།

alter: འགྱུར་བ་གཏོང་བ།

alternate: རེས་མོས་བཞིན།

although: ཀྱང་། ཡང་། འང་།

altimeter: མཐོ་ཚད་གཞལ་རྒྱུའི་འཕྲུལ་ཆ།

altitude: མཐོ་ཚད།

altogether: ཚང་མ་མཉམ་དུ། ཡོངས་རྫོགས་སུ།

altruism: གཞན་གཅེས།

aluminium: ཞ་ཡང་།

always: རྟག་པར། དུས་རྟག་ཏུ།

amalgamate: གཅིག་ཏུ་བསྲེལ་བ།

amass: སྤུང་བ།

amateur: དྭངས་ཞེན་ཅན།

amaze: ཞ་ལས་པ། ཡ་མཚན་པ།

amazing: ཁྱད་ཚར། ཡ་མཚན།

ambassador: གཞུང་ཚབ་པ།

ambidexterous: ལག་གཉིས་ལས་གོམས།

ambiguous: ཁ་གསལ་པོ་མེད་པ། དོན་གཉིས་ཅན།

ambition: དམིགས་ཡུལ། རེ་དམིགས།

ambitious: ཆེ་འདོད་ཅན། དམིགས་ཡུལ་ཆེན་པོ།

ambrosia: བདུད་རྩི།

ambulance: ནད་པ་འདྲེན་འཁོར། བསྐོར་བསྐྱོད་སྨན་ཁང་།

ambush: འཛབ་སྒུག་རྒྱབ་པ།

ameliorate: ཡག་ཏུ་ཕྱིན་པ། དྲག་ཏུ་ཕྱིན་པ།

amiable: མཐུན་གྲོགས་ཅན།

amicable: མཐུན་པོ།

amid,amidst: དཀྱིལ་དུ། དབུས་སུ།

amiss: ཕྱིན་ཅི་ལོག

amnesia: དྲན་པ་བརྟན་པོ་མེད་པའི་ནད།

amnesty: ཉེས་པ་ནས་གུ་ཡངས།

among(st): དབར། དཀྱིལ་དུ། བར་ལ།

amount: ཁྱོན་ཚད། འབོར།

amphibian: ས་ཆུ་གཉིས་ཀར་གནས་མཁན།

ample: འབེལ་པོ། མང་པོ།

amplify: ཆེ་རུ་གཏོང་བ། (སྐད་སོགས་)

amulet: སྲུའུ། སྲུང་ང་།

amuse: སྤྲོ་གཡེངས་བྱེད་པ།

amusement: སྤྲོ་གཡེངས།

anaemia: ཁྲག་ཉུང་ཉུང་ཆགས་པ།

anal: རྐུབ་ཀྱི།

analogous: འདྲ་པོ། ཆ་མཚུངས།

analyse: ཞིབ་འཇུག་བྱེད་པ། དབྱེ་ཞིབ་བྱེད་པ།

analyst: ཞིབ་འཇུག་བྱེད་མཁས་པ།

anarchy: ཟ་དེ་ཟིང་ངེ་། ལུང་པའི་ནང་རྙོག་ཁྲ།

anatomy: གཟུགས་པོའི་ནང་གི་ཆགས་སྟངས།

ancester: ཕ་མེས། བརྒྱུད་པ།

ancient: དུས་རྙིང་པའི། གནའ་རབས་ཀྱི།

and: དང་།

anecdote: སྒྲུང་ངམ་ལོ་རྒྱུས་ཐུང་ཐུང་།

anew: གསར་དུ།

angel: མཁའ་འགྲོ

anger: ཁོང་ཁྲོ།

angry: ཁོང་ཁྲོ་ཟ་བ། རླུང་ལང་པོ།

anguish: ཟུག་རྔུ།

animal: སེམས་ཅན།

animate: སྲོག་ཅན། གསོན་པོ།

ankle: རྐང་པའི་ཚིགས་རྡོག

annals: རྒྱལ་རབས། ལོ་རྒྱུས།

annex: དབང་དུ་བསྡུ་བ། ཁ་སྣོན་རྒྱབ་པ།

annihilate: མེད་པར་བཟོ་བ།

anniversary: ལོ་འཁོར་(དུས་ཆེན་)

announce: ཁྱབ་བསྒྲགས་བྱེད་པ།

announcement: ཁྱབ་བསྒྲགས།

annoy: བཀྲུན་པོ་བཟོ་བ། ཁོང་ཁྲོ་སློང་བ།

annual: ལོ་རེའི། ལོ་ལྟར་གྱི།

anomalous: གཅིག་ལྟར་མ་ཡིན་པ།

anonym: མིང་ཚབ། (པ་)

anonymous: མིང་མེད་ཀྱི།

another: གཞན་པ།

answer: ལན། ལན་རྒྱབ་པ།

ant: འབུ་གྲོག་མ།

antagonism: དགྲ་བོ།

ante meridiem: མཚན་ཕྱེད་ནས་ཉིན་གུང་བར་ (a.m.)

anterior: སྔོན་གྱི། མདུན་ཕྱོགས་ཀྱི།

anthem: བསྟོད་དབྱངས།

national anthem: རྒྱལ་གླུ།

anthology: ཕྱོགས་བསྡུས་བྱས་པའི་དཔེ་རྩོམ།

anthropology: མི་རིགས་ཀྱི་རིག་པ།

anti- : འགལ་ལྡོག་སྟོན་པའི་སྔོན་འཇུག

anticipate: སྔོན་ནས་རེ་བ་བྱེད་པ།

anticlimax: ཉམས་ཆགས།

antiquate: རྙིང་པ་བཟོ་བ།

antique: དུས་སྐབས་རྙིང་པའི། དངོས་རྙིང་པ།

antitheist: དཀོན་མཆོག་མེད་པར་... ངོས་འཛིན་མཁན།

antonym: ཚིག་ལྡོག་ཕྱོགས།

anus: རྐུབ།

anvil: ལྕགས་སོགས་རྡུང་གདན།

anxiety: བློ་མི་བདེ་བ།

anxious: རེ་འདོད་ཅན།

anybody: སུ་ཡང་།

anyhow: གང་ལྟར།

anything: གང་ཡང་།

anyway: གང་ལྟར་ཡང་།

anywhere: གང་དུ་འང་། ག་པར་ཡིན་ནའང་།

apace: མགྱོགས་པོར། མྱུར་པོར།

apart: ཁག་ཁར། སོ་སོར།

apartheid: མི་རིགས་དབྱེ་འབྱེད་ཀྱི་སྲིད་ཇུས།

apartment: ཁང་མིག སྡོད་ཁང་ཆ་ཚང་།

ape: སྤྲེའུ། ལད་ཟློས་བྱེད་པ།

apepsy: ལྟོ་འཇུ་མི་ཐུབ་མཁན།

aperture: བུ་ག ཁོ་ཁུང་།

apex: རྩེ།

apiary: སྦྲང་མ་གསོ་སྐྱོང་ཁང་། (སྦྲང་རྩེ་)

apiculture: སྦྲང་མ་གསོ་སྐྱོང་།

apiece: རེ་རེ་ལ།

apologize(ise): དགོངས་དག་ཞུ་བ།

apology: དགོངས་དག

apothecary: སྨན་ཚོང་ཁང་།

appalling: ཧ་ལས་པའི།

apparel: གོས་ལོག གོས་གྱོན་པ།

apparition: མིག་འཕྲུལ། ལྷ་འདྲེའི་གཟུགས་བརྙན།

appeal: འབོད་བསྐུལ། ཡིད་འཕྲོག་པ།

appear: འདོན་པ། འབྱུང་བ།

appearance: མངོན་གསལ། ཕྱིར་གསལ། རྣམ་འགྱུར། ཆ་ལུགས།

appease: དགའ་པོ་བཟོ་བ།

appendage: ཟུར་འདོགས།

appendix: ཁ་སྣོན། ཁ་སྐོང་།

appetite: དངར། (ལྟོའི་)

applaud: བསྟོད་བསྔགས་གཏོང་བ། ངོས་ལེན་གྱི་འབོད་སྒྲ།

applause: བསྟོད་བསྔགས།

apple: ཀུ་ཤུ།

appliance: མཁོ་ཆས། ལག་ཆ།

applicable: རན་པོ།

applicant: སྙན་ཞུ་བ།

application: སྙན་ཞུ།

apply: སྙན་ཞུ་ཕུལ་བ། སྦྱར་བ།

appoint: བསྐོ་གཞག་བྱེད་པ།

appointment: བསྐོ་གཞག

appreciate: བློར་འབབ་པ།

appreciation: བློ་འདོད།

apprehend: འཛིན་གཟུང་བྱེད་པ།

apprentice: ལས་བཞུར་གསར་པ། དགེ་ཕྲུག

approach: བཅར་བ།

appropriate: འོས་པོ། རན་པོ། འགྲིགས་པོ། སྒེར་འཛིན་བྱེད་པ།

approval: བཀའ་འཁྲོལ། ཆོག་མཆན།

approve: བཀའ་འཁྲོལ་ལམ་ཆོག་མཆན་གནང་བ།

approximate: ཧ་ལམ།

apricot: ཁམ་བུ་སེར་པོ་ཞིག

April: ཕྱི་ཟླ་བཞི་པ།

apron: སྤང་གདན།

apt: མཚུངས་པོ། རན་པོ། བྱེད་ཉེན་ཅན།

aptitude: འཛིན་སྟངས། འོས་མིན། ཐུབ་མིན།

aqua: ཆུ།

aqueous: ཆུ་ལྡན། ཆུའི།

arable: ཞིང་རྨོ་འོས་པའི་ས་ཆ།

arbitration: རྩོད་རྙོག་ཐག་གཅོད།

arbitrator: ཐག་གཅོད་མཁན།

arc: ཟླུམ་པོའི་ཆ་ཤས།

arch: གཞུ་དབྱིབས། གཙོ་བོ།

archaeology: རྙིང་རིའི་བརྟག་དཔྱད་རིག་པ།

archaic: བརྡ་རྙིང་།

archibishop: མཁན་ཆེན།

archer: མདའ་རྒྱབ་མཁན།

archery: མདའ་རྩེད།

architecture: ཁང་དབྱིབས་བཟོ་རིགས་ཀྱི་ཚན་རིག

archive: ཡིག་རིགས་རྙིང་ཁང་།

archivist: ཡིག་རིའི་རྙིང་པ་ཉར་མཁན།

arctic: བྱང་ཕྱོགས་ཀྱི།

ardent: སྙིང་རུས་ཅན། ཧུར་བརྩོན་ཅན།

ardour: སྙིང་རུས། མེ་དྲོད་ཚ་པོ།

are: ཡོག་རེད། ཡིན། འདུག (མང་ཚིག་གི་དོན་སྟོན་)

area: ས་ཁྱོན། ས་ཁུལ།

arena: འཐབ་འཛིངས་བྱེད་ས།

argue: རྩོད་པ་རྒྱབ་པ།

argument: རྩོད་པ།

arid: སྐམ་པོ་དང་ཚ་པོ། བེད་སྤྱོད་མེད་པའི་ས་ཆ།

aright: དྲང་པོར།

arise: ལང་བ། འབྱུང་བ། (མ་འོངས་)

aristocracy: སྐུ་དྲག་མཐོ་རིམ་རིང་ལུགས།

aristocrat: སྐུ་དྲག

arithmetic: ཨང་རྩིས།

arm: ལག་ངར།

armoury: མཚོན་ཆ་ཁང་།

aromatic: དྲི་མ་ཞིམ་པོ།

arose: ལངས་ཟིན་པ།

around: ཉེ་འཁོར་དུ།

arouse: སློང་བ།

arraign: སྐྱོན་འཛུགས་བྱེད་པ།

arrange: གྲ་སྒྲིག་བྱེད་པ།

arrangement: གྲ་སྒྲིག

arrear: སྤྲོད་ལྷག

arrest: འཛིན་བཟུང་བྱེད་པ།

arrive: སླེབ་པ། འབྱོར་བ།

arrogant: མགོ་མཁྲེགས་པོ།

arrow: མདའ།

arse: རྐུབ། (ཕལ་སྐད་)

arsenal: མཚོན་ཆའི་མཛོད།

arson: ཁང་པ་མེར་བསྲེགས།

art: རི་མོ། ལག་རྩལ།

artefact: ལག་བཟོས་དངོས་པོ།

artful: ལག་རྩལ་ཅན། སྒྱུ་གྲུང་ཅན།

arthritis: འབམ་ནད།

article: རྩོམ་ཡིག ཅ་ལག དོན་ཚན། (ཚིགས་ཡིག་དང་རྩ་ཁྲིམས་སོགས་ཀྱི)

articulate: མངོན་གསལ་བཟོ་བ། གསལ་པོ་བཟོ་བ།

artificial: བཅོས་མ། འདྲ་བརྫུས།

artisan: ལག་རྩལ་མཁས་པ།

artist: རི་མོ་མཁན།

artiste: གླུ་གར་མཁས་པ།

artless: མཁས་པ་མ་ཡིན་པ།

as: བཞིན་དུ། ལྟར། འདྲ་བར།

ascend: འཛེག་པ།

ascent: ཡར་བསྐྱོད།

ascertain: ཏན་ཏན་ཡིན་མིན་བརྟག་གཅོད་བྱེད་པ།

ascetic: དཀའ་ཐུབ་ཅན།

asexual: ཕོ་མོའི་མཚན་མེད།

ash: གོ་ཐལ།

ashamed: ངོ་ཚ་བ།

ashen: གོ་ཐལ་གྱི་མདོག

aside: ཟུར་དུ། ལོགས་སུ།

ask: འདྲི་བ། སློང་བ།

askew: འཁྲེད་ལ།

asleep: གཉིད་དུ། ཉལ་ནས།

aspect: བལྟ་ཕྱོགས།

asphalt: རྡོ་ནག་ཞིག (ས་ལི་ཀ་ཏ་)

aspirant: རེ་འདོད་ཆེན་པོ་བྱེད་མཁན།

aspiration: རེ་འདོད་ཆེན་པོ།

aspire: རེ་འདོད་ཆེན་པོ་བྱེད་པ།

aspirin: ན་ཟུག འཇོམས་སྨན།

ass: བོང་བུ།

assail: བཙན་རུབ་རྒྱབ་པ།

assassin: མི་གསོད་མཁན།

assassinate: མི་གསོད་པ།

assassination: མི་བསད།

assault: རྡུང་བ།

assemble: འདུ་འཛོམས་བྱེད་པ།

assembly: འདུ་འཛོམས། ལྷན་ཚོགས།

assent: ཁས་ལེན།

assert: ཐོབ་དབང་གཡོད་པ།

assess: ཞིབ་འཇུག་བྱེད་པ།

assets: རྒྱུ་དངོས་པོ།

assign: སྐལ་བ་སྤྲོད་པ།

assignment: ལས་འགན།

assist: རོགས་པ་བྱེད་པ།

association: སྐྱིད་སྡུག མཐུན་ཚོགས།

assort: དབྱེ་གསེས་བྱེད་པ།

assortment: དབྱེ་གསེས་བྱེད་པའི་ཆ་ལག

assume: ཡིན་ཁག་བྱེད་པ། རང་ཐོག་ཏུ་ལེན་པ།

assurance: འགན། ཁས་ལེན།

assure: ཁས་ལེན་པ།

asterisk: * རྟགས་དེ་ལ་ཟེར།

asthma: དབུགས་བསགས་ནད་ཚི།

astonish: ཧ་ལས། ཧང་སང་བ།

astound: ཧོན་ཐོར་བ།

astray: འཁྱོག་ཏེ།

astride: གོམ་སྒྲོས་བཞིན།

astrology: རྩིས། སྐར་རྩིས།

astronomy: གནམ་རིག

asunder: ཁ་བྲལ་བ།

asylum: སྐྱབས་བཅོལ།

at: སུ། རུ། ར། དུ། ན། ལ། ཏུ།

ate: ཟས་ཟིན་པ།

athlete: རྒྱུགས་རྩལ་བྱེད་མཁན།

atheism: དཀོན་མཆོག་ཁས་མི་ལེན་པའི་རིང་ལུགས།

atlas: ས་ཁྲ།

atmosphere: ཁམས། བར་གནམ།

atom: རྡུལ་ཕྲན།

atop: སྟེང་། ཐོད་ལ།

atrocious: (མི) ཧ་ཅང་གི་ངན་པ། ཚབས་ཆེན།

attach: སྦྲགས་པ། འབྱར་བ།

attache: སྐམ་ཆུང་། གཞུང་ཚབ་ཀྱི་ལས་རོགས།

attachment: སེམས་ཆགས། འབྲེལ་བ།

attack: རྒོལ་རླུང་།

attain: ཐོབ་པ། སྒྲུབ་པ།

attempt: ཐབས་རྩོལ།

attend: བཅར་བ། སྐྱོང་རོགས་བྱེད་པ།

attendance: ཞབས་བཅར།

attendant: འཁོར་གཡོག

attention: དོ་སྣང་།

attentive: དོ་སྣང་ཅན།

attest: ཁ་ཁྱག་བྱེད་པ།

attire: གོས་ལོག གོས་གྱོན་པ།

attitude: རྣམ་འགྱུར། བསམ་སྤྱོད།

attract: ཚུར་བཀུག་པ། ཡིད་འཕྲོག་པ།

attractive: ཡིད་འཕྲོག་པོ།

attribute: མཚན་ཉིད། ཁྱད་ཆོས།

auburn: གསེར་སྨུག་མདོག

audible: གོ་རྒྱུ་ཡོད་པ།

audience: ལྟ་མོ་བ། མཇལ་ཁ།

audit: རྩིས་ཞིབ་བྱེད་པ།

audition: ཐོས་ཞུགས། འདེམས་སྒྲུག

auditor: རྩིས་ཞིབ་པ།

august: མཆོད་འོས།

August: ཕྱི་ཟླ་བརྒྱད་པ།

aunt: སྲུ་མོ། ཨ་ནེ།

auspicious: རྟེན་འབྲེལ། བཀྲིས་པ།

austere: དཀའ་ཐུབ་ཀྱི། ཧ་ཅང་གི་ཉམ་ཐག

authentic: དངོས་འབྲེལ། ཁུངས་ལྡན།

author: རྩོམ་པ་པོ།

authority: དབང་ཆ། འགན་དབང་ཡོད་མཁན།

authorize(ise): དབང་ཆ་སྤྲོད་པ།

autobiography:

automatic: རང་བཞིན་དུ་སྒྲུབ་མཁན།

autonomy: རང་སྐྱོང་ལྗོངས།

autopsy: རོ་བརྟག་དཔྱད།

autumn: སྟོན་ཀ།

avail: ཕན་ཐོགས་པ།

available: ཡོད་པ། ཐོབ་རྒྱུ་ཡོད་པ།

avalanche: གངས་རུད། གངས་ཐྲབས།

avarice: འདོད་ཛམས་ཅན།

avenge: དག་ཁ་ལེན་པ།

average: དཀྱུས་མ། སྤྱི་སྙོམས།

avert: གཡོལ་བ། གཟུར་བ།

aviary: བྱིའུ་འཛོག་ཁང་།

avid: འདོད་པ་ཆེན་པོ།

avoid: གཡོལ་བ། འཛེམ་པ། སྤོང་བ།

await: སྒུག་པ།

awake: གཉིད་སད་པ།

award: སྐྱེར་བ། གནང་བ། གསོལ་རས།

away: ཕར།

awe: འཇིགས་སྣང་དང་ཡ་མཚན།

awful: འཇིགས་ཛམ་ཅན། མདོག་ཉེས།

awhile: ཡུད་ཙམ། ཁྲུག་ཙམ།

axis: ཚངས་ཐིག

ayah: གཡོག་མོ། བུ་བཙའ་(མོ་)

B

baa: ལུག་གི་སྐད་སྒྲ།

babble: སྐད་ཆ་དོན་མེད་ག་ཤོད་པ།

babe: ཕྲུ་གུ

baboon: སྤྲེའུ་རིགས་ཤིག

baby: ཕྲུ་གུ

babyish: ཕྲུ་གུ་ནང་བཞིན།

baby-sit: ཕྲུ་གུ་བལྟ་སྐྱོང་བྱེད་པ།

baby-sitter: ཕྲུ་གུ་བལྟ་མཁན། བུ་བཙོལ།

bachelor: ཆང་ས་མ་རྒྱབ་པ། ཕོ་རྐྱང་ང་།

back: རྒྱབ། སྒལ་པ།

backbite: ཁ་གཏོང་བ།

backbone: སྒལ་པའི་རུས་པ། ལྟེབ།

backfire: ཕྱིར་ལོག་པ།

background: རྒྱབ་རིས།

backing: རྒྱབ་རྟ། རྒྱབ་ཤིག་རྒྱབ་པ།

backside: རྒྱབ་ཕྱོགས།

backward: རྒྱབ་ཕྱོགས་སུ།

bacteria: ནད་ཚ་བཟོ་མཁན་འབུ་ཕྲ་ཞིག

bad: ངན་པ། སྡུག་ཅག

bade: bid གི་འདས་ཚིག

badge: རྟགས།

badminton: བྱ་སྒྲོ་རྩེད་མོ།

baffle: ཧ་ལས་པ། མགོ་འཐོམ་པ།

bag: སྒྱོད། ཕད་གོག

baggage: ཁུར་རྫ། དོས་པོ།

baggy: སློག་སློག ལྷུག་ལྷུག

bail: ཁས་ཁྱེར

bait: སྙུ་ཟས།

bait: སྙུ་པ་

bake: བག་ལེབ་སྲེག་པ།

bakery: བག་ལེབ་བཟོ་མཁན།

balance: སྙོམས་པ། འཕྲོས།

balance sheet: ལོ་འཁོར་རྩིས་ཁྲ།

balcony: ཁང་པའི་འཁྱམ་ར།

bald: མགོ་རིལ། ཁེབས་མེད་པ།

bale: དོས་པོ།

ball: རིལ་རིལ། སྦོ་ལོ།

balloon: སྒང་ཕུག

ballot: འོས་ཤོག

balm: སྨན། ཤུག་པ།

bamboo: སྨྱུག་མ།

ban: བཀག་སྡོམ་བྱེད་པ།

banana: ལྦིང་ཏོག་ཞིག (བོད་ཚིག་མེད་)

band: ཚོགས། སྐུད་པ། ཐག་པ།

bandage: རྨ་དཀྲིས། རས་ཐག

bandit: ཇུན་འཇག

bang: རྡུང་བ། རྡབ་པ། རྡུང་སྒྲ།

bangle: ལག་གདུབ། སྒྲོག་གདུབ།

bank: དངུལ་ཁང་། ཆུ་འགྲམ།

banker: དངུལ་ཁང་བདག་པོ།

banking: དངུལ་ཁང་གི་འགྲོ་སྟངས།

bankrupt: དངུལ་མེད་ཆར་པ། ཕལ་སྐད་དུ- བོང་བུ་འདོན་པ།

banner: དར་ཆ།

banquet: ཐུགས་སྟོ།

bar: བཀག་སྡོམ། དབྱུག་པ།

barbarian: ཀླ་ཀློ།

barbed: ཟེ་མ་ར་མགོ ཟེ་ཟེ་པོ་ཅན།

barber: སྐྲ་བཞར་མཁན།

bard: སྒྲུང་གི་བོད་མཁན།

bare: དམར་རྗེན། སྟོང་པ། གང་ ཡང་མེད་པ།

barely: ད་ཀ་ཙམ་དུ།

bargain: གོང་སྒྲིག་པ།

bark: ཁྱི་སྐད་ཀྱི་སྒྲ། ཤིང་གི་ལྤག་པ།

barley: ནས། (འབྲུ་) སོ་བ།

barn: ཕྱི་ཕྱུགས་སེམས་ཅན་སྡོད་ཁང་། འབྲུ་ཁང་།

barometer: རླུང་ཁུར་བལྟ་ཚོད་ཀྱི་འཁྲུལ་ཆས།

barracks: དམག་སྒར།

barred: བཀག་སྡོམ་བྱེད་ཟིན་པ།

barrel: སྒྲོད། མེ་མདའི་ཁ།

barricade: ར་བ། ར་བ་རྒྱབ་པ།

barrier: བཀག བཅད།

base: མཐིལ། གཡམ། འོག གཞི།

baseless: མཐིལ་མེད། ཁུངས་བཙན་པོ་མེད་པ།

bashful: ངོ་ཚ་པོ།

basic: སྔོན་འགྲོ

basin: འཁྲུ་སྣོད།

basket: ལྕུད་མ།

basketball: བཤིལ་སྦྱོལ་རྩེད་མོ།

bass: སྐད་སྒྲོམ་པོ།

bastard: ཞ་ལོ།

bathe: གཟུགས་པོ་འཁྲུ་བ།

bathroom: འཁྲུ་ཁང་།

batter: གཅིག་འཐུག་གཉིས་འཐུག་བརྡུང་བ།

battery: གློག་གི་མེ།

bawdyhouse: གཞང་ཁང་།

bay: མཚོ་ལག།

bazaar: འཁྲོམ།

be: བྱ་བའི་དོན་སྟོན་པའི་ཚིག

beach: མཚོའི་ཁ།

bead: རིལ་བུ།

beak: བྱའི་མཆུ་ཏོ།

beam: འོད། དགའ་རབ་གད་ཤོར་བ། མདུང་མ

bean: སྲན་མ།

bear: དོམ། སྐྱོམ་པ། (བཟོད་པ་) གཏོང་བ། (འགྲོ་སོང་)

beard: ཨ་ར། ཁ་སྤུ།

bearer: སྐྱོམ་མཁན། འཁྱེར་མཁན།

bearish: དོམ་འདྲ་པོ།

beast: དུད་འགྲོ

beastly: དུད་འགྲོ་ཞིང་བཞིན།

beat: རྡུང་བ། ཕམ་བཅུག་པ།

beating: ཉེས་རྡུང་།

beautiful: མཛེས་པོ། སྙིང་རྗེ་པོ།

beautify: མཛེས་པོ་བཟོ་བ། སྙིང་རྗེ་པོ་བཟོ་བ།

beauty: མཛེས་པོ།

beaver: སྲམ།

became: འགྱུར་ཟིན་པ། ཤར་ཟིན་པ། ཆགས་ཟིན་པ།

because: བརྟེན་ནས། གང་ཡིན་ཟེར་ན།

beckon: འབོད་པ། སྐད་གཏོང་བ།

become: འགྱུར་བ། ཤར་བ། ཆགས་པ།

bed: ཉལ་ས། ཉལ་ཁྲི།

bedbug: འདྲི་ཤིག

bedding: ཉལ་ཆས། ཉལ་གོས།

bedeck: བརྟགས་པ། གཡོག་པ།

bed ridden: ཉལ་སར་ལུས་པ། ནད་ཀྱིས་ལངས་མི་ཐུབ་པ།

bed room: ཉལ་ཁང་།

bed time: ཉལ་དུས།

bed-wetting: ཉལ་གཅིན། (གཏོང་བ་)

beef: བ་གླང་གི་ཤ།

beehive: སྦྲང་ཚང་།

been: བྱ་ཚིག be གི་འདས་ཚིག

beer: ཆང་རག་ཞིག

beestings: འོ་མའི་དཀྲི།

befit: འཕྲིགས་པོ། རན་པོ།

before: སྔོན་ལ། མདུན་ལ།

befoul: བཙོག་པ་བཟོ་བ།

befriend: གྲོགས་པོ་རྒྱབ་པ།

beg: སློང་བ། ཞུ་བ་ཕུལ་བ།

began: འགོ་བཙུགས་པ།

beggar: སློང་མཁན། སྤྲང་པོ།

begin: འགོ་ཚུགས་པ།

beginner: འགོ་བརྩུགས་མཁན། སློན་འགྱོ་པ།

beguile: མགོ་སྐོར་གཏོང་བ།

begun: འགོ་བརྩུགས་པ།

behalf: ཆེད་དུ། ཚབ་ཏུ།

behave: སྤྱོད་པ་ཡག་པོ་བྱེད་པ།

behaviour: སྤྱོད་ལམ།

behead: སྐེ་བཏུབ་པ། མགོ་གཅོད་པ།

behest: བཀའ།

behind: རྒྱབ་ཕྱོགས། རྒྱབ་ངོས།

being: གནས་པ། ལུས་ཅན།

belief: དད་པ། ཡིད་ཆེས།

believe: དད་པ་སྐྱེས་པ། ཡིད་ཆེས་སྐྱེས་པ།

bell: དྲིལ་བུ།

bellicose: རྒྱག་རེ་རྒྱབ་ཆོག་ཆོག

bellow: སྐད་ཆེན་རྒྱབ་པ།

bellows: སྦུད་པ།

belly: གྲོད་ཁོག

belong: བདག་པ།

belonging: སོ་སོའི་ཅ་ལག

beloved: བརྩེ་བ་བྱེད་ས།

below: འོག་ལ། གཤམ་དུ།

belt: སྐེ་རགས་ སྒྲོག་ཐག

bend: གུག་གུག་བྱེད་པ། བཀུག་པ། གུག་པ།

beneath: འོག་ལ།

benefactor: སྦྱིན་བདག

benefit: ཁེ་ཕན། ཁེ་ཕན་བྱུང་བ།

bent: བཀུག་ཟིན་པ།

bereave: འཕྲལ་བ། འཕྲོག་པ།

berry: སེ་འབྲུ།

beseech: ཞུ་བ་ཕུལ་བ།

beside: ཟུར་དུ། འགྲམ་དུ།

besides: དེས་མ་ཚད།

best: ཡག་ཤོས། ལེགས་ཤོས།

bestow: གནང་བ། སྦྱིན་པ།

bet: རྒྱན། རྒྱན་བཙུགས་པ།

betray: སླུ་བ།

better: དེ་ལས་ཡག་བ།

between: དབར། བར་ལ། (གཉིས་ཀྱི་)

betwixt: བར་ལ། དཀྱིལ་དུ།

beverage: ཇ་ཆང་གི་འཐུང་རིགས།

beware: ཟོན་སྲུང་བྱེད་པ།

bewilder: ཧ་ལས་པ།

beyond: ཕར་ཕྱོགས། དེའི་ཕར་ལ།

Bhutan: འབྲུག་ཡུལ།

Bhutanese: འབྲུག་ཡུལ་གི་མི་དང་སྐད།

bias: དབྱེ་འབྱེད།

Bible: ཡེ་ཤུའི་དཔེ་ཆ།

bicentennial: ལོ་གཉིས་རེ་རེར་ཐེངས་གཅིག

biceps: དཔུང་རྒྱུས།

bicycle: རྐང་འཁོར།

bid: ལབ་པ།

bigamy: བཟའ་གསུམ།

big shot: སྟོབས་ཅན། དབང་སྟོབས་ཆེན་པོ།

bike: རྐང་འཁོར། ཐག་ཐག

bile: མཁྲིས་པ།

bill: ཉེས་འཛིན།

billion: གྲངས་ཀ་1000000000000

billy goat: ར་ཕོ།

bimonthly: ཟླ་བ་གཉིས་རེ་རེར་ཐེངས་གཅིག

bind: བསྡམས་པ།

binocular: རྒྱང་ཤེལ།

biology: རྩི་ཤིང་དང་སྲོག་ཆགས་ཀྱི་མཚན་རིག

biped: རྐང་པ་གཉིས་ཅན།

bird: བྱེའུ།

birth: སྐྱེ་བ། འབྱུང་བ།

birth control: སྐྱེ་བཀག

birth day: སྐྱེས་ཚེས། འཁྲུངས་སྐར།

birth mark: སྐྱེས་རྟགས།

birth place: སྐྱེས་ཡུལ།

biscuit: བསྲུན་ཞེལ། ཁ་ཟས།

bisect: གཉིས་སུ་བགོས་པའམ་གཏུབ་པ།

bisexual: མཚན་གཉིས་ཅན། ཕོ་ལོག་མོ་ལོག

bison: གླང་རིགས་ཞིག

bit: སོ་བརྒྱབ་ཟིན་པ། དུམ་བུ།

bitch: ཁྱི་མོ།

bite: སོ་བརྒྱབ་པ།

bitten: སོ་བརྒྱབ་ཟིན་པ།

bivouac: འཁྱགས་བསྐྱོད་སྐབས་ཀྱི་ངལ་གསོ།

bi-weekly: བདུན་གཉིས་རེ་རེར་ཐེངས་གཅིག

bi-yearly: ལོ་གཉིས་རེ་རེར་ཐེངས་གཅིག

black: ནག་པོ།

black berry: སེ་འབྲུ་ནག་པོ།

black board: ནག་སྦྱང་།

black list: མི་ངན་ཐོ་ཐོ།

black magic: མིག་འཕྲུལ་ལྟད་མོ།

black out: ནག་ཁུང་ཆགས་པ།

black sheep: གཞན་དང་མི་མཐུན་མཁན།

black smith: ལྕགས་བཟོ་བ། ལྕགས་མགར།

bladder: ཁྱིག་པའི་ནང་གི་སྣང་ཕུག

blade: སྟོ། སྐྲ་གྲི

blame: ཁ་ཉེ་གཏོང་བ།

blank: སྟོང་པ།

blanket: ཉལ་ཆས།

blare: སྐད་ཆེན། (རྒྱབ་པ་)

blasphemy: དམའ་འབེབ།

blast: གཏོར་བཤིག་གཏོང་བ། རླུང་ཚུབ་ཆེན་པོ།

blaze: མེར་ཚེག་པ། མེ་འོད་ཆེན་པོ།

bleach: མདོག་དཀར་པོ་བཟོ་བ།

bleak: དམར་རྐྱང་། ཐབས་སྐྱོ་པོ།

bleat: ར་དང་བེའུའི་སྐད།

bleed: ཁྲག་འདོན་པ།

bless: བྱིན་གྱིས་རློབས་པ།

blest: བྱིན་གྱིས་རླབས་པ། (བརྡ་རྙིང་) བསོད་བདེ་ཆེན་པོ།

blew: འཕུ་རྒྱབ་ཟིན་པ།

blind: ཞར། ལོང་བ།

blind-fold: མིག་བཀག་པ།

blink: མིག་བཙུམ་བཙུམ་བྱེད་པ།

bliss: བདེ་བ།

blister: ཆུ་བུར།

blizzard: བུ་ཡུག གངས་དང་རླུང་ཚུབ་ཆེན་པོ།

bloat: བཀྲང་བ། དབུགས་ཀྱིས་གང་བ།

block: བཀག་པ། རྡོག་རྡོག

block head: གླེན་པ། ལྐུག་པ།

bloke: གླེན་པ།

blonde: སྐྲ་མདོག་སེར་པོ།

blood: ཁྲག

blood pressure: ཁྲག་ཤུགས།

bloodstain: ཁྲག་ཐིག

bloody: ཁྲག་ཅན།

bloom: ཁར་བ། སྐྱེས་པ།

blossom: མེ་ཏོག མེ་ཏོག་ཁར་བ།

blot: འཛབས་པ།

blow: འཕུ་རྒྱབ་པ།

blown: འཕུ་རྒྱབ་ཟིན་པ།

blue: སྔོན་པོ།

bluff: མགོ་སྐོར། (གཏོང་བ་)

blunder: ནོར་འཁྲུལ།

blunt: རྣོ་མེད་པ།

blur: གསལ་ལ་མ་གསལ།

blush: ངོ་ཚ་ནས་གདོང་དམར་པོ་ཆགས་པ།

boar: རི་ཕག

board: པང་ལེབ།

boarding school: གཏན་འཇགས་སློབ་གྲྭ

boast: སྤོར་ཁོག (ག་འོད་པ་) ཀྲོག་ཀྲོག (བྱེད་པ་)

boat: གྲུ་ཆུང་།

body: གཟུགས་པོ། ལུས་པོ།

body guard: སྐུ་སྲུང་།

boil: སྐོལ་བ། ཁོལ་བ། སྐྲངས་པ།

bolt: སྒོའི་སྒོ་ལྕགས།

bona fide: དངོས་དྲན། ངེས་གཏན།

bond: ཆིངས་ཡིག བུན་གཡོག

bondage: བུན་གཡོག་ཏུ་གནས་པ།

bonded: བུན་གཡོག་ཏུ་གནས་པ།

bone: རུས་པ།

bony: རུས་པ་ཅན། ཤ་སྐམ་པོ།

booby trap: རྙི།

book: དེབ།

book mark: དེབ་ཀློག་མཚམས་ཀྱི་རྟགས།

book seller: དེབ་ཚོང་ཁང་།

boom: འཕེལ་རྒྱས། ཡར་རྒྱས།

boot: ལྷམ་ཡུ་རིང་། ཞུལ་རྟེ། རྐང་ རྟེད་རྟེད་མོའི་ལྷམ།

booty: འཕྲོག་བཅོམ་བྱས་པའི་ཅ་ལག

booze: ཆང་རག (ཕལ་སྐད)

border: ས་མཚམས། མཐའ་མཚམས།

borderland: ས་མཚམས་ཀྱི་ས་ཆ།

bore: ཁུར་ཟྲེན་པ། འབིགས་པ།

boring: ཉོབ་ཏོ། ཙ་ཟྲེང་པོ།

born: སྐྱེ་བ།

borrow: གཡར་བ།

bosom: སྙིང་།

boss: དབང་འཛིན་མཁན། བདག་པོ།

bothersome: ཙ་ཟྲེང་པོ།

bottle: ཤེལ་དམ།

bottom: མཐིལ། ཀུབ།

boulder: རྡོ་ཆེན་པོ།

bounce: འཕར་བ།

bound: བསྡམས་ཟྲིན་པ། མཐའ་མཚམས།

boundless: མཐའ་མེད།

bountiful: འབེལ་པོ།

bow: ཁུག་ཁུག་བྱེད་པ། གཞུ།

bowel: ཁོག་པའི་ནང་གི་རྒྱུ་མ་སོགས།

bowl: ཕོར་པ།

bowleg: རྐང་པ་ (ཁྱིལ་) ཀུག་པ།

box: སྒམ།

boy: བུ།

boycott: ཕྱིར་འཐེན་བྱེད་པ། འབྲེལ་བཞུགས་མ་བྱེད་པ།

bra: འོ་ཁེབ། (ཕལ་སྐད)

bracelet: ལག་གདུབ།

bracket: གུག་རྟགས་སྦྱོར་ཅན། ( )

brag: སྤྱོར་ཤོག་གཤོད་པ། མཁས་མདོག་བྱེད་པ།

Brahman: ཧིན་དུ་ཆོས་ཀྱི་བྲམ་རིགས།

brain: ཀླད་པ།

brainless: གླེན་པ། ༼གཏོང་བ།

brainwash: བསམ་བློར་བཅོས་འགྱུར

brainy: མཁས་པ། སྤྱང་པོ།

branch: ཡལ་ག ཡན་ལག

brand: བཟོ་རྟགས། རྒྱ།

brake: བཀག་ཏྲ།

brandish: འཕྱར་བ།

brass: རག

brassiere: འོ་ཁུབ།

brave: བློ་ཁོག་ཆེན་པོ། དཔའ་ལྡན།

bray: བོང་བུའི་སྐད།

breach: འགལ་ཟླ།

bread: བག་ལེབ།

bread winner: ལྟོ་གོས་འཚོལ་མཁན།

break: བར་མཚམས། གཅོག་པ།

breakage: བཅགས་གཅོག

breakdown: གཞིགས་པ། ཀྲད་པ།

breakfast: ཞོགས་ཇ། ཞོགས་ལྟོ།

breakneck: ཉེན་ཁ་ཆེན་པོར།

breakup: ཁ་ཐོར་བ། ཚག་ཚིག་ཏུ་བསྒྱུར་བ།

breast: བྲང་ཁོག ནུ་མ།

breath: དབུགས།

breathe: དབུགས་གཏོང་བ།

breathless: དཀའ་ལས་ཁ་བ། ཤི་བ། ཐང་ཆད་པ།

bred: གསོས་ཟིན་པ། བསྐྱངས་ཟིན་པ།

br3ed: གསོ་བ། བསྐྱངས་པ།

breeze: ལྷག་པ། རླུང་བསིལ་པོ།

brevity: མདོར་བསྡུས། ཐུང་ཐུང་།

brew: སྐོལ་བ། (ཆང་) བཀོལ་བ། ཐུག་པ།

brewery: ཆང་རག་བཟོ་ཁང་།

bribe: ལྐོག་ཟན།

brick: ས་ཕག

bride: མནའ་མ།

bridegroom: མག་པ།

bridge: ཟམ་པ།

bridle: སྲབ། (རྟའི་)

brief: མདོར་བསྡུས། ཐུབ། བསྡུས་པ།

brigade: དམག་ཚོགས།

brigadier: དམག་ཚོགས་གཅིག་གི་དམག་དཔོན།

brigand: ཇག་པ། རྐུན་མ།

bright: འོད་ཅན། དར་པོ། སྤྱང་གྲུང་ལྡན་པ།

brilliant: འོད་ཅན། སྤྱང་གྲུང་ལྡན་པ།

brim: མཐའ། རྩེ། ཟུར།

bring: འཁྱེར་ཡོང་བ།

brink: མཐའ། འགྲམ། ཟུར།

brisk: འཁྲུག་པོ།

Britain: དབྱིན་ཇིའི་ཡུལ།

British: དབྱིན་ཇིའི་མི།

broad: ཞེང་ཁ་ཆེན་པོ།

broadcast: ཁྱབ་བསྒྲགས། གསར་

broad jump: རྒྱང་མཆོང་། འཕྱུར།

brocade: གོས་ཆེན།

broke: ཆག་ཟིན་པ། པལ་སྐད་དུ་ དངུལ་མེད་པ་ལའང་ཟེར།

broken: ཆག་ཟིན་པ།

broken hearted: སེམས་སྐྱོ་པོ།

bronze: ལི།

brook: རྒྱུགས་ཆུ་ཆུང་ཆུང་།

broom: ཕྱག་མ།

broth: ཐུག་པ།

brothel: གཞང་ཁང་། སྨད་ཚོང་མའི་ ཁང་པ།

brother: ཅོ་ཅོ། ཇོ་ལགས།

brother-in-law: ཨ་ལྕུག་གི་ཁྱོ་ག

brought: འཁྱེར་ཡོང་ཟིན་པ།

brow: མིག་སྤུ།

brown: རྒྱ་སྨུག

brown sugar: བུ་རམ།

browse: ཀློག་པ།

bruise: བརྡབ་སྐྱོན་བྱུང་བའི་རྨ།

brush: རྩ། སྤྱོ། ཕྱག་ཟེ།

brutal: རྩུབ་པོ། གཤིས་ཀ་གྱོང་པོ།

brute: ངན་པ། མི་མཛེས་པ།

bubble: ལྦུ་བ།

buck: ཤ་བ་ཕོ། པལ་སྐད་དུ་སྒོར་མོའང་ཟེར།

bucket: ཟོམ།

buckle: ཐུག་ལུང་།

bud: མེ་ཏོག་གི་ཐེའུ།

Buddha: སྟོན་པ་བཅོམ་ལྡན་འདས།

Buddhism: ནང་ཆོས།

budge: འགུལ་བ། གཟུར་བ།

budget: ལོ་རེའི་སྔོན་རྩིས་ལམ་དགོས་ དངུལ།

buffalo: མ་ཧེ།

bugle: དམག་དུང་།

build: བཟོ་བ། སྒྲིགས་པ།

building: ཁང་པ། (ཆེན་པོ)

bulge: འབུར་ཐོན།

bulk: ཕོན།

bulky: ཆེན་པོ། ཕོན་སྟོབས་ཆེན་པོ།

bull: གླང་།

bulldog: ཁྱི་རིགས་ཤིག

bullet: མདེའུ།

bullfight: གླང་རྩོད།

bullfrog: སྦལ་པ་ཆེན་པོའི་རིགས་ཤིག

bullock: གླང་འཁོར།

bully: ཐུབ་ཚོད་གཏོང་བ། ཐུབ་ཚོད་གཏོང་མཁན།

bulwark: རྒྱ་རག སྲུང་སྐྱོབ།

bump: ཐུད་རྒྱག་གཏོང་བ། སྐྲང་བ།

bun: བག་ལེབ།

bunch: ཚོགས། ཁྱུ། ཆག་པ།

bundle: སྤུངས། དོས་བུ་རྒྱབ་པ།

bungalow: ཁང་པ་ཐོག་ཚད་གཅིག་ཅན།

bunk: ཉལ་ཁྲི། ཕལ་སྐད་དུ་བྲོས་ཕྱིན་པ།

burden: རྡོག་ཁྲེས། དཀའ་ངལ། དོ་པོ།

burdensome: དཀའ་ངལ་ཅན།

bureau: དོན་གཅོད་ཁང་།

bureaucracy: དཔོན་དབང་རིང་ལུགས།

burglar: རྐུན་མ།

burial: (ས་འོག) སྦེད་བྱེད་ཀྱི།

burly: གཟུགས་ཆེན།

burn: སྲེག་པ། (མེར་)

burning: འབར་བཞིན་པ་

burnt: བསྲེགས་ཟིན་པ། འཚིགས་ཟིན་པ། འབར་ཟིན་པ།

burrow: ས་འོག་ཚང་།

bury: སྦེད་པ།

bus: འགྲུལ་བསྐྱོད་སྤྱི་འཁོར་ཆེ་རིང་།

bush: རྩྭ་ཞིང་། རྩ་རིང་།

busily: བྲེལ་ཚབས་ངང་།

business: ཚོང་ལས། ལས་ཀ

bust: ཕྲག་པ་དང་བྲང་ཁོག

busy: བྲེལ་ཚབས།

but: ཡིན་ནའང་། འོན་ཀྱང་།

butcher: བཤན་པ།

butler: གསོལ་དཔོན།

butter: མར།

butterfly: ཕྱེ་མ་ལེབ།

buttock: རྐུབ།

button: ཐོབ་རྩེ། (རྒྱབ་པ་)

buy: ཉོ་བ།

buzz: སྦྲང་བུའི་སྐད།

by: འགྲམ་དུ། སྒོ་ནས།

by and by: རིམ་པས། རིམ་བཞིན།

bye-bye: ཞབས་རྟོགས་ལབ་པ།

bygone: འདས་པ། ཆར་བ།

by-pass: བསྐོར་ལམ། གཞུར་བ།

by-product: ཞོར་འདོན་དངོས་ཟོག

C

cabbage: ལོ་ཁོ་པད་ཚལ།

cabin: ཁང་ཆུང་། ཤིང་ཁང་།

cable: ཐག་པ་སྦོམ་པོ།

cacophony: སྐད་ཟ་འེ་ཟིང་ངེ་།

cage: བཙོན་ཁང་།

cairn: རྡོ་སྤུངས།

cake: མངར་ཟས་ཞིག

calamity: རྐྱེན་ངན། བར་ཆད།
དཀའ་ངལ།

calculate: རྩིས་རྒྱབ་པ།

calendar: ལོ་ཐོ།

calf: བེའུ། རྐང་པའི་ཉ་ཏྲེལ།

call: སྐད་གཏོང་བ། འབོད་པ།

calligraphy: ཡིག་གཟུགས་བྲིས་པ།
ཡི་གེ་བཀོད་པ།

calm: ཁ་ཁུ་སིམ་པོ།

came: སླེབས་ཟིན་པ། འབྱོར་ཟིན་པ།

camel: རྔ་མོང་།

camera: པར་ཆས།

camp: སྒར། ངལ་གསོས་ཏེ་སྡོད་པ།

can: ཐུབ་པ།

canal: ཆུ་ཡུར། ཡུར་བོ།

cancel: མེད་པ་བཟོ་བ།

candidate: འོས་མི།

candle: ཡང་ལ།

cane: སྨྱུ་ཤིང་། འཁྲི་ཤིང་། རྒྱུག་པ་གཞུ་བ།

canine: ཁྱི་དང་ཁྱི་རིགས།

cannibal: མི་ཤ་ཟ་མཁན་མི།

cannot: མི་ཐུབ་པ།

canoe: གྲུ་ཆུང་ཞིག

cant: སྐད་ཆ་དོན་མེད་གཤོད་པ།

can't: མི་ཐུབ་པ།

cantor: དབུ་མཛད།

cap: ཞྭ་མོ།

capability: འཇོན་སྟངས། ཐུབ་ཚད།

capable: འཇོན་པོ། ཐུབ་མཁན།

capacity: ནུས་ཚད། ཐུབ་ཚད།

capital: རྒྱལ་ས། མ་རྩ། ཡིག་ཆེན།

capitalism: དཔལ་འབྱོར་རིང་ལུགས།
འབྱོར་ལྡན་རིང་ལུགས།

capitalist: དཔལ་འབྱོར་རིང་ལུགས་འབྱོར་ལྡན་རིང་ལུགས་པ།

capital punishment: སྲོག་གཅོད་ཉེས་པ།

capsize: ཨ་སློག་ཐེབས་པ། ཁ་སྦུབ་སློག་པ།

captain: འགོ་པ། ཆན་བདག

caption: འགོ་བརྗོད།

captive: བཙོན་པ།

captivity: བཙོན་པར། གཞན་དབང་འོག

captor: འཛིན་བཟུང་བྱེད་མཁན།

capture: འཛིན་བཟུང་བྱེད་པ།

car: སྣུམ་འཁོར་ (ཆུང་ཆུང་)

caravan: འགྲུལ་བསྐྱོད་པའི་ཁྱུ། (ཚོང་)

carbon copy: ངོ་བཤུས།

carbon paper: ནག་ཤོག

carcass: ཤི་རོ།

cardiac: སྙིང་གི

cardinal points: ཕྱོགས་བཞི།

care: ལྟ་རྟོགས། གསོ་བ། སྐྱོང་བ། གཟབ་གཟབ།

career: ཚོང་ལས། དམིགས་ཡུལ་གྱི་ལས་ཀ།

carefree: རང་དབང་ཅན།

careful: གཟབ་གཟབ། དོ་སྣང་ཅན།

careless: གཟབ་གཟབ་མེད་པ། དོ་སྣང་མེད་པ།

caress: དགའ་སྣང་གི་བྱུག་བྱུག

caretaker: ལྟ་རྟོགས་པ།

caricature: འདྲ་གཟུགས།

carnivore: ཤ་ཟ་མཁན།

carnivorous: ཤ་ཟ་མཁན་གྱི།

carpenter: ཤིང་བཟོ་བ།

carpet: རུམ་གདན། ས་གདན།

carriage: འདྲེན་འཁོར། སྐྱེལ་འདྲེན།

carried: འཁྱེར་ཟིན་པ།

carrot: གུང་ང་ལ་ཕུག

carry: འཁྱེར་བ།

cart: ཤིང་རྟ།

cartoon: རི་མོ། (དགོད་བྲོ་བ་)

cartridge: མདེའུ།

carve: བརྐོས་པ། དཀྲོལ་རྒྱབ་པ།

case: ཤུབས། ཁ་མཆུ། སྐབས།

case history: ལོ་རྒྱུས།

cash: དངུལ་རྐྱང་།

cash book: རྩིས་དེབ། (དངུལ་རྐྱང་བྱུང་སོང་གི)

cast: འདོར་བ། གཡུག་པ།

castaway: འདོར་བའི་མི། གཡུག་བཏང་བའི་མི།

caste: རིགས།

casual: ཛེས་མེད། སྣང་མེད།

casualty: རྨས་སྐྱོན། རྐྱེན་ངན།

cat: ཞི་མི།

catapult: འགྱིག་མདའ། ཕར་བ།

catch: གཟུང་བ།

category: རིམ་པ། སྡེ་ཚན།

cater: ཞབས་ཕྱི་ཞུ་བ།

cathedral: གཙུག་ལག་ཁང་།

catnap: གཉིད་ཐུང་ཐུང་། (ཉལ་བ་)

cattle: ནོར་ཕྱུགས

caught: འཛུལ་ཟིན་པ།

cauldron: ཐུག་སྣོད། སྣོད་ཆེན་པོ།

cauliflower: ལོ་ཕོ་པད་ཀོལ། (མེ་ཏོག་ཅན་)

cause: རྐྱེན། རྒྱུ།

cautiously: གཟབ་གཟབ་ངང་།

cave: བྲག་ཕུག

cavity: སྦུགས། ཁོག་སྟོང་།

cease: མཚམས་གཅོད་པ།

ceasfire: དམག་མཚམས།

ceiling: ཡ་ཐོག ནང་ཐོག

celebrate: རྟེན་འབྲེལ་བྱེད་པ།

celebrity: སྙན་གྲགས་ཅན།

celestial: བར་སྣང་གི ནམ་མཁའི།

celibacy: ཚང་ས་མ་རྒྱབ་པར་གནས་པའི་མི་ཚེ།

cement: ཨར་འདམ། ཞྭ་ར་བ།

cemetry: དུར་ཁྲོད།

censor: ཞིབ་གཅོད་བྱེད་པ།

census: མི་འབོར་གྲངས་རྩིས།

centenary: ལོ་བརྒྱ་འཁོར་བའི།

center: དཀྱིལ། དབུས།

centigrade: ཚ་གྲང་ཚད་གཞི་ཞིག

central: དཀྱིལ་གྱི། དབུས་ཀྱི། ལྟེ་བ།

centre: དཀྱིལ། དབུས། གནས།

century: བརྒྱ་འཁོར། དུས་རབས།

ceremony: རྟེན་འབྲེལ། དུས་སྟོན། དགའ་སྟོན།

certain: ངེས་གནས། ངོ་མ། གཏན་བདེན།

certainly: ངེས་པར་དུ། གཏན་བདེན

certainty: ངེས་གཏན། རང་།

certificate: ལག་འཁྱེར།

cessation: མཚམས་གཅོད།

chain: ལྕགས་ཐག སྐེ་ཐག གཅིག་འབྲེལ་གཉིས་འབྲེལ།

chair: རྐུབ་རྐྱག རྐུབ་སྟེགས།

chairman: ཚོགས་གཙོ།

chalk: ས་དཀར།

challenge: ཁ་ཐད། འགྲན་བསྡུར།

chamber: ཁང་མིག གཟིམ་ཆུང་།

champion: འགྲན་ཟླ་བྲལ་བ། རྒྱལ་བ་ཐོབ་མཁན།

chance: གོ་སྐབས།

change: འགྱུར་བ། བརྗེ་བ།

changeless: འགྱུར་བ་མེད་པ།

chant: འདོན་པ། (ཞལ་འདོན་སོགས)

chaos: ཟང་ཟིང་ངེ་།

chap: མི། འགགས་པ།

chapel: ཆོས་ཁང་། ལྷ་ཁང་།

chapter: ལེའུ།

character: གཤིས་ཀ གཏམ་བརྗོད་ཁྲབ་མཁན། མི།

charge: ཁག གླ་ཆ། འགན།

chariot: ཤིང་རྟ་འཁོར་ལོ།

charity: སྦྱིན་པ།

charm: མཛེས་པོ།

charter: ཆ་ཁྲིམས། སྒྲིགས་གཞི།

chase: འདེད་པ།

chasm: སེར་ཀ གསེག་གཞོངས།

chat: སྐད་ཆ་གཤོད་པ།

cheap: ཁེ་པོ།

cheat: མགོ་སྐོར་གཏོང་བ།

check: བཀག་པ། ཞིབ་གཞེར།

cheek: མཁུར་ཚོས། འགྲམ་མཁུར།

cheekbone: མཁུར་ཚོས་ཀྱི་རུས་པ། འགྲམ་རུས།

cheer: དགའ་བསུའི་སྐད་ཅོར།

cheerful: བག་བྱེ་བོ། སེམས་སྐྱིད་མདོག་ཅན།

cheese: ཕྱུ་ར།

cheetah: གཟིག་འདྲ་བའི་རི་དྭགས་ཤིག

chef: མ་ཇུན་གྱི་གཙོ་བོ།

chemist: སྨན་ཚོང་ཁང་།

cherish: གཅེས་པོ་བྱེད་པ། བརྩེ་བར་འཛིན་པ།

chess: རྩེད་མོ་ཞིག

chest: བྲང་ཁོག ཕྲག་སྣམ།

chew: མུར་བ།

chick: སྙིང་རྗེ་པོ། ཁྱི་ཕྲུག

chicken: བྱ་ཕྲུག བྱ་ཝ།

chicken pox: བྲུམ་ནད།

chief: གཙོ་བོ།

chieftain: དཔོན།

child: ཕྲུ་གུ བྱིས་པ།

childish: ཕྲུ་གུ་ནང་བཞིན།

children: ཕྲུ་གུ (མང་ཚིག) བྱིས་པ། (མང་ཚིག)

chilled: གྲང་མོ་བཟོས་པ།

chilli: སི་པན།

chilly: གྲང་མོ།

chime: དྲིལ་སྒྲ་སྒྲོག་པ།

chimney: དུད་ཁུང་།

chin: མ་ལེ། ཀོ་སྐོ།

China: རྒྱ་ནག

Chinese: རྒྱ་ནག་གི་མི་རིགས།

chip: ཤ་བྲུར་བདར་བ།

chirp: བྱི་འུའི་སྐད།

chisel: གཟོང་།

chitchat: སྐད་ཆ་ཙག་ཙིག་

choir: གཞས་གཏོང་མཁན་གྱི་རུ་ཁག

choke: དབུགས་དང་མིད་པ་འགག་པ།

choose: འདེམས་པ།

chop: བཙབ་པ། ཞིབ་ཞིབ་བཟོ་བ།

chopstick: ཁོ་རྩེ།

chorus: མཉམ་གཞས།

chose: གདམས་ཟིན་པ།

chosen: གདམས་ཟིན་པ།

Christ: ཡེ་ཤུའི་མ་ཤི་ཀ།

Christian: ཡེ་ཤུའི་ཆོས་ལུགས།

Christmas: མ་ཤི་ཀའི་འཁྲུངས་སྐར་དུས་ཆེན།

chronic: ནད་ཆ་ཡུན་རིང་།

chronologically: ཚེས་གྲངས་རིམ་པར།

chronology: ཚེས་གྲངས་རིམ་གྱི།

chubby: རྒྱགས་པ་ཆུང་ཆུང་།

chuck: བྱ་སྐད། གཡུག་པ།

chuckle: ལྕེ་བརྡབ་པའི་སྒྲ།

chunk: རྡོག་རྡོག དུམ་བུ།

church: ལྷ་ཁང་།

churn: དཀྲོག་པ། (འོ་མ་སོགས་)

cicada: ཚ་བའི་འབུ།

cigarette: ཐ་མག ཤོག་དུད།

cinema: གློག་བརྙན།

circle: སྒོར་སྒོར། སྒོར་དབྱིབས།

circular: སྒོར་དབྱིབས། བརྡ།

circulate: བསྐོར་བ།

circulation: བསྐོར་བསྐྱོད།

circumference: སྒོར་དབྱིབས་ཀྱི་མཐའ།

circumlocution: སྐད་ཆ་བསྐོར་ནས་གཏོང་བ།

circumspect: གཟབ་གཟབ། བརྟན་པོ།

circumstance: གནས་སྟངས། རྐྱེན།

circus: རྩེད་རིགས་འཁྲབ་སྟོན།

cite: དཔེ་གཏོད་པ།

citizen: རྒྱལ་ཁབ་ཀྱི་མི་སེར།

city: གྲོང་ཁྱེར།

civil: མི་མང་།

civilian: མི་མང་གི དམག་མི་མིན་པ་

civilization: ཡར་ཐོན་སྤྱི་ཚོགས་བཟོ་བསྐྲུན།

civilized: ཡར་ཐོན་པ།

civil war: ནང་འཁྲུགས།

clad: གོས་གྱོན་ཡོད་པ།

claim: ཐོབ་ཐང་གཞོད་པ།

claimant: ཐོབ་ཐང་ཞུ་མཁན།

clairvoyance: མངོན་ཤེས།

clamour: སྐད་ཅོར།

clan: མི་བརྒྱུད།

clarify: གསལ་པོ་བཟོ་བ།

clarity: གསལ་སྟོན།

clash: འཐབ་འཁྲུག

class: འཛིན་གྲྭ། གྲལ་རིམ།

classify: དབྱེ་བ་ཕྱེ་བ། གྲལ་རིམ་དུ་དབྱེ་བ་

classmate: འཛིན་གྲོགས།

classroom: འཛིན་ཁང་།

class struggle: གྲལ་རིམ་དགྲ་བོ།

clatter: ལྕགས་དང་དཀར་ཡོལ་གྱི་སྒྲ། (སྒྲོག་པ་)

claustrophobia: ནང་ཁུང་ནང་སྡོད་མི་ཐུབ་པ།

claw: སྡེར་མོ།

clay: འདམ། ས།

clean: གཙང་མ།

cleanse: གཙང་མ་བྱེད་པ།

clear: གསལ་པོ། གཙང་མ།

clearly: གསལ་པོར། ཁམས་གཙང་མར།

cleaver: ཆོལ་ཏོ།

cleft: སེར་ཀ

clemency: སྙིང་རྗེ། གུ་ཡངས།

clench: དམ་པོ་གཟུང་བ།

clerical: ཡིག་ཚང་གི་ལས་ཀའི།

clerk: ལས་དྲུང་།

clever: སྤྱང་པོ། སྤྲང་པོ།

cliche: ཡང་ཡང་བེད་སྤྱོད་ཀྱི་ཚིག

click: ཀི་ལིག་ཞེས་པའི་སྒྲ། (སྒྲོག་པ་)

client: ཚོང་ཤག

cliff: བྲག་གཡང་།

climate: གནམ་གཤིས།

climatology: གནམ་གཤིས་བརྟག་རིག

climax: རྩེ་མཐོ་འཚོས།

climb: འཛེགས།

cling: འཁྱིབ། གཟུང་བ།

clinic: སྨན་སྦྱོར་ཁང་།

clip: གཏུབ་པ། གཟུང་ལྕག

cloak: གོས། (ཕྱུ་པ་འདྲ་བོ།)

clock: ཆུ་ཚོད་ཆེན་པོ།

clockwise: གཡས་བསྐོར།

clod: གོང་པ།

close: ཉེ་པོ། རྒྱབ་པ། (སྒོ་)

close-fisted: སེར་སྣ་ཆེ་པོ།

clot: འཁྱིལ་བ།

cloth: རས་ཆ།

clothe: དུག་སློག་གྱོན་པ། (གཡོག་པ་)

clothes: དུག་སློག གོས། གྱོན་ཆས།

clothesline: དུག་སློག་སྐམ་ཐག

clothier: དུག་སློག་འཚོང་མཁན།

clothing: དུག་སློག གོས། གྱོན་ཆས།

cloud: སྤྲིན་པ།

cloudy: སྤྲིན་པ་འཐིབས་ཡོད་པ།

clown: བཞུན་པ་ཞིག་པ། སྐྱག་པ།

club: རྒྱུག་པ་ཐུང་ཐུང་སྒོམ་པོ།

clue: བརྡ་མཚོན།

clumsy: ཉེབ་ཏོ། འགོར་པོ།

clung: འཁྲིས་ཟིན་པ།

cluster: ཟུ་ཚོགས། ཆག་པ། བབ་ཆ།

clutch: གཟུང་བ། འཛུབ། (དམ་པོ་)

coach: དགེ་རྒན། སློབ་སྟོན་པ།

coagulate: གར་པོ་ཆགས་པ།

coal: སོལ་བ། རྡོ་སོལ།

coalition: གཅིག་སྒྱུར། མཉམ་རུབ།

coarse: རྩུབ་པོ།

coast: རྒྱ་མཚོའི་མཐའ།

coat: སྐོར་ཟེར་འ་མ་གཏོགས་བོད་ཚིག་ མིང

coating: ཕྱི་རྩེ།

coax: བསྐུལ་འདེད་བྱེད་པ། ཞུ་ཚུགས་རྒྱབ་པ།

cobbler: ལྷམ་བཟོ་བ།

cobblestone: རྡོ་རྡེལ།

cobra: སྦྲུལ་མགོ་ལེབ།

cobweb: སྡོམ་ཐག

cock: བྱ་ཕོ།

cockeyed: ཀྱོག་ཀྱོག (མིག་)

code: གསང་ཡིག

co-education: བུ་དང་བུ་མོའི་སློབ་གྲྭ

coerce: དབང་ཡོད་གཏོད་པ། ཞུ་ཚུགས་རྒྱབ་པ།

coexist: མཉམ་དུ་གནས་པ།

coffin: རོ་སྒམ།

cohabit: འབྲིག་པ། རྒྱོ་བ།

cohere: མཉམ་སྦྲར་བྱེད་པ།

cohesion: མཉམ་གནས།

coil: དཀྲི་བ། དཀྲི་ཐག འཁྲི་བ།

coin: ཏམ་ཀ

coincide: དུས་མཉམ་འབྱུང་བ།

coir: རྩ་སྐུད།

cold: གྲང་མོ། ཆམ་པ།

cold hearted: སྙིང་རྗེ་མེད་པ།

cold war: ཁ་འཛིངས།

collaborate: མཉམ་རུབ་བྱེད་པ།
collapse: རྡིབ་པ། ལྷུང་བ། འགྱེལ་བ།
collar: གོང་བ། (སྟོད་ཐུང་)
colleague: ལས་རོགས།
collect: བསྡུ་བ། གསོག་པ།
collective: བསྡུ་རུབ་ཀྱི། མཉམ་རུབ་ཀྱི།
college: མཐོ་རིམ་སློབ་གྲྭ
collide: རྡབ་ཐུག་བྱུང་བ།
collision: རྡབ་ཐུག
colloquial: ཕལ་སྐད།
colony: གཞིས་གྲོང་། གྲོང་སྡེ།
colour: ཚོན་ཁྲ། ཁ་མདོག
colour blind: ཚོན་མདོག་ངོ་མ་ཤེས་མཁན།
colourful: ཚོན་སྣ་ཅན།
coma: དྲན་པ་མེད་པ།
comb: རྒྱུག་ཤད། (རྒྱབ་པ་)
combat: འཐབ་འཛིངས།
combination: སྦྲགས་བསྡུས།
combine: ཟླ་སྒྲིལ་བ། གཅིག་ཏུ་བསྡུས་པ།
combustible: མེ་འབར་ཚོག་ཚོག
come: ཡོང་བ། འབྱོར་བ། ཤོག
comedian: བསྟུན་པ་ཤེད་ཁྲབ་མཁན།

comedy: བསྟུན་པ་ཤིགས། དགོད་བྲོ་པོ།
comely: ཡག་པོ། སྣང་བ་འགྲོ་པོ།
comet: སྐར་མ་འཇུག་མ་ཅན།
comfort: བདེ་སྐྱིད། བདེ་པོ།
comfortable: བདེ་སྐྱིད། བདེ་པོ། སྐྱིད་པོ།
comical: བསྟུན་པ་ཤིགས་ཅན། དགོད་བྲོ་པོ།
coming: ཡོང་བ། (ད་སྟ་)
command: བཀའ་གཏོང་བ།
commander: བཀའ་གཏོང་མཁན། དཔོན་པོ།
commemorate: དུས་དྲན་བརྩི་སྲུང་བྱེད་པ།
commence: འགོ་བཙུགས་པ། འགོ་འཛུགས་པ།
commend: བསྟོད་ར་གཏོང་བ། བསྔགས་བརྗོད་བྱེད་པ།
comment: འགྲེལ་པ་རྒྱག་པ། མཆན་རྒྱག་པ
commentary: འགྲེལ་པ། འགྲེལ་བཤད།
commerce: ཚོང་ལས།
commercial: ཚོང་འབྲེལ་གྱི།
commitment: ཁ་ཆད། འགན།
committee: ཚོགས་ཆུང་།
commodity: དངོས་ཟོག ཅ་ལག
common: སྤྱིར་བཏང་། དཀྱུས་མ།
commotion: ཟང་ཟིང་།
communal: ཚོགས་སྡེའི།

communalism: ཚོགས་སྡེ་ལ་ཞེན།
communicate: གཏོང་འབྲེལ་བྱེད་པ།
communication: འབྲེལ་བ།
communism: དམར་པོའི་ལྟ་བ།
communist: དམར་ཕྱོགས
community: སྤྱི་ཚོགས། མི་སྡེ།
compact: ཟུག་ཟུག
companion: རོགས་པ། གྲོགས་པོ།
company: རོགས་པ། ཁྱུ། བརྒྱ་ཕོག
ཚོང་རོགས།
compare: སྡུར་བ།
comparison: དཔེ་ཟླ། འགྲན་བསྡུར།
compartment: ཁང་མིག
compassion: སྙིང་རྗེ། བྱམས་བརྩེ།
compassionate: སྙིང་རྗེ་ཅན།
compatible: གཅིག་པ། འདྲ་མཚུངས།
compatriot: ཡུལ་ཕྱོགས་གཅིག་པ།
compel: བཙན་དབང་གཏོང་བ། ནན་བསྐུལ་བྱེད་པ།
compendium: སྙིང་བསྡུས།
compensate: གུན་གསབ་སྤྲོད་པ།
compete: འགྲན་བསྡུར་བྱེད་པ།
competent: འགྲན་ནུས་པ། ཚད་ལོང་བ།
competition: འགྲན་བསྡུར།
competitor: འགྲན་བསྡུར་པ།

compile: ཕྱོགས་སྒྲིག་བྱེད་པ།
complacent: འདོད་པ་ཁེངས་བ།
complain: ཞུ་ཡིག་རྒྱབ་པ། སྐྱོན་འདོར་བ།
complainant: ཞུ་ཡིག་རྒྱབ་མཁན།
complement: ཁ་སྐོང་།
complete: ཆ་ཚང་། ཚར་བ།
complex: ཁག་པོ། འདྲེས་མ། ཟུར་ཆ།
complexion: ཤ་མདོག གདོང་གཞི།
compliant: ཁ་ལ་ཉན་པོ། བསྒྲུན་པོ།
complicated: ཁག་པོ། འཛིངས་ཐབས་པ།
complicity: ངན་རོགས།
compliment: བསྟོད་བསྔགས།
complimentary: བསྔགས་བརྗོད་ཀྱི།
comply: བསྒྲུན་པ། ཁ་ལ་ཉན་པ།
component: ཆ་ཤས། ཟུར་ཆ།
compose: རྩོམ་པ།
composer: རྩོམ་པ་པོ།
composite: དུམ་བུ་མང་པོ་ཅན།
composition: རྩོམ།
compound: ས་ཆ། འདྲེས་མ།
compounder: སྨན་རྫས་སྦྱོར་བྱེད་མཁན།
comprehend: གོ་བ་ལེན་པ། ཧ་གོ་བ།
compress: བཙིར་བ།
comprise: ཡོད་པ། ཚང་བ། ཁྱབ་པ།

compromise: ཐབ་ཚུལ་འགྲིགས་ཐབས་བྱེད་པ།

compulsory: ངེས་པར་དུ། རང་དབང་མེད་པ།

concave: ཀོང་ཀོང་།

conceal: སྦེད་པ། གསང་བ།

concede: འགྲིག་ཀྱི་རེད་ལབ་པ། བསྟུན་པ།

conceive: ཕྲུ་གུ་ཁོག་པར་འཁོར་བ། འཆར་གཞི་བཀོད་པ།

concentrate: འབད་བརྩོན་བྱེད་པ།

concentrated: གར་པོ།

concept: བསམ་བློའི་འཁྱེར་ཕྱོགས།

conception: བསམ་བློ། ཕྲུ་གུ་མངལ་འཁོར།

concern: ཚོང་ལས། སེམས་ཁྲལ།

concert: རོལ་དབྱངས་ཀྱི་ལྟད་མོ།

conch: དུང་།

concise: སྙིང་བསྡུས། མདོར་བསྡུས།

conclude: མཇུག་བསྡུ་བ། མཐར་སྐྱེལ་བ།

conclusion: མཐའ་བསྡོམས།

concrete: རྡོག་རྡོག བརྟན་པོ། མཁྲེགས་པོ།

concubine: སྐྱེ་དམན་གཉིས་པ།

condemn: སྨད་ར་གཏོང་བ། ཁ་གཏོང་བ། ཁྲིམས་གཏོང་བ།

condense: གཅིག་ཏུ་བསྡུ་བ། སྟངས་པར་འགྱུར་བ།

condescend: སྙེམས་ཆུང་བྱེད་པ།

condition: གནས་སྟངས།

condolence: སེམས་གསོ།

condom: རླིག་ཤུབས། མཛེ་ཤུབས།

conduct: སྤྱོད་པ། འགོ་འཛུགས་པ།

cone: ཐང་ཤིང་གི་འབྲས་བུ། དུང་དང་རྒྱ་གླིང་གི་བཟོ་ལྟ་འདྲ་བོ།

confectioner: བསྐུན་ཞིལ་བག་ལེབ་དང་མངར་ཟས་བཟོ་མཁན།

confer: གནང་བ། སྐད་ཆ་བྱེད་པ།

conference: ཚོགས་འདུ། གྲོས་ཚོགས།

confess: རང་ནོངས་ལབ་པ། ནོར་འཁྲུལ་གང་ཤེས་གཞན་ལ་ལབ་པ།

confident: ཡིད་ཆེས་གཙང་མ། བློས་བཀལ་ཐུབ་པ།

confide: ཡིད་ཆེས་བྱེད་པ། བློས་བཀལ་བ།

confidence: ཡིད་ཆེས། བློ་གཏད།

confidential: གསང་བ། གཞན་ལ་ཤོད་མི་རུང་བ།

confine: བཙོན་དུ་གཟུང་བ།

confirm: དངོས་དྲང་ཡིན་མིན་གཤོད་པའམ་བལྟ་བ། ར་སྤྲོད་བྱེད་པ།

confiscate: བཙན་འཕྲོག་བྱེད་པ།

conflict: རྩོད་པ།

confluence: ཆུ་དང་ལམ་སོགས་འཛོམས་ས།

confound: དཀའ་རྙོག་བཟོ་བ། བརྟུལ་བ།

confront: འཕྲད་པ། ཐུག་འཕྲད་བྱུང་བ།

confuse: མགོ་འཐོམས་པ(བཟོ་བ།)

congenital: སྐྱེ་དུས་ནས་བྱུང་བ།

congratulate: ལེགས་གསོལ་བྱེད་པ། དགའ་བསུ་ཞུ་བ།

congregate: འཚོགས་པ། འཛོམས་པ།

congress: གྲོས་ཚོགས།

conjoin: མཐུད་པ། མཉམ་དུ་སྦྲེལ་བ།

connect: མཐུད་པ།

conquer: དབང་དུ་བསྡུ་བ།

conscious: ཚོར་བ་ཡོད་པ། སྣང་བ།

consciousness: རྣམ་ཤེས།

consecrate: རབ་གནས་བྱེད་པ།

consecutive: རིམ་པར། གཅིག་མཐུག་གཉིས་མཐུག

consent: ཁས་ལེན།

consequence: འབྲས་བུ།

conservative: སྔོན་པ་གང་ཡིན་ལ་ཞེན་ཆེན་པོ།

conserve: ཉར་བ། བདག་སྲུང་བྱེད་པ།

consider: བསམ་བློ་གཏོང་བ། དགོངས་བཞེས་གནང་བ།

considerable: ཡོན་ཆེན་པོ། མང་པོ། ག་ལ་གང་ཚམ།

considerate: གཞན་སེམས་ཆེན་པོ།

consign: སྐུར་བ། ཚོང་བཅོལ་སྐུར་བ།

consignee: སྐུར་ས། ཚོང་བཅོལ་སྐུར་ཡུལ།

consignor: བསྐུར་མཁན། གཏོང་མཁན།

consist: ཚུད་པ། འདུས་པ།

consistent: གཅིག་འདྲ་བ། འཚམས་པོ།

consolation: སེམས་གསོ།

console: སེམས་གསོ་གཏོང་བ།

consonant: དབྱངས་ཡིག་མིན་པ། གསལ་བྱེད་ཡི་གེ།

consort: བཟའ་ཟླ།

conspicuous: མངོན་གསལ་ཆེན་པོ།

conspiracy: གྲོས་ངན། འཆར་གཞི་ངན་པ།

conspire: ཁ་མཐུན་པ།

constant: གཏན་འཇགས། འགྱུར་བ་མེད་པ། བརྟན་པོ།

constantly: རྒྱུན་མ་ཆད་པར།

constellation: སྐར་ཚོགས།

consternation: ཧ་ལས་པ།

constipation: བཙོག་པ་འགགས་པ། སྐྱག་པ་མ་འབབ་པ།

constitute: འཛུགས་པ། ཚུད་པ། ཁྲུངས་གཏོགས།

constitution: རྩ་ཁྲིམས།

constrain: བཙན་དབང་གཏོང་བ།

constrict: འདམས་པ། མདུད་པ་སྒྲིབས་པ།

construct: བཟོ་བ། སྒྲིག་པ།

consul: ཕྱི་སྡོད་དོན་གཅོད།

consultation: གྲོས་བསྡུར།

consumer: བེད་སྤྱོད་བྱེད་མཁན། ཉོ་མཁན།

contact: འབྲེལ་བ། ཐུག་འཕྲད།

contagious: འགོས་ནད་ཀྱི། (ན་ཚ་)

contain: ཡོད་པ། གནས་པ། ཤོང་པ།

container: སྣོད།

contaminate: བཙོག་པ་བཟོ་བ། སྒྲིབ་བཙོག་ཕོག་པ།

contemplate: སྒོམ་པ། བསམ་བློའི་ནང་མཐོང་བ།

contemporary: དུས་མཉམ་གྱི།

contempt: མི་དགའ་བ། བརྙས་བཅོས།

contend: འགྲན་བསྡུར་བྱེད་པ།

content: དཀར་ཆག (འདིའི་) ནང་གཞུང་ཡོད་པ།

contest: འགྲན་བསྡུར། (བྱེད་པ་)

contestant: འགྲན་བསྡུར་བྱེད་མཁན།

continent: གླིང་ཕྲན།

contingency: ངེས་མེད།

continually: མུ་མཐུད་ནས།

continue: མུ་མཐུད་པ།

continuously: རྒྱུན་མ་ཆད་པར།

contraception: ཕྲུ་གུ་སྐྱེ་བཀག

contract: འཁུམ་པ། སྐུམ་པ། གན་རྒྱ།

contraction: འཁུམ་པའི། སྐུམ་པའི།

contractor: ངོགས་མ་ལེན་པ།

contradict: མི་མཐུན་པ། ལྡོག་པ། འགལ་ཟླ་ཕྱིན་པ།

contraption: ཅ་ལག་ཁྱད་ཚར།

contrary: གོ་ལྡོག མི་མཐུན་པ།

contrast: དབྱེ་བ། ཁྱད་པར་སྟོན་པ།

contribute: ཞལ་འདེབས་རྒྱབ་པ།

contribution: ཞལ་འདེབས།

contrive: གསར་པ་བཟོ་བ། རྩོམ་པ།

control: དབང་བ། དབང་།

controversial: རྩོད་རྙོག་ཅན།

convalescence: ནད་སོས་པ།

convene: འདུ་བ། བཀོང་བ།

convenient: བྱེད་བདེ་པོ། བྱེད་སླ་པོ།

convent: ཆོས་སྡེ། (བུའི་)

convention: ལྷན་འཛོམས།

conventional: གསར་པ་མ་ཡིན་པ། ལམ་སྲོལ་རྙིང་པ།

converge: སྣེ་གཅིག་ཏུ་འཛོམས་པ།

conversation: སྐད་ཆ། གྲོས་མོལ།

converse: སྐད་ཆ་གཤོད་པ།

conversion: བཅོས་བསྒྱུར།

convert: འགྱུར་བ། བསྒྱུར་བ།

convertible: འགྱུར་རུང་བ།

convex: བུར་བུར།

convey: སྐྱེལ་བ། འཁྱེར་བ།

conveyance: སྐྱེལ་འདྲེན།

convict: ནག་ཉེས་པ། ནག་ཉེས་རེད་ལབ་པ།

convince: བདེན་པའི་ར་སྤྲོད་བྱེད་པ།

cook: མ་བྱན། ཁ་ལག་བཟོ་བ།

cookery: ཁ་ལག་བཟོ་སྟངས།

cool: གྲང་མོ། བསིལ་པོ།

cool-hearted: ལྷོད་པོ།

coolie: དོས་པོ་འཁྱེར་མཁན།

cooperate: ཁ་མཐུན་པ། ཆམ་པོ་བྱེད་པ།

cooperation: རོགས།

co-operative: མཉམ་འབྲེལ།

coordinate: གོ་གནས་གཅིག་པ། (བཟོ་བ་) སྒྲིག་པ།

cop: བསྐོར་བྱ་བ། (ཕལ་སྐད་ཡིན་)

cope: གཞན་མཉམ་བསྡུན་སྒྲིགས་བྱེད་པ།

copper: ཟངས།

copulate: རྒྱོ་རྒྱབ་པ། འཁྲིག་པ།

copy: བཤུ་བ། འདྲ་བཤུས།

copycat: གཞན་ནས་བཤུ་མཁན།

copyright: དཔར་བསྐྲུན་པའི་ཐོབ་དབང་

coral: བྱུ་རུ།

cord: ཐག་པ་ཕྲ་པོ། སྐུད་པ་སྦོམ་པོ།

cordial: མཛའ་བརྩེའི། མཐུན་པོ།

corduroy: རས་ཆ་ཕྲུར་མ།

core: སྙིང་ཆ། གཏིང་།

cork: ཞེར་ཤིང་གི་ཤུན་པ། ཤིང་གི་ཁ་གཅོད།

corn: འབྲུ།

corner: ཁུག་ཀོས། ཟུར། གྲྭ།

corpse: རོ། ཕུང་པོ། སྐུ་ཕུང་།

corporal: མིའི་ལུས་ཀྱི།

corporative: ཚོགས་བསྒྲིལ།

corpulent: སྦོབས་ཆེན། རྒྱག་པ།

correct: སྐྱོན་མེད་པ། ནོར་བཅོས་གཏོང་བ། ཞུས་དག་གཏོང་བ།

correlate: ཕན་ཚུན་འབྲེལ་བ།

correspondence: ཡིག་འབྲེལ།

corridor: ཁང་པའི་བར་འཁྱམས་བྱེད་ས། ཀ་བེབས།

corrigenda: ནོར་བཅོས་ (མང་ཚིག་)

corrigendum: ནོར་བཅོས།

corrode: ཟད་པ། བཙོས་ཟད་པ།

corrupt: དྲང་པོ་མིན་པ། ངན་པ། ལྷད་ཅན།

cortege: ཞབས་ཞུ་བ། གཡོག་པོ།

cost: རིན་པ། འགྲོ་སོང་། རིན་འབབ།

costly: རིན་ཐང་ཆེན་པོ།

cost of living: འཚོ་བའི་འགྲོ་གྲོན། ལྟོ་གོས་ཀྱི་འགྲོ་སོང་།

costume: ཆས་གོས།

cot: ཁང་ཆུང་། ཕྲུ་གུའི་ཉལ་ཁྲི་ཆུང་ཆུང་།

cote: བྱ་དང་ལུག་སོགས་ཀྱི་སྡོད་ཁང་།

cottage: ཁང་ཆུང་། ཞིང་ཁང་།

cotton: སྲིན་བལ། སྲིན་བལ།

couch: ཉལ་ཁྲི། སྙེས་ནས་སྡོད་ས།

cough: གློ། གློ་རྒྱབ་པ།

could: ཐུབ་པ།

couldn't: མི་ཐུབ་པ།

council: ལྷན་ཁང་། ལས་ཁུངས།

counsel: སློབ་སྟོན། ལམ་སྟོན།

count: གྲངས་ཀ་རྒྱབ་པ། བགྲང་བ།

counterfeit: བརྫུས་མ།

counter-part: ཆ་རོགས།

countermand: ཕྱིར་བཀོང་བ། བསྒྱུར་བཅོས་བྱེད་པ།

countess: ལྕམ།

countless: གྲངས་མེད།

country: ལུང་པ། ཡུལ།

countryside: གྲོང་གསེབ་ཁུལ།

coup d'etat: ཇོ་ལོག་གིས་སྲིད་གཞུང་བོ་འཕྲུར།

couple: ཆ། བཟའ་ཚང་། འགའ་ཤས་

coupon: འཛིན་ཤོག

courage: བློ་ཁོག སྙིང་སྟོབས། དཔའ།

courageous: བློ་ཁོག་ཆེན་པོ། དཔའ་བོ།

courier: བང་ཆེན།

course: ཁ་ཕྱོགས། རིམ་པ། ལམ།

court: སྒོར། ཁྲིམས་ཁང་།

courteous: ཡ་རབས་ཅན། བཀྲིན་ཅན།

courtesy: ཡ་རབས། བཀྲིན།

cousin: ཕ་མ་གཅིག་པ་མ་ཡིན་པའི་སྤུན།

cover: ཁེབས། སྲུང་བ། ཁྱབ་པ།

covert: གསང་བ། སྦས་པ།

covet: བརྣབ་སེམས་བྱེད་པ།

cow: བ་ཕྱུག

coward: བློ་ཁོག་མེད་པ། སྙིང་སྟོབས་མེད་པ།

cowardly: བློ་ཁོག་མེད་པར།

cowboy: བ་གླང་འཚོ་མཁན། ཕྱུ་རྫི།

cower: བཞེད་སྣང་གིས་འཁུམ་པ།

cowherd: ཕྱུགས་རྫི།

coy: ངོ་ཚ་ཅན། འཛེམ་བག་ཅན།

cozy: བག་ཕྲི་པོ། སྐྱིད་མདོག་ཁ་པོ།

crab: སྡིག་སྲིན། སྐད་ཆ་ཚ་མེད།

crack: སེར་ཀ། གས་པ། ཚིག་སྨྲ། གཅག་པ།

cradle: ཕྲུ་གུའི་ཉལ་ཁྲི།

craft: ལག་ཤེས། སྒྱུ།

craftsman: ལག་ཤེས་པ།

crafty: གྱོང་པོ། གུང་པོ། གཡོ་སྒྱུ་ཅན།

cram: ངག་ཐོག་ཏུ་འཛིན་པ། ཚོད་ལས་ལྷག་པ་དགང་བ།

cramp: རྩ་འཁུམ་པ།

crane: བྱ་ཁྲུང་ཁྲུང་། དངོས་པོ་སོགས་འདེར་འདྲེན་ཆེད་འཕྲུལ་འཁོར་ཞིག།

crash: བརྡབས་སྒྲ་སྒྲོག་པ། འཛིགས་སྒྲ། ཆག་སྐྱོན།

crate: ཤིང་སྒམ། སློ་པོ།

crave: བརྗམས་པ། འདོད་པ་སྐྱེས་པ།

crawl: ས་ལ་རྐང་ལག་བཙུགས་ཏེ་ཕྱིན་པ། དལ་པོར་ཕྱིན་པ།

craze: སྨྱོན་འདོད།

crazy: སྨྱོན་པ། སེམས་བརྟན་པོ་མེད་པ། (ཕལ་སྐད)

creaky: གཅེར་སྒྲ་ཅན། ཤིང་སོགས་བདར་བའི་གཅེར་སྒྲ།

cream: འོ་མའི་དཀྲི། ཕྲུག་སྨུམ།

crease: གཉེར་མ། ལྟེབ་རྩེ།

create: བཟོ་བ། གསར་སྐྲུན་བྱེད་པ།

creation: བཟོ་སྐྲུན།

creative: གསར་བཟོ་མཁས་པ།

creche: ཉིན་མོའི་བུ་བཅོལ་ཁང་།

credential: ངོ་སྤྲོད་ལག་འཁྱེར།

credit: བུ་ལོན། གཡར་ཟིན་པ།

creditor: བུ་ལོན་གཏོང་མཁན།

credulous: ཡིད་ཆེས་བྱེད་སླ་པོ།

creed: ཆོས་ལུགས། དད་པ།

creek: ཐྲག་གཡང་།

creep: གབ་ནས་འགྲོ་བ།

creeper: ཁྲི་ཤིང་།

cremate: རོ་སྲེག་པ།

crept: གབ་ནས་ཕྱིན་པ།

crescendo: མཐོ་ཤོས།

crescent: ཟླ་དཀར་གྱི་ཟུར་ཆ།

crest: ཟེ།

crestfallen: དམའ་ཆགས་པ།

crevice: སེར་ཀ་ཆེན་པོ། ས་དོང་།

crew: མི་ཚོགས། ལས་མི།

crib: ཕྲུ་གུའི་ཉལ་ཁྲི།

cricket: འབུ་སྐད་ཚ་པོ་ཞིག རྩེད་མོ་ཞིག

cried: ངུས་ཟིན་པ།

crime: ཉེས་པ། སྐྱོན། ཁྲིམས་འགལ་ལས་ཀ།

crimson: དམར་མདོག དམར་རྒྱང་།

crippled: ཡན་ལག་སྐྱོན་ཅན། སྐྱོན་ཅན། ཞ་བོ།

crisis: དུས་ངན། ཉེན་ཁའི་དུས། ཉེན་ཁ་དང་སྐྱོན།

crisp: སོབ་སོབ།

crisscross: ཕར་རྒྱུགས་ཚུར་རྒྱུག

critical: གནད་འགག་ཆེན་པོ།

criticism: སྐྱོན་བརྗོད།

criticize: སྐྱོན་བརྗོད་བྱེད་པ།

croak: སྦལ་པ་དང་བྱ་རོག་གི་སྐད་སྒྲ།

crockery: ལྡི་སྣོད།

crocodile: ཆུ་སྲིན།

crone: རྒོ་བོ་རྒན་མོ།

crook: གུག འཁར་རྒྱུག་གུག་གུག

crooked: གུག་གུག ཀྱོག་ཀྱོག

crop: ལོ་ཏོག ཞིང་འབྲས།

cross: ཀ་རུ་ཁ། འཁྲེད། ཐལ་བ། རྒྱང་ཤིང་།

crossbreed: རིགས་བསྲེས་པ། རིགས་འདྲེས་པ།

cross-legged: སྐྱིལ་ཀྲུང་།

crossroad: ལམ་ཁ་མང་པོའི་འཛོམས་འདུས།

crouch: འཁུམ་ནས་སྡོད་པ།

crow: ཕོ་རོག ཁ་ཏ།

crowd: མི་ཚོགས། འཚངས་ཀ (རྒྱབ་པ་)

crown: མགོ་རྒྱན། རྒྱལ་པོ་དང་རྒྱལ་མོའི་ཞ་མོ། དབུ་རྒྱན།

crucify: རྒྱང་ཤིང་ལ་བཏང་ནས་གསོད་པ།

crude: རྩུབ་པོ། ཡག་པོ་མིན་པ།

cruel: ངན་པ། སྙིང་རྗེ་མེད་པ།

crumb: ཞིབ་ཞིབ།

crumble: ཞིབ་ཞིབ་བཟོ་བ།

crumple: གཉེར་མ། གཉེར་མ་ཅན་བཟོ་བ།

crunch: ཏྲོབ་ཏྲོབ་སྒྲ་སྒྲོག་སོ་ཟ་བ།

crush: བཙིར་བ། བཙགས་པ། བརྡུལ་བ།

crust: བག་ལེབ་སོར་ཀྱི་ཕྱི་ལྤགས་མཁྲེགས་པོ།

crutch: རྐང་པ་སྐྱོན་ཅན་གྱི་རྐང་ཚབ་འཁར་རྒྱུག

crux: ལས་དོན་དཀའ་རྙོག་ཅན།

cry: ངུ་བ།

crystal: ཤེལ་རྡོ།

cub: གཅན་གཟན་གྱི་ཕྲུ་གུ

cube: ཤོའི་བཟོ་དབྱིབས།

cuckoo: ཁུ་བྱུག

cuddle: གཉིབས་གཉིབ་བྱེད་པ།

cuff: ཕུ་དུང་གི་ཁ།

hand-cuff: ལག་ལྕགས།

cuisine: ཐབ་ལས། ཁ་ལག་བཟོ་སྟངས།

culinary: ཐབ་ལས་དང་ཟས་ཀྱི།

culminate: ཚད་མཐོ་ཐོབ་སུ་སླེབས་པ། མཐར་འཁྱོལ་བ།

culprit: ནག་ཉེས་ཅན། ཁྲིམས་འགལ།

cult: ཆོས་ཀྱི་བྱེད་སྒོ། དད་པའི་ལམ་སྲོལ།

cultivate: ས་ཞིང་འདེབས་པ། ཁ་བཏོད་བརྩོན་བྱེད་པ།

culture: རིག་གཞུང་།

cumbersome: རྩ་ལེ་བ་ལེ་ཆེ་པོ། དཀའ་རྙོག་ཅན།

cumulate: བསགས་པ། སྤུང་བ།

cunning: གཡོ་སྒྱུ་ཅན། སྤྱང་གྲུང་ལྡན་པ།

cup: དཀར་ཡོལ། ཕོར་པ།

cupboard: འཆའ་སྒམ།

cur: ཁྱི་ངན། མི་ངན།

curable: བཅོས་ཐུབ་པ། གསོ་ཐབས་བྱེད་ཐུབ་པ།

curator: དངོས་རིགས་རྙིང་པའི་གཉེར་པ།

curb: བཀག་པ། ཕྱིར་བཀུག་པ།

curd: ཞོ། གསོལ་ཞོ།

cure: བཅོས་པ། གསོབ། ནད་སོགས་ནུས་དྲག་པ།

curiosity: ཤེས་འདོད་དང་མཐོང་འདོད།

curious: ཤེས་མཐོང་གི་འདོད་པ་ཅན། ཡ་མཚན་ཅན།

curl: སྒུ་ལྒུ། འཁྱིལ་བ།

currency: དངུལ།

current: དེང་དུས་ཀྱི། འགྲོ་ལུགས། གློག

curse: དམོད་མོ། (རྒྱབ་པ་) དམོད་པ།

curt: བསྡུས་བསྡུས། མདོར་བསྡུས།

curtail: གཅོད་པ། ཉུང་ཉུང་བཟོ་བ། བཀག་པ།

curtain: རས་ཡོལ། ཡོལ་བ།

curve: བཀུག་པ། ཀྱོག་པ།

cushion: འབོལ་གདན།

custody: སྲུང་སྐྱོབ། དོ་དམ།

custom: ལམ་སྲོལ། ལུགས་སྲོལ།

customer: ཉོ་མཁན།

cut: བཅད་པ། གཅོད་པ། གཏུབ་པ།

cute: སྙིང་རྗེ་པོ།

cutlery: ཁ་ལག་བཟའ་ཆེད་ཀྱི་ཐུར་མ་དང་གྲི་རྒྱུང་སོགས།

cut-rate: དུས་རྒྱུན་རིན་གོང་ལས་ཆུང་བ།

cutting: གཅོད་བཞིན་པ། གཏུབ་བཞིན་པ། གཅོད་གཏུབ།

cycle: རྐང་འཁོར། འཁོར་བ། བསྐོར་བ།

cyclone: རླུང་འཚུབ་ཆེན་པོ།

cymbal: སྦུག་ཆལ།

cypress: ཤིང་ཤུག་པ།

cynic: མ་དགའ་བའི་རྣམ་འགྱུར་ཅན།

D

dab: ཐུག་ཐུག་བྱེད་པ། རེག་པ།

dacoit: ཇག་ཛག འཕྲོག་བཅོམ་བྱེད་མཁན།

dacoity: ཇག་ཛག་གི་ལས་ཀ

dad: པཱ་ལགས། པ། པ་པ།

daffodil: མེ་ཏོག་སེར་པོ་ཞིག

dagger: གྲི་ཆེན། གྲི་དཔའ་གཏམ།

daily: ཉིན་ལྟར། ཉིན་རེ་བཞིན།

dainty: ཞིམ་ཟས། སྙིང་རྗེ་པོ།

dairy: འོ་དང་འོ་མ་སོགས་ཚོང་ཁང་།

dais: བཞུགས་ཁྲི། བསྟེགས།

daisy: སྤང་རྒྱན་མེ་ཏོག

Dalai Lama: ཏཱ་ལའི་བླ་མ།

dally: ཚབ་རྩེ་བ། བསྟན་བ་ཞིགས་སློང་བ།

dam: ཆུ་རགས།

damage: གནོད་སྐྱོན། སྐྱོན་ཤོར་བ།

dame: སྐྱེ་དམན་གཞོན་གཞོན། བུ་མོ།

damnation: ཉེས་ཆད།

damnify: གནོད་བྱེད་པ། སྨད་སྐྱོན་གཏོང་ག།

damp: རློན་པ།

damsel: ཆང་ས་མ་རྒྱབ་པའི་སྐྱེ་དམན་ལ་གཞོན་ནུ།

dance: གཞས་ཁྲབ་པ། གར་འཆམ་ཁྲབ་པ། ཞབས་བྲོ།

dancer: གཞས་ཁྲབ་མཁན། གར་མཁན།

danger: ཉེན་ཁ།

dangle: དཔྱངས་ནས་ཡོམ་ཡོམ་བྱེད་པ།

Danish: ཌེན་མག་ལུང་པའི་མི་དང་སྐད་ཡིག

dare: ནུས་པ།

daring: བློ་ཁོག་ཆེན་པོ།

dark: ནག་ཁུང་། མུན་པ། མདོག་ནག

darkling: ནག་ཁུང་ནང་།

darling: སྙིང་གི་བརྩེ་བ། སྙིང་སྡུག

darn: གྱོན་པའི་ཚབ་ལ་ཚེམ་བུ་རྒྱབ་པ།

dart: མདུང་། མདུང་ནང་བཞིན་ཕུར་བསྐྱོད་བྱེད་པ།

dash: བརྡབ་པ། ཆག་པ།

date: ཚེས་གྲངས། ཟླ་འཁྱུད་དུས་ཚོད

date: ཁ་སུར། (ཤིང་ཏོག)

dative: ལ་དོན།

daughter: བུ་མོ། སྲས་མོ།

daughter-in-law: བུའི་མནའ་མ།

daunt: སེམས་ཤུགས་གཅོག་པ།

dauntless: མ་བཞེད་མཁན། བློ་ཁོག་ཆེན་པོ།

dawn: སྐྱ་རེངས།

day: ཉིན་མོ།

day-after-tomorrow: གནངས་ཉིན།

day-before-yesterday: ཁ་ཉིན།

day-break: ནམ་ལངས།

daylight: ཉིན་མའི་གུང་།

dayscholar: ཉིན་མོའི་སློབ་གྲྭ

dayschool: ཉིན་མོའི་སློབ་གྲྭ

daze: ཧ་ལས་པ། མགོ་འཐོམ་པ།

dazzle: འོད་ཆེན་གྱིས་མིག་འཐོམ་པ། མགོ་ཡུར་འཁོར་བ།

dead: ཤི་ཚར་བ། གཤིན་པོ། འདས་གྲོང་ཟིན་པ།

deaden: ནུས་ཤུགས་མེད་པར་བཟོ་བ།

deadly: ཤི་བ་ནང་བཞིན། ཉེན་ཚབས་ཆེན་པོ།

deaf: འོན་པ།

deal: ཚོང་རྒྱབ་པ། བགོས་པ།

dealer: ཚོང་པ། བགོས་མཁན།

dear: བརྩེ་ལྡན། རིན་གོང་ཆེན་པོ།

dearth: དཀོན་པོ།

death: འཆི་འདས། ཤི་བའི།

debacle: རྡིབ་པ། ཞིག་པ།

debar: བཀག་འགོག་བྱེད་པ།

debark: གྲུ་ཟིང་ནས་འབབ་པ།

debatable: རྩོད་འོས་པ།

debate: རྩོད་པ། (རྒྱབ་པ)

debauch: ངན་སྤྱོད། མ་རུང་བ།

debility: སྟོབས་མེད།

debit: བུ་ལོན་སྤྲོད་རྒྱུ།

debonair: ཁམས་དྭངས་པོ། ཞང་པོ།

debris: གད་སྙིགས། ཆག་རོ་ཞིག་རོ།

debt: བུ་ལོན།

deca: བཅུ། (གི་རིག་སྐད་དུ deka)

decade: ལོ་བཅུ། བཅུ་རེ།

decadence: ཉམས་རྒུད། མར་རྒུས།

decamp: གནས་སྤོས་བྱེད་པ།

decapitate: མགོ་གཅོད་པ། སྐེ་གཅོད་པ།

decay: ཉམས་རྒུད། རུལ་བ།

decease: ཤི་བ། འཆི་བ།

deceit: མགོ་བསྐོར། སླུ་བྲིད།

deceive: མགོ་བསྐོར་གཏོང་བ། སླུ་བ།

decelerate: འགོར་དུ་གཏོང་བ།

December: ཕྱི་ཟླ་བཅུ་གཉིས་པ།

decency: སྤྱོད་བཟང་།

decennial: ལོ་བཅུ་རེར།

decent: སྤྱོད་བཟང་། བག་ཡོད།

decently: སྤྱོད་པ་ཡག་པོར།

decentralize: ཁ་བཀྲམ་པ། དབང་ཆ་སོའི་ཁུངས་སོ་སོར་སྤྱོད་པ།

deception: མགོ་བསྐོར་བསླུ་བྲིད།

deci: བཅུ་ཆ།

decide: ཐག་གཅོད་པ།

decipher: གོ་སླ་པོ་བཟོ་བ། དོན་སྒྲོན་པ།

decision: ཐག་གཅོད། གདན་འབེབས།

decisive: ཐག་ཆོད་པོ།

deck: གཡོག་པ། བརྒྱན་པ།

declaration: ཁྱབ་བསྒྲགས། གསལ་བསྒྲགས།

declare: ཁྱབ་བསྒྲགས་བྱེད་པ།

declination: ཐུར་དུ་གུག་པ།

decline: ཉམས་ཆགས། ཉམས་རྒུད།

declivity: ཐུར། རིའམ་བྲག་གཟར་པོ།

decoction: ཁུ་བ་བཏེན་པ།

decode: གོ་བ་ སྒྲོན་པ།

decolourize: ཚོན་མདོག་མེད་པར་བཟོ་བ།

decompose: སོ་སོར་འགྱེས་པ། ཁག་ཁ་ཆགས་པ།

decorate: རྒྱན་ཆ་བཏགས་པ། བརྒྱན་པ། སྙིང་རྗེ་པོ་བཟོ་བ།

decrease: ཉུང་དུ་ཕྱིན་པ། ཆུང་དུ་ཕྱིན་པ། ཉམས་པ།

decree: བཀའ་རྒྱ།

decrement: ཉམས་ཆགས། ཉམས་རྒུད།

decrepit: ལན་ཐོགས་མེད་པ། རྙིང་པ། ཟད་པ། བེད་མེད།

dedicate: དགེ་རྩར་གཏོང་བ། གཞན་དོན་དུ་གཏོང་བ།

dedication: དམ་བཅའ། གཞན་དོན་དུ་གཏོང་བ།

deduce: རྟོགས་པ། དྲངས་པ།

deduct: འཐེན་པ། གཅོག་པ། འཕྲི་བ།

deduction: གཅོག་འཐེན།

deed: བྱ་སྤྱོད། ཁྲིམས་ཡིག ལས། བྱ་བ།

deem: བསམ་བློ་འཁོར་བ། ཡིད་ཆེས་བྱེད་པ། བསམ་པ།

deep: གཏིང་རིང་པོ། གཏིང་ཟབ་པོ།

deer: ཤྭ་བ།

deface: བཟོ་ལྟ་བཤིག་པ།

defamatory: དམའ་འབེབས་ཀྱི།

defame: དམའ་འབེབས་བྱེད་པ།

default: འཐུས་ཤོར། ཉེས་འགལ།

defaulter: འགལ་ཟླ་བྱེད་མཁན།

defeat: ཕམ་བཅུག་པ། ཕམ་ཤོར།

defecate: གཙང་མ་བཟོ་བ།

defect: སྐྱོན། ཕྱིར་བྲོས་བྱེད།

defence: སྲུང་སྐྱོབ།
defend: སྲུང་བ། སྐྱོབ་པ།
defensive: སྲུང་སྐྱོབ་ཀྱི
defer: དུས་ཚོད་འགྱངས་པ།
defiance: ཁ་ཐད་ལང་བ། མ་ཉན་པ།
defiant: ཁ་ཐད་ལང་མཁན།
deficiency: ཆད་ལུས།
deficient: ཆ་མ་ཚང་བ།
deficit: ཉུང་བ། ཚད་མ་ལོང་བ། ཡོང་འབབ་ལས་ལྷག་པའི་འགྲོ་སོང་།
defile: འཛོར་པོ་བཟོ་བ།
define: གོ་དོན་གསལ་བ། འགྲེལ་བ་རྒྱབ་པ། མཚམས་གཅོད་པ།
definite: ཏན་ ཏན། གསལ་པོ།
definition: འགྲེལ་བཤད།
deflagrate: མེ་ཆེན་པོ་འབར་བ།
deflate: རླུང་ཕྱིར་བཏོན་པ།
deflect: གཡས་གཡོན་དུ་གུག་པ།
deforest: ཤིང་ནགས་མེད་པར་བཟོ་བ།
deform: བཟོ་དབྱིབས་བཤིག་པ། བཟོ་ལྟ་མདོག་ཉེས་བཟོ་བ།
deformation: བཟོ་ཉེས། བཟོ་མེད།
deformity: བཟོ་ལྟ་ཉེས་ཅན།
defraud: མགོ་བསྐོར་གཏོང་བ།
defray: འགྲོ་གྲོན་གསབ་པ།
deft: རྩལ་ཅན། མཁས་པ།
defunct: ཤི་ཚར་བ། བེད་སྤྱོད་མེད་པ།
defy: ཁ་ཐད་ལང་བ། རྩོལ་བ།
degenerate: མར་རྒྱུད་ཕྱིན་པ། ཉམས་པ།
degrade: གོ་གནས་དམའ་རུ་གཏོང་བ། དམའ་འབེབས་བྱེད་པ།
degree: གོ་གནས། ཚད་གཞི།
degression: ཉུང་དུ་ཕྱིན་པ།
dehydrate: ཆུ་སྣོན་འཐེན་པ།
deify: ལྷ་ལྟར་བརྩི་འཇོག་བྱེད་པ།
deity: སྲུང་མ། ཡི་དམ། ལྷ།
deject: སེམས་སྐྱོ་བ། ｢མདོག་ཅན།
dejected: སེམས་སྐྱོ་པོ་ཅན། བློ་ཕམ
dejection: སེམས་སྐྱོ། སྙིང་སྟོབས་ཉམས་པ།
delectable: སྣང་བར་འགྲོ་པོ། ཉམས་དགའ་པོ།
delegate: འཐུས་མི། (གཏོང་བ) སྐུ་ཚབ་གཏོང་བ།
delete: བསུབ་པ། འཕྱི་བ།
deliberate: ཀུག་ཀུག
delibterately: ཀུག་ཀུག་བྱས་ཏེ།
delicacy: ཟས་ཞིམ་པོ། མཉམ་གཉེན་ལྡན་པ།

delicate: སྙི་མོ། ཆག་ཆོག་ཆོག སྐྱོན་འཚོར་ཆོག་ཆོག

delicious: ཞིམ་པོ། བྲོ་བ་ཆེན་པོ།

delight: དགའ་སྤྲོ། དགའ་སྤྲོ་སྐྱེ་བ།

delightful: དགའ་སྤྲོ་ལྡན་པ།

deliquesce: ཞུར་བ། ཆུར་གྱུར་བ།

delirious: སེམས་པ་འཁྲུལ་ནད་ཅན།

delirium: སེམས་པ་འཁྲུལ་ནད།

deliver: སྤྲོད་པ། གཏོང་བ། སྐྱེལ་བ།

deliverance: སྲུང་སྐྱོབ།

delivery: སྐྱེལ་འདྲེན། སྤྲོད་དཀྲོལ། ཕྲུ་གུ་སྐྱེས་པའི།

delude: སླུ་བ། མགོ་བསྐོར་གཏོང་བ།

deluge: ཆར་ཆུ་ཆེན་པོ། ཆུ་ལྷབས།

deluxe: ཡག་ཤོས། རྩེ་གྲ

delv: འབྲུ་བ། (གཏིང་ནས) ཉམས་ཞིབ།

demand: དགོས་ལབ་པ། དགོས་གལ།

demarcation: ས་མཚམས་ཀྱི་ཚོད་ཐིག

demi: ཕྱེད་ཀ་དང་མ་ཚང་བ་དོན་སྟོན་པའི སྔོན་འཇུག

demigod: ལྷ་མ་ཡིན།

demilitarize: དམག་ཚོགས་མེད་པར་བཟོ་བ།

democracy: དམངས་གཙོའི་རིང་ལུགས།

democrat: དམངས་གཙོའི་རིང་ལུགས་པ།

demode: སྒྱོ་ལི་རྙིང་པ།

demolish: བཤིག་པ། གཏོར་བཤིགས་གཏོང་བ།

demolition: གཏོར་བཤིག

demon: འདྲེ།

demoniac: འདྲེ་བཞུགས་པའི་མི།

demonstrate: གསལ་སྟོན་བྱེད་པ།

demonstration: གསལ་སྟོན།

demoralize: སེམས་ཤུགས་ཆག་པ།

demur: ཁག་ལེ་བཟོ་བ། དགག་པ་རྒྱབ་པ།

demure: སྙེམས་ཆུང་། ངོ་ཚ་ཆེན་པོ།

den: གཅན་གཟན་གྱི་ཚང་། རྐུན་ཇག་གི་སྡོད་ཁང་།

denial: ངོས་མི་ལེན་པའི། ཁས་མི་ལེན་པའི།

denigrate: ནག་ཉེས་བཟོ་བ། མིང་ངན་པ་བཟོ་བ།

denomination: མིང་། མཚན་གནས། ཨང་རིམ།

denote: སྟོན་པ། མཚོན་པ།

denounce: སྐྱོན་བརྗོད་བྱེད་པ། གཡུག་པ། འདོར་བ། སྤོང་བ།

dense: མཐུག་པོ།

density: མཐུག་ལེས།

dent: ཀོང་ཀོང་།

dental: སོ་དང་འབྲེལ་བའི། སོའི།

dentist: སོའི་སྨན་པ། སོའི་ཨེམ་ཆི།
denude: དམར་ཧྲང་བཟོ་བ། གོས་དང་ཁེབས་བཀྲུ་བ།
deny: ངོས་མི་ལེན་པ། ཁས་མི་ལེན་པ། མིན་ཟེར་བ།
deodar: ཐང་ཤིང་།
depart: ཐོན་པ། འགྲོ་བ། ཤོ་བ།
departed: ཚེ་འདས། ཡལ་ཟིན་པ།
department: སྡེ་ཚན།
departure: ཐོན་སྐྱོད།
depend: རག་ལུས་པ། བརྟེན་པ།
dependable: བློས་སྐྱེལ་བ།
dependent: གཞན་ལ་སྐྱབས་དང་རེ་བ་ བརྟེན་མཁན།
depict: མཚོན་པ། སྟོན་པ།
deplore: སེམས་སྡུག་བྱེད་པ། སྐྱོ་བ་སྐྱེ་བ། མི་དགའ་བ།
depopulate: མི་འབོར་ཉུང་དུ་གཏོང་བ།
deport: རྒྱང་འབུད་གཏོང་བ།
depose: གོ་གནས་འབུད་པ།
deposit: བཅོལ་བ། གསོག་བཅོལ།
depository: བཅོལ་ས། གཉེར་ཚང་།
depot: གཉེར་ཚང་། དོས་ཁང་། མཛོད།
deprave: ཕུག་ཏུ་གཏོང་བ། ཉམས་པར་
depreciate: རིན་གོང་གཅོག་པ། བྱེད་པ།

depress: མནན་པ། སེམས་ཁུགས་ཆག་པ།
depression: བློ་ཞུམ་པ། ཀོང་ཀོང་།
deprive: འཕྲོག་པ། མ་སྤྲད་པ།
depth: གཏིང་།
deputation: འཐུས་མི་ལྷན་ཚོགས།
depute: འཐུས་མི་གཏོང་བ། ཚབ་གཏོང་བ།
deputy: འཐུས་མི། ལས་རོགས་གཞོན་པ།
derelict: བདག་མེད། འདོར་བྱ་ཆ་ལག
derive: འབྱུང་བ། འདོན་པ། དྲངས་པ།
derogatory: གནོད་སྐྱོན་གཏོང་མཁན། མ་མཐུངས་པ།
descend: མར་འབབ་པ། ཐུར་དུ་འགྲོ་བ།
descendant: རིགས་བརྒྱུད་པ། བརྒྱུད་པ།
descent: ཐུར། འབབ་ལྡང་།
describe: འགྲེལ་བཤད་རྒྱག་པ། སྟོན་པ།
description: འགྲེལ་བཤད། དོན་འགྲེལ།
desecrate: རྩ་ཆེན་པོ་མེད་པ་བཟོ་བ།
desert: བྱེ་ཐང་།
deserve: ཐོབ་འོས་པ།
design: བཟོ་རིས། བཟོ་རིས་ཀྱི་དཔེ།
designate: ངོ་བོ་སྟོན་པ། མིང་གནས་སྤྲོད་པ། བསྐོ་གཞག
designation: ལས་འཛིན། གོ་གནས།

desirable: སྣང་བ་དང་བློ་ལ་འགྲོ་པོ།
desire: འདོད་པ། འདོད་པ་བྱེད་པ།
desk: ཡི་གེ་བྲིས་པའི་ཅོག་ཙེ།
desolate: ལུང་སྟོང་། གཅིག་པུ།
despair: རེ་བ་མེད་པ། ཐབས་སྐྱོ་པོ།
desperado: མི་ཡ་མེད།
desperate: འུ་ཐུག ཡ་མེད་ཆེ་པོ།
despicable: ཐབས་སྐྱོ་པོ།
despise: མཐོང་ཆུང་གཏོང་བ།
despite: དེ་ལྟ་ཡང་།
despot: དཔོན་པོ་བཙན་དབང་ཅན།
dessert: ཤིང་ཏོག་དང་མངར་ཟས།
destination: འགྲོ་ཡུལ། འགྲོ་སའི་དམིགས་ཡུལ།
destine: ལས་ལ་སྐོ་བ།
destiny: ལས་ཀྱིས་སྐོ་བ། དམིགས་ཡུལ།
destitute: སྐྱབས་རོགས་མེད་པ།
destroy: གཏོར་བཤིག་གཏོང་བ།
destruction: གཏོར་བཤིག
destructive: གཏོར་བཤིག་གཏོང་མཁན།
detach: ཁ་འཕྲལ་བ། ཁག་ཁ་བཟོ་བ།
detail: རྒྱས་པོ། ཞིབ་ཕྲ།
detain: བཀག་སྡོམ་བྱེད་པ།
detect: རྙེད་པ། རྩད་གཅོད་གཏོང་བ།
detection: རྩད་གཅོད།

detective: རྩད་གཅོད་གཏོང་མཁན། འཚོལ་མཁན།
detente: རྒྱལ་ཁབ་གཉིས་དབར་མཐུན་བསྒྲིལ་ཡར་རྒྱས།
deteriorate: མར་རྒྱས་ཕྱིན་པ། སྡུག་ཏུ་ཕྱིན་པ། ཉམས་པ།
determination: ཐག་གཅོད་དམིགས་ཡུལ།
determine: ཐག་གཅོད་པ། གཏན་འབེབས་བྱེད་པ།
detest: ཞེན་པ་ལོག་པ། མ་དགའ་བ།
dethrone: གོ་གནས་ནས་འབུད་པ།
detour: བསྐོར་ཕྱོགས།
detract: མང་ས་ནས་འཁྲི་བ། ཉུང་དུ
detrimental: གནོད་སྐྱོན། ཁྱད་པ།
detrition: བརྡར་ནས་ཟད་པ།
devalue: རིན་གོང་གཅོག་པ། གོང་ཚ ཆུང་དུ་བཏང་བ།
devastate: གཏོར་བཤིག་གཏོང་བ།
devastation: གཏོར་བཤིག
develop: འཕེལ་བ། སྨིན་པ། ཡར་རྒྱས་གཏོང་བ། འགྱུར་བ།
development: ཡར་རྒྱས། འཕེལ་རྒྱས་ འཕེལ་འགྱུར།
deviate: འཁྱུར་བ། གཡོལ་ཕྱིན་པ།
deviation: འཁྱུར་ལམ།

device: ལག་ཆ། ཐབས་ཤེས་ཀྱི་ལག་ཆ།

devil: བདུད།

devious: བསྐོར་ཀྱོག ཁར་ཐུག་མིན་པ།

devise: ཐབས་ཤེས་ཀྱིས་བཟོ་བ།

devoid: སྟོང་པ། མེད་པ།

devote: དད་གུས་བྱེད་པ། དམིཊ་པ།

devoted: དད་གུས་ཅན།

devotion: དད་གུས།

devour: ལྟོགས་ཛབས་ཀྱིས་ཟ་བ། ཟ་བ།

dharma: ནང་ཆོས།

dhobi: གོས་ལོག་འཁྲུ་མཁན།

diabolical: འཇིགས་སྣང་ཆེ་པོ།

diagnose: བརྟག་དཔྱད་བྱེད་པ།

diagnosis: བརྟག་དཔྱད།

diagonal: འཕྲེད་ཐིག

diagram: འགྲེལ་བཤད་ཀྱི་རི་མོ།

dial: ཚོད་ཀྱི་གདོང་། ཚད་སྟོན་པ།

dialect: སྐད་ལུགས།

dialectic: མཚན་ཉིད། རྩོད་སྒྲུབ།

dialogue: སྐད་ཆ།

diamond: རྡོ་རྗེ་ཕ་ལམ། ◇ དབྱིབས་ལ་ཟེར།

diaper: ཕྲུ་གུའི་གཅིན་གདན།

diarrhoea: གྲོད་ཁོག་བཤལ་ནད།

diary: ཉིན་དེབ། ཉིན་རེའི་ཐོ་དེབ།

dice: ཤོ། ཤོ་རྒྱབ་པ།

dictate: དཔོད་བྲིས་གཏོང་བ།

dictation: དཔོད་བྲིས།

dictator: བཀའ་གཏོང་མཁན།

dictionary: ཚིག་མཛོད། དག་ཡིག

die: ཤི་བ། འཆི་བ།

diet: ལྟོ་ཆས། ལྟོ་ཟ་སྟངས།

differ: ཁྱད་པར་བྱུང་བ། འདྲ་པོ་མ་བྱུང་བ། ཧེ་བག་ཤོར་བ།

difference: ཧེ་བག མི་འདྲ་བ། ཁྱད།

different: ཁག་ཁ། མི་འདྲ་བ། ཐ་དད།

differentiate: དབྱེ་བ་ཕྱེ་བ། ཁྱད་པར་

difficult: ཁག་པོ། དཀའ་བ། └སྟོན་པ།

diffuse: ཁྱབ་སྤྱིན་པ། གྱེས་པ།

dig: འབྲུ་བ། (ས་དོང་སོ?) རྐོ་བ།

digamy: བཟའ་ཟླ་གཉིས་པ་ལེན་པ།

digest: ཟས་འཇུ་བ། བསྡུ་སྒྲིག་བྱེད་པ།

digestion: ཟས་འཇུ་བའི་ནུས་པ།

digestive: ཟས་འཇུ་བའི།

digging: འབྲུ་བཞིན་པ། འབྲུ་ལས། རྐོ་བཞིན་པ།

digit: ཨང་གྲངས་ ༠ ནས་ ༩ བར།

dignified: མཐོང་ཆེན་པོ། གཟི་བརྗིད་

dignity: མཐོང་། གཟི་བརྗིད། └ཅན།

digress: འཁྱར་བ།

dilapidated: སྐྱོན་ཅན། ཕན་མེད།

dilate: ཆེ་རུ་ཕྱིན་པ། (བཟོ་བ་) འཕེལ་སྐྱེད་ཕྱིན་པ།

dilemma: གང་བྱེད་འདི་བྱེད་མེད་པའི་གནས་སྟངས།

diligent: བརྩོན་འགྲུས་ཅན། གཟབ་གཟབ་ཅན།

dilute: སླ་པོ་བཟོ་བ།

dim: འོད་ཆུང་དུ་གཏོང་བ། གསལ་པོ་མེད་པ། ཧྲབ་ཧྲིབ།

dimension: རྒྱ་ཁྱོན། བོངས་ཆེ་ཆུང་།

diminish: ཉུང་དུ་འམ་ཆུང་དུ་བཟོ་བ། (ཕྱིན་པ་)

dimple: འཛུམ་སྐྱོང་།

din: ཅུར་སྒྲ། སྐད་ཅོར།

dine: ཁ་ལག་ཟ་བ། (དགོང་ཟས་)

ding-dong: དྲིལ་བུའི་སྒྲ།

dingy: མདོག་ཉེས།

dining hall: ཁ་ལག་ཟ་སའི་ཁང་མིག

dinky: སྙིང་རྗེ་པོ། བལྟ་སྣང་མཛེས་པོ།

dinner: དགོང་དྲོའི་ལྟོ་ཆས།

dip: ཆུ་ལ་སྦང་བ། བཙུག་པ།

diploma: སློབ་ཚད་ལག་འཁྱེར།

diplomacy: མཐུན་འབྲེལ་བྱེད་སྟངས།

diplomat: གཞུང་འབྲེལ་སྐུ་ཚབ།

diplomatic: མཐུན་འབྲེལ་གྱི།

dire: ཚབས་ཆེན་པོ།

direct: ཁར་ཐུག ཐད་ཀར། བསྐུལ་བ། ལམ་སྟོན་པ།

direction: ཁ་ཕྱོགས། ལམ་སྟོན།

directly: ཐད་ཀར་དུ། ཁར་ཐུག་ལ།

director: འགན་འཛིན། འགོ་བྱེད། ལམ་སྟོན་པ།

dirt: བཙོག་པ། ཐལ་བ། གད་སྙིགས་དྲེག་པ།

dirty: བཙོག་པ། དྲེག་པ་ཅན། རྫེར་པོ།

disable: བྱེད་མི་ཐུབ་པ་བཟོ་བ།

disadvantage: ཁེ་ཕན་མེད་པ། སྐྱོན། སྐབས་མི་བདེ་བ།

disagree: མོས་མཐུན་མི་བྱེད་པ།

disappear: ཡལ་བ། མཐོང་རྒྱུ་མེད་པར་ཆགས་པ།

disappoint: བློ་ཕམ་བཅུག་པ།

disappointment: རེ་བ་སྟོང་ཟད། བློ་ཕམ

disapprove: ངོས་ལེན་མི་བྱེད་པ།

disarray: འཛིངས་དཀྲུགས། ཟང་ཟིང

disaster: བར་ཆད། ཕྱུས་ཉེས།

disband: གཏོར་བ། གཤིག་པ།

disbelieve: ཡིད་མ་ཆེས་པ།

disburse: འགྲོ་སོང་གཏོང་བ། འཛལ་བ།

discard: འདོར་བ། གཡུག་པ། འབུད་གཏོང་བ།

discern: ཞིབ་ཏུ་དབྱེ་བ།

discharge: འདོན་པ། འབུད་པ། དཀའ་ངལ་དང་ལས་འགན་སོགས་ནས་འཁྲོལ་བ།

disciple: དགེ་ཕྲུག སློབ་མ།

disciplinarian: སྒྲིག་ཁྲིམས་འགོ་པ། སྒྲིག་འཛིན་འགོ་པ།

discipline: སྒྲིག་ཁྲིམས། སྒྲིག་ལམ། སྒྲིག་ལམ་སློབ་པ།

disclose: སྟོན་པ། ཁ་ཕྱེ་བ།

disconnect: ཁ་འབྲལ་བ། མཐུད་པ་བཅད་པ།

discontinue: མཚམས་འཇོག་བྱེད་པ། མུ་མཐུད་མི་བྱེད་པ།

discord: མི་མཐུན་པ། སྐད་ཟའེ་ཟིང་ངེ་པ།

discount: གཅོག་ཆ། རིན་གོང་ཆུང་དུ་བཏང་བ།

discourage: སེམས་ཁུར་བཅག་པ།(ཆགས་པ)

discourse: གསུང་ཆོས། བཀའ་འཁྲིད།

discover: གསར་བརྙེད་པ། རྙེད་པ།

discovery: གསར་རྙེད།

discreet: གཟབ་གཟབ་ཅན།

discrepancy: མི་གཅིག་པ། མི་འདྲ་བ། མི་མཐུན་པ།

discretion: རང་འདོད།

discriminate: དབྱེ་འབྱེད་བྱེད་པ།

discuss: གྲོས་སྡུར་བྱེད་པ།

discussion: གྲོས་སྡུར།

disdain: མཐོང་ཆུང་། བརྙས་བཅོས།

disease: ནད། ན་ཚ།

diseased: ནད་པ། ནད་སྐྱོན་ཅན།

disengage: ཁ་འབྲལ་བ། གློད་པ།

disgrace: ངོ་ཚ་པོ་བཟོ་བ། དམའ་འབེབས་བྱེད་པ།

disguise: གཞན་གྱི་རྣམ་པ་འཕྱེར་བ།

disgust: ཞེ་ལོག མ་དགའ་བ།

dish: ལྡེར་སྡེར། སྡེར། ཁ་ལག

dishearten: སེམས་ཤུག་གཅོག་པ།

dishonest: རྫུན་མ། སྒྱུ་རྫུན།

dishonour: ངོ་ཚ་པོ། (བཟོ་བ)

disinfect: འགོས་ནད་མེད་པར་བཟོ་བ

disintegrate: ཁ་གཏོར་བ། འཐོར་བ།

dislike: མ་དགའ་བ། མ་འདོད་པ།

dislocate: ཚིག་འབུད་པ། ས་ཆ་ནས་དབྱུང་བ།

dismal: ཐབས་སྐྱོ་པོ།

dismay: ཧོན་འཐོར་བ།

dismiss: འབུད་པ། གནས་དབྱུང་གཏོང་བ།

dismount: འབབ་པ། (རྟ་སྒའི་ནས)

disobedient: ཁ་ལམ་ཉན་མཁན།

disobey: བརྩི་འཇོག་མ་བྱེད་པ།

disorder: ཟ་ངེ་ཟིང་ངེ། འཛིངས་འཁྲུགས།

disorganized: སྒྲིག་འཛུགས་མེད་པ།

disparity: མ་འདྲ་བ། ཁྱད་པར།

dispatch: གཏོང་བ།

dispel: འདོར་བ། ཟློག་པ།

dispensary: སྨན་ཁང་། (ཆུང་ཆུང་)

dispense: བགོས་འགྲེམས་བྱེད་པ།

disperse: གཏོར་བ། འཐོར་ཞིག

displace: གནས་བརྗེ་བ། ཚབ་བཙུག་པ།

displacement: གནས་སྤོ། ཚབ་བཙུག་པའི

display: སྟོན་པ། བཀྲམ་པ།

displease: མ་དགའ་བ་བཟོ་བ།

displeasure: མ་དགའ་བ།

disposable: འདོར་རུང་བ།

disposal: དྲུང་དུ། འདོར་བྱེད།

dispose: འཇོག་པ། གྲ་སྒྲིག་པོ་བྱེད་པ།

dispossessed: གང་ཡང་མེད་མཁན།

disputable: རྩོད་རུང་བ།

dispute: རྩོད་པ། རྩོད་རྙོག

disqualify: གྲལ་དུ་མཚུད་པའི་མ་བཙུག་པ།

disregard: དོ་སྣང་མ་བྱེད་པ།

disrupt: བར་མཚམས་གཅོད་པ།

dissatisfaction: འདོད་པ་མ་ཚིམས་པ།

dissatisfy: འདོད་པ་མ་ཁེངས་པ།

dissect: ཁག་ཕྲལ་བ།

disseminate: བ

dissent: བློ་མ་མཐུན་པ།

disservice: གནོད་སྐྱེལ།

dissident: མ་འཆམ་མཁན།

dissimilar: མ་འདྲ་བ། མ་གཅིག་པ།

dissimilate: མ་འདྲ་བ་བཟོ་བ།

dissipate: གཏོར་བ། འཐོར་བ། འདོར་བ།

dissociate: འབྲེལ་བ་གཅོད་པ། ཁ

dissolve: བཞུ་བ། འཕྲལ་བ།

dissuade: མ་བྱེད་ཟེར་ཏེ་ཨུ་ཚུགས་རྒྱབ་པ།

distance: རྒྱང་ཐག་རིང་ཐུང་།

distant: ཐག་རིང་།

distil: ཁུ་བ་གཙག་པ།

distinct: ཁྱད་པར་ཅན། ཁག་ཁ།

distinction: ཁྱད་པར། དབྱེ་བ།

distinguish: ཁྱད་པར་སྟོན་པ།

distort: བཟོ་དབྱིབས་བཞིག་པ།

distract: སེམས་གཡེང་བ།

distraught: དཀྲུག་པ། འཁྲུགས་པ།

distress: སྡུག་བསྔལ། དཀའ་ངལ།

distribute: བགོས་འགྲེམས་བྱེད་པ།

district: རྫོང་།

distrust: ཡིད་ཆེས་མ་བྱེད་པ།

disturb: བསུན་པོ་བཟོ་བ། དཀྲུག་པ།

disturbance: བསུན་གཙེར། ཟང་ཟིང་།

ditch: དོང་། ཆུ་ཡུར།

ditto: གཅིག་པ་གཅིག་རྐྱང་། ཆ་འདྲ།

dive: ཐིངས་པ། ཆུ་ལ་མཆོང་བ།

diverge: ཁ་ཕྱོགས་མ་འདྲ་བར་འགྲོ་བ། (གཏོང་བ) མ་གཅིག་པ་ཆར་བ།

diverse: སྣ་ཚོགས། འདྲ་མི་འདྲ།

diversify: འདྲ་མི་འདྲ་བཟོ་བ།

diversion: བསྐོར་ལམ། འཁྱར་ལམ།

divert: ཁ་ཕྱོགས་བསྒྱུར་བ། གཡེང་བ།

divest: འཕྲོལ་བ། (དབང་ཆ་སོགས)

divide: བགོས་པ།

divination: མོ། ཕྲ།

divine: ལྷ་ཆེན། ཁྱད་དུ་འཕགས་པ།

divinity: ཡི་དམ། མགོན་པོ།

division: བགོ་བ། སྡེ་ཚན། དབྱེ་འབྱེད།

divorce: བཟའ་ཚང་ཁ་བྲལ་བ།

divulge: ཕྱིར་སྟོན་པ། ལབ་པ།

dizziness: མགོ་ཡུར།

dizzy: མགོ་ཡུར་འཁོར་པོ།

do: བྱེད་པ། (མ་འོངས) གནང་བ། (h)

docile: ཁ་ལ་ཉན་པོ། བསླབ་བདེ་པོ།

doctor: ཨེམ་ཆི། སྨན་པ།

doctorate: དགེ་ཤེས་ཀྱི་གོ་གནས།

doctrine: ལྟ་བ། རིང་ལུགས།

document: ཡིག་ཆ།

dodge: གཡོལ་བ། ཟུར་རྫུར་འཁྱོག་པ།

doe: ཤ་བ་མོ།

dog: ཁྱི། གཟིམ་ཁྱི།

dogma: ཆོས་ལུགས། གྲུབ་མཐའ།

doing: བྱེད་བཞིན་པ།

doleful: སྐྱོ་པོ།

doll: ཨ་ལ་པེ་ཀོག། རྩེད་ཆས།

dollar: ཨ་མེ་རི་ཀའི་སྒོར་མོ།

dolphin: ཉ་རིགས་ཆེན་པོ་ཞིག

dolt: གླེན་པ།

domain: མངའ་ཁུལ། ས་ཁུལ།

domestic: ནང་གི ཁྱིམ་ཚང་གི

domicile: སྡོད་ཁང་།

dominant: དབང་ཚད་ཆེ་ཤོས།

dominate: མངའ་འོག་ཏུ་བཙུག་པ།

domination: མངའ་འོག

dominion: རྒྱལ་ཁབ།

don: གྱོན་པ།

donate: ཞལ་འདེབས་སྤྲོད་པ། (ཕུལ་བ)

donation: ཞལ་འདེབས།

done: བྱེད་ཟིན་པ།

donkey: བོང་བུ།

donor: ཞལ་འདེབས་སྦྱོར་མཁན།

doom: དཀའ་སྡུག

door: སྒོ། གཟིམ་སྒོ།

dormant: འགུལ་སྐྱོད་མ་གཏོང་མཁན། ཉལ་བ་ནང་བཞིན།

dormitory: ཉལ་ཁང་། (མི་མང་པོ་)

dosage: ཐུན། སྨན་ཚད།

dose: ཐུན། སྨན་ཚད།

dost: do གི་བར་སྐྱེང་།

dot: ཚེག ནག་ཏིག

double: ཉིས་ལྡབ།

doubt: དོགས་པ། ཐེ་ཚོམ།

doubtless: དོགས་མེད། ཡིད་ཆེས་ཡོད་པ། ཐེ་ཚོམ་མེད་པ།

dough: སྤགས།

down: འོག གཤམ།

downfall: ཉམས་རྒུད། མར་གཟར་བ།

downhill: ཐུར་དུ། རིའི་གཤམ་དུ།

downpour: ཆར་པ་ཆེན་པོ།

downstairs: འོག་ཐོག

down-trodden: རྡོག་རྫི་བཏང་བའི་མི། བློ་སྤོབས་མེད་པ།

dowry: བག་རྫོངས་རྫས་པ།

doze: གཉིད་ཏོག་ཙམ་ཁུག་པ།

dozen: བཅུ་གཉིས། བཅུ་གཉིས་ཅན།

drab: འཚལ་མོ། སྨད་ཚོང་མ། ཀ་ཞང་ཚོང་མ།

draft: ཟིན་བྲིས། (རྒྱུགས་པ་) དངུལ་འདེན།

drag: ས་ལ་འདྲུད་པ།

dragon: འབྲུག

drain: ཆུ་ཡུར། ཟད་པ། ཆུ་འཐེན་པ།

drainage: ཆུ་ཡུར། ཆུ་འགྲོ།

drake: ངང་པ་ཕོ།

drama: གཏམ་བརྗོད། འཁྲབ་སྟོན།

drape: རས་ཁེབས་གཡོག་པ།

draper: རས་ཚོང་མཁན།

drastic: དྲག་པོ། ཚབས་ཆེན་པོ།

draw: འཐེན་པ། འབྲི་བ།

drawback: སྐྱོན།

drawer: སྒྲོན་མཁན། འབྲུལ་མཐེལ།

drawing: རི་མོ། (འབྲི་བཞིན་པ་)

drawn: འཐེན་ཟིན་པ། བྲིས་ཟིན་པ།

dread: འཇིགས་སྣང་།

dreadful: འཇིགས་སྣང་ཅན།

dream: གཉིད་ལམ། རྨི་ལམ། (གཏོང་བ་)

dreamy: གཉིད་ལམ་འདྲ་པོ།

dreg: ཉག་ཉིག རོ་ཏོ།

drench: རླན་པ་བཟོ་བ།

dress: དུག་ལོག། དུག་ལོག་གྱོན་པ། གོས། (གྱོན་པ་)

dressing: རྨ་དཀྲིས།

dribble: ཐིགས་པ། ཐིགས་པ་རྒྱབ་པ།

driblet: ཐིག་པ་ཆུང་ཆུང་།

drift: ཆུ་འམ་རླུང་གིས་འཁྱེར་བ།

drill: འབྲུ་བ། དམག་སྦྱོང་བ། ཨེ་ཁྲུང་འབིག་བྱེད་ཀྱི་ལག་ཆ།

drink: འཐུང་བ།

drip: ཐིགས་པ་རྒྱབ་པ། འཛག་པ།

drive: འདེད་པ། སྣུམ་འཁོར་གཏོང་བ།

driver: ཁ་ལོ་པ།

drizzle: ཆར་ཟིམ་གཏོང་བ།

drone: སྦྲང་མ་པོ། སྐད་སྒྲ་སྙོམ་པོ།

droop: གུག་གུག་བྱེད་པ།

drop: ཐིགས་པ། བལྟུག་པ། གཟར་བ།

dropping: ཐིར་གཟར། བྱ་སྐྱག

drought: ཆར་རྒྱུ་མེད་པ། སྐེམ་པ།

drove: འདེད་ཟིན་པ།

drown: ཆུ་སོག་ལ་ཐིམ་པ།

drowsy: གཉིད་ཁུག་འགྲུབ། ཉིབ་ཧོ།

drug: སྨན། བཟི་སྨན།

druggist: སྨན་ཚོང་མཁན།

drum: རྔ། རྔ་རྡུང་བ།

drunk: བཏུང་ཟིན་པ། ར་བཟི་བ།

drunkard: ར་བཟི་བའི་མི།

drunken: ར་བཟི་བའི།

dry: སྐམ་པོ།

dual: གཉིས་ཀྱི། གཉིས་རྩེག

dubious: གསལ་པོ་མེད་པ། དོགས་པ་ཟ་འོས་པ།

duck: ངང་པ།

due: རན་པ།

duel: མི་གཉིས་འཐབ་འཛིངས།

dull: སྙིང་རྗེ་པོ་མེད་པ། ཉིབ་ཧོ། གླེན་པ།

dumb: སྐད་ཆ་གཤོད་མི་ཐུབ་མཁན། སྨྲ་མེད། ཁ་ལྐུག་པ།

dummy: གཟུགས། དཔེ།

dump: མར་གཡུག་པ།

dune: བྱེ་མའི་རི།

dungeon: ཁང་པ་ནག་ཁུང་།

dupe: མགོ་བསྐོར་གཏོང་བ།

duplicate: ཉིས་ལྡབ། འདྲ་པར། འདྲ་བཤུས།

durable: ཐུབ་ཆེན་པོ།

duration: དུས་ཡུན།

during: སྐབས་སུ། རིང་ལ།

dusk: ས་སྲོད། ས་རྡུབ་ཡོང་བའི་དུས།

dust: ཐལ་བ། ས། གད་སྙིགས། རྡུལ།

duster: འཕྱིད་རས།

dusty: ཐལ་ལ་འཚུབས་འཚུབས།

duty: ལས་འགན།

dwarf: མི་ཐུང་། མིའུ་ཐུང་།

dwell: གནས་པ། སྡོད་པ།

dweller: སྡོད་མཁན།

dwelling: སྡོད་གནས།

dwindle: ཉུང་དུའམ་ཆུང་དུ་འགྲོ་བ། ཡལ་བ།

dye: ཚོན་ཁྲ། ཚོན་རྒྱབ་པ།

dying: ཚོས་ཀྱི་ལག་ལེན།

dynamic: ནུས་ཤུགས་ཅན།

dynasty: རྒྱལ་བརྒྱུད།

dysentery: བཤལ་ནད།

E

each: རེ་རེ།

eager: རེ་འདོད་ཆེན་པོ།

eagle: ཁྱུང་།

eaglet: ཁྱུང་ཕྲུག

ear: ཡལ་ཆོག རྣ་བ།

early: སྔ་པོ།

earn: གསོག་པ། ཐོབ་པ།

earnest: སྙིང་ཐག་པ།

earnings: གསོག་སྒྲུབ།

earth: ས་སྟེང་། འཛམ་གླིང་།

earthenware: ཁོག་མ། རྫ་མ།

earthly: འཛམ་གླིང་གི

earthquake: ས་གཡོམ།

ease: ལྷོད་པོ། དཀའ་ངལ་མེད་པ།

easily: ལས་སླ་པོར།

easiness: བདེ་གནས།

east: ཤར།

eastern: ཤར་ཕྱོགས།

easy: ལས་སླ་པོ།

eat: ཟ་བ།

eatery: བཟའ་འཐུང་བྱེད་ས།

eating: ཟ་བཞིན་པ།

eavesdrop: ལག་ཉན་བྱེད་པ།

ebb: ཞི་མི་པ།

ebullient: ཁོལ་བའི། ཁྲུག་པོ།

ecclestiastical: དགོན་པ་དང་གྲྭ་པའི

echo: བྲག་ཆ།

eclipse: ཉི་ཟླ་གཟའ་འཛིན།

economical: འགྲོ་སོང་ཆུང་ཆུང་།

economy: དཔལ་འབྱོར།

ecstasy: དགའ་སྤྲོ་ཚད་མེད།

eddy: འཁྱིལ་རྫིང་།

edge: གཟུར། མཐའ། རྣོ།

edible: བཟའ་རུང་བ།

edict: བཀའ་རྒྱ།

edit: རྩོམ་བྲིས་བཅོས་སྒྲིག་བྱེད་པ།

edition: དཔར་ཐེངས་ཡང་།

editor: རྩོམ་སྒྲིག་བྱེད་པོ།

editorial: རྩོམ་སྒྲིག་གི

educate: སློབ་སྦྱོང་སྤྲོད་པ།

education: སློབ་སྦྱོང་། ཡོན་ཏན། ཤེས་ཡོན།

eerie: ཞེད་སྣང་དང་ཁྱད་མཚར།

efface: བསུབ་པ། འཕྱིད་པ།

effect: ནུས་པ། དོན་འབྲས།

effective: ཕན་ནུས་ཡོད་པ།

effeminate: སྐྱེ་དམན་འདྲ་པོ།

effervesce: ལྦུ་བ་འདོན་པ།

efficacious: དོན་སྒྲུབ་ཐུབ་མཁན།
འབྲས་བུ་བཏོན་ཐུབ་མཁན།

efficient: ཧུར་པོ། འཛོན་པོ།

effigy: གཟུགས་ཚབ། གཟུགས་བརྙན།

effort: འབད་བརྩོན།

effortless: དཀའ་ངལ་མེད་པ།

egg: སྒོ་ང་།

ego: རང་། ང་བདག

egocentric: རང་གཅེས་པ།

eight: བརྒྱད།

eighteen: བཅོ་བརྒྱད།

eighty: བརྒྱ་བཅུ།

eightfold: བརྒྱད་འགྱུར། བརྒྱད་ཅན།

either: ཡང་ན།

ejaculate: འདོར་བ། གཡུག་པ།

eject: འདོར་བ། གཡུག་པ། འདོན་པ།

elaborate: ཞིབ་རྒྱས། རྒྱས་པོ་བཟོ་བ།

elapse: དུས་ཚོད་ཟད་ཕྱིན་པ།

elastic: འགྱིག་གི་སྐུད་པ། ནར་རྒྱུ་ཡོད་པ།

elbow: གྲུ་མོ།

elder: རྒན་པ།

eldest: རྒན་ཤོས།

elect: འདེམས་པ།

election: འོས་འདེམས།

electorate: འདེམས་ལ་སྐྱོ་ལྷན་ཚོགས།

electric: གློག་གི

electricity: གློག

electrify: གློག་གཏོང་བ།(འཐེན་པ་)

electrocution: གློག་ར་ཁྱུད་པ།

elegant: སྒྲམ་པོ་ཅན།

elegy: སྐྱོ་གླུ།

element: འབྱུང་བ།

elementary: སྐྱོན་འགོ་ གཞི་རྩ།

elephant: གླང་ཆེན།

elevate: ཡར་བཏེག་པ། སྤར་བ།

eleven: བཅུ་གཅིག

elf: མི་ཆུང་།

elfin: མི་ཆུང་གི

eligible: འོས་པ། རན་པོ།

eliminate: འབུད་པ། མེད་པ་བཟོ་བ།

elite: ཡག་ཤོས། མཐོ་ཤོས།

elocution: ངག་རྩལ།
elongate: རིང་དུ་གཏོང་བ། སྣར་བ།
else: ཡང་ན། དེ་མིན། གཞན་ཡང་།
elsewhere: གཞན་ཞིག་ཏུ།
elucidate: འགྲེལ་བཤད་རྒྱབ་པ། གསལ་བཤད་བྱེད་པ།
elude: འབྲོས་པ། གཡོ་འབྲོས་བྱེད་པ།
emaciate: སྐྱི་པོ་ཆགས་པ། ཕན་མེད་ཆ་ཟ་པ
emanate: འབྱུང་བ། འཕྲོ་བ།
emanation: འབྱུང་འཕྲོ། སྤྲུལ་པ།
emancipate: གློད་པ། རང་དབང་སྤྲོད་པ།
emancipation: གློད་བཀྲོལ། ཐར་པ། བཅིངས་བཀྲོལ།
embargo: ཚོང་འབྲེལ་བཀག་སྡོམ།
embark: གྲུ་གཟིངས་ནང་འཛུལ་བ།
embarass: ངོ་ཚ་པོ་བཟོ་བ།
embarassment: ངོ་ཚ།
embassy: གཞུང་ཚབ་ཀྱི་ལས་ཁུངས།
embellish: མཛེས་རྒྱན་སྤྲས་པ།
embezzle: གཞན་ནོར་སྒེར་འཛིན་བྱེད་པ།
embitter: ཁ་ཏིག་བཟོ་བ། ཞེན་འཁོན་ཆེ་རུ་གཏོང་བ།
emblem: རྟགས། ལས་རྟགས།
embodiment: གཟུགས་བཀོད།

embody: གཟུགས་སུ་བཀོད་པ།
emboss: འབུར་རིས་སྟོན་པ།
embrace: ལག་པས་འཐམ་པ། མོས་མཐུན།།
embroidery: འཚེམས་དྲུབ། རི་མོ་སྐུད་འཚེམ་རྒྱབ་པ།
embroil: དཀའ་རྙོག་ནང་ལྷུག་པ།
emerge: འདོན་པ། ཐོན་པ།
emergency: ཛ་དྲག
emersion: ཐོན་པའི།
emigrant: གནས་སྤོ་བ། ལུང་པ་གཞན་ནས་ཡོང་མཁན།
emigrate: ལུང་པ་གཞན་དུ་སྤོ་བ།
eminence: མངོན་ཐོ། གྲགས་ཆེ།
eminent: མངོན་པར་མཐོ་བ།
emissary: བང་ཆེན།
emission: འཕྲོ་འབར། ཕྱིར་འདོན།
emit: འཕྲོ་བ།
emolument: ཕོགས། ཁེ་ཕན།
emotion: སེམས་ཀྱི་འཚོར་བ།
emotional: སེམས་འཚོར་གྱི།
emperor: གོང་མ། རྒྱལ་པོ།
emphasis: སྙི་ཁྱུགས། གནད་གག
emphasize: སྙི་ཁྱུགས་སྟོན་པ།
empire: རྒྱལ་ཁམས།
employ: ལས་ཀ་སྤྲོད་པ།

employee: ལས་མི། ལས་ཀ་བྱེད་མཁན།

employer: ལས་ཀ་སྤྲོད་མཁན།

employment: ལས་ཀ

emporium: ཚོང་ཁང་། ཚོང་འགྲེམས་ཁང་།

empower: དབང་ཆ་སྤྲོད་པ།

empress: གོང་མའི་བཙུན་མོ།

empty: སྟོང་པ། (བཟོ་བ་)

enable: ཐུབ་པ་བཟོ་བ། ཐོགས་པ་བཟོ་བ། འགན་དབང་སྤྲོད་པ།

encage: ལྕགས་རའི་ནང་བླུག་པ།

encase: ཁུབས་ཀྱི་ནང་བླུག་པ།

enchant: སྤྲུལ་པས་སླུ་བ།

encircle: མཐའ་བསྐོར་བ།

enclose: ནང་དུ་བླུག་པ།

enclosure: གཏུམ་པའི་ཆ་ལག ར་བ།

encompass: མཐའ་བསྐོར་བ།

encore: ཡང་བསྐྱར། སླར་ཡང་།

encounter: འཕྲད་པ། ཐུག་འཕྲད་བྱུང་བ།

encourage: སེམས་ཤུགས་སྤར་བ།

encouragement: སེམས་ཤུགས་སྤར་ལས།

encroach: བཙན་འཛུལ་བྱེད་པ།

encumber: དཀའ་ངལ་བཟོ་བ།

encylopaedia: རིག་གནས་ཀུན་འདོམས་ཀྱི་དེབ།

end: མཐའ། རྫོགས་པ། མཇུག་བསྒྲིལ་བ།

endanger: ཉེན་ཁ་བཟོ་བ།

endeavour: འབད་རྩོལ་བྱེད་པ།

ending: མཐའ་མ། མཇུག་བསྒྲིལ། (ད་ལྟ)

endless: རྫོགས་རྒྱུ་མེད་པ། མཐའ་མེད་པ།

endow: གནང་བ།

endurance: བཟོད་སྲན།

endure: བཟོད་སྲན་བྱེད་པ།

enemy: དགྲ་ དགྲ་བོ།

energetic: སྟོབས་ཤུགས་ཅན།

energy: ནུས་སྟོབས། སྟོབས་ཤུགས། ངར་ཤུ

enervate: ཉམས་རྒུད་གཏོང་བ། ངར་ཤུགས་ཉམས་པ།

enfeeble: ཉམས་རྒུད་གཏོང་བ། ངར་གཅོག་པ།

enfold: དྲིལ་བ། འཁྱུད་པ།

enforce: སྐུལ་དེད་བྱེད་པ།

engage: བེད་སྤྱོད་བྱེད་པ། ལས་སུ་བསྐུལ་བ། ཆང་སའི་ཁ་ཆད་བྱེད་པ།

engagement: ལས་འཆར། ཆང་སའི

engarcon: རྒྱང་རྒྱང་དུ། ཆང་ས་མ་རྒྱབ་པར།

engine: འཕྲུལ་འཁོར།

engineer: འཕྲུལ་འཁོར་བཟོ་མཁན། ཨར་ལས་འཆར་བཀོད་མཁས་པ།

engineering: འཕྲུལ་ལས།

English: དབྱིན་ཡུལ་གྱི་མི། དབྱིན་སྐད།

engrave: བརྐོས་རྒྱབ་པ།

engross: མགོ་གཏིང་ཟབ་པོའི་འཁོར་བ།

engulf: ཁྱུར་མིད་གཏོང་བ།

enhance: སྤར་བ། སྤར་སློང་བྱེད་པ།

enjoin: སྐུལ་བ། བཀའ་གཏོང་བ།

enjoy: སྐྱིད་པོ་བྱེད་པ། བདེ་བ་མྱོང་བ།

enkindle: ངར་སློང་བ།

enlarge: ཆེ་རུ་གཏོང་བ།

enlighten: གསལ་པོ་བཟོ་བ།

enlightenment: གོ་འཕང་། ཐར་པ།

enlist: ཐོ་རུ་བཀོད་པ།

enliven: ནུས་སྟོབས་སྤར་བ། སྒྲིག་ཡོད་བཟོ་བ།

enmass: ཚང་མ་ཐེངས་གཅིག་ལ།

enmity: དགྲ མི་དགའ་བ།

enormous: ཆེན་པོ། མང་པོ།

enough: འདང་ཚད། རན་ཚད། ཧབ་ཧབ

enrage: ཁོང་ཁྲོ་ཟ་བ།

enrapture: ཧ་ཅང་གི་དགའ་བ།

enrich: ཕྱུག་པོ་བཟོ་བ།

enrol: མིང་ཐོར་བཀོད་པ།

en route: ལམ་དུ།

enshroud: ཁེབས་གཡོགས་པ།

enslave: བྲན་གཡོག་ཏུ་བཙུག་པ།

ensnare: རྙི་ནང་བཙུག་པ།

ensure: བརྟན་པོ་བཟོ་བ། ཏན་ཏན་བཟོ་བ།

entangle: འཁྲི་བ། འཁོན་བཙུག་པ། དཀའ་རྙོག་ནང་བཙུག་པ།

enter: འཛུལ་བ། ནང་དུ་ཞུགས་པ།

enterprise: ཁེ་ཕན་གྱི་ཚོང་ལས།

entertain: སྐྱིད་པོ་བཟོ་བ། སྤྲོ་པོ་བཟོ་བ། རྩེད་མོ་སྟོན་པ།

entertainment: རྩེད་མོ།

enthrone: ཁྲི་ལ་བཀོད་པ།

enthronement: ཁྲི་འདོན།

enthusiasm: སྙིང་རུས། དགའ་འདོད།

enthusiast: སྙིང་རུས་ཅན།

entice: སླུ་བ། ཁྲིད་པ།

entire: ཆ་ཚང་། ཡོངས་རྫོགས།

entirely: ཆ་ཚང་དུ། ཡོངས་སུ་རྫོགས་པར།

entirety: ཡོངས་རྫོགས།

entitle: ཐོབ་དབང་སྤྲོད་པ།

entity: དངོས་སུ་ཡོད་མཁན།

entourage: ཞབས་ཕྱི།

entrails: རྒྱུ་མ། (ཁོག་པའི་ནང་ག)

entrance: འཛུལ་ས།

entrap: རྙི་ནང་གཟུང་བ། ཐར་ས་མེད་པར་བཟོ་བ།

entrust: ཡིད་ཆེས་བཅོལ་བ། ཉམས་བཀལ་བ།

entry: འཛུལ་བཞུགས། ནང་འགྲོ

entwine: དཀྲི་ཐག་རྒྱབ་པ། འཁྲི་བ། འཁྱུད་པ།

enumerate: རྩ་མ་གྲངས་ཀ་གཏོད་པ།

enunciate: གསལ་པོར་གཏོད་པ།

envelope: བཏུམ་པ། ཡིག་སྐོགས།

envious: ཕྲག་དོག་ཅན།

environment: མཐའ་བསྐོར། གནས་ལུགས།

envisage: བསམ་བློའི་ནང་འཆར་གཞི་བཀོད་པ།

envoy: སྐུ་ཚབ།

envy: ཕྲག་དོག

ephemeral: ཡུན་རིང་གནས་མི་ཐུབ་མཁན།

epic: དཔའ་བོའི་སྒྲུང་། (ལོ་རྒྱུས་)

epidemic: རིམས་ནད།

epigram: བརྗོད་བྱ། ཚིགས་བཅད་ཆུང་ཆུང་།

epilepsy: གཟའ་སྐྱིབ་ཀྱི་ནད།

epilogue: མཇུག་བསྡུལ་གྱི་བརྗོད་ཚིག

episode: སྒྲུང་། ལོ་རྒྱུས།

equal: གཅིག་པ། འདྲ་མཉམ། འདྲ་མཉམ་བཟོ་བ།

equality: འདྲ་མཉམ།

equalize: གཅིག་པ་བཟོ་བ། འདྲ་མཉམ་བཟོ་བ།

equate: ཀུན་དང་སྙོམས་པ།

equator: འཛམ་གླིང་གི་སྐེད་ཐིག

equatorial: སྐེད་ཐིག་གི

equilibrium: བདང་སྙོམས། ཆ་སྙོམས།

equinox: ཉིན་མཚན་རིང་ཐུང་གཅིག་པའི་དུས།

equip: མཁོ་ཆས་སྤྲད་པ།

equivalent: གཅིག་པ། ཆ། འདྲ་མཚུངས།

equivocal: གོ་དོན་གཉིས་ཅན། དོན་གསལ་པོ་མེད་པ།

era: དུས་རབས། སྐལ་པ།

eradicate: རྩ་མེད་བཟོ་བ།

erase: བསུབ་པ། འཕྱིད་པ།

erasure: བསུབ་བྱེད།

erect: སློང་བ། ཀྱོང་ངེ། སྐྱི་རེ་ལང་བ། དྲོང་པོ། རྩིག་པ།

erection: ཀྱོང་ལང་། དྲོང་ལང་།

erode: ཟད་རྫོགས་བྱེན་པ།

erosion: ཟད་རྫོགས།

erotic: འདོད་ཆགས་ཀྱི

err: ནོར་འཁྲུལ་བྱེད་པ།

errand: ལན་སྐྱེལ།

erratic: གང་སར་སྒོ་འཁྱམ་བྱེད་མཁན།

erratum: ནོར་བཅོས།

erroneous: ནོར་བ།

error: ནོར་འཁྲུལ། སྐྱོན།

erudite: མཁས་པ།

erupt: རྡོལ་བ། ཐོར་བ།

eruption: རྡོལ་ཐོར།

escape: བྲོས་པ། ཐར་བ། བྲོས་ཐར།

eschew: སྤང་བ། འཛེམ་པ།

escort: སྐུ་སྲུང་། སྐྱེལ་མཁན།

esoteric: གསང་བསྔགས་ཀྱི།

especial: དམིགས་བསལ།

espionage: སོ་པའི་ལས་ཀ

essay: རྩོམ་བྲིས།

essence: སྙིང་པོ། སྙིང་དོན།

essential: གལ་ཆེ། མཁོ་གནད་ཆེན་པོ། མེད་དུ་མི་རུང་བ།

establish: འཛུགས་སྐྲུན་བྱེད་པ།

establishment: འཛུགས་སྐྲུན། སྒོ་ཚན།

estate: ས་ཁང་། གཞིས་ཀ

esteem: བརྩི་མཐོང་།

estimate: རིབ་རྩིས། (རྒྱབ་པ་)ཚོད་དཔག་པ།

estimation: རིབ་རྩིས། སྔོན་རྩིས།

etcetera: སོགས།

eternal: རྟག་པ། འཆི་རྒྱུ་མེད་པ། མཐའ་མེད་པ།

eternity: མཐའ་མེད་དུ།

ethic: སྤྱོད་བཟང་གི

ethnic: རིགས་བརྒྱུད་ཀྱི།

ethnography: མི་རིགས་འགྲེལ་བཤད་རིག་པ།

ethnology: མི་རིགས་འབྲེལ་བའི་རིག་པ།

etiquette: སྒྲིག་ལམ། འགྲོ་ལུགས།

etui: ཁབ་ཤུབས།

etymology: ཚིག་གི་དོན་དང་འབྱུང་ཁུངས།

eulogize: བསྟོད་བསྔགས་ཕུལ་བ།

eunuch: ཕོ་ལོག་མོ་ལོག མ་ནིང་།

euphemism: ཚིག་ངན་ཚབ་འཇམ་ཚིག

Eurasian: ཡུ་རོབ་དང་ཨེ་ཤི་ཡ་འདྲེས་པའི།

evacuate: གནས་སྤོ་བ། སྟོང་པ་བཟོ་བ།

evacuation: གནས་སྤོ། སྤོ་ཤུད།

evade: གཡོལ་བ།

evaluate: ཚད་དཔག་པ།

evaporate: ཡལ་བ། རླངས་པ་ཆགས་པ།

evasion: གཡོལ་འགོ གཡོལ་ཐབས།

eve: སྔ་རུབ། ཉིན་གཅིག་སྔོན་ལ།

even: འཁོད་སྙོམས་པོ། ཀྱང་། ཡང་། འང་།

evenly: སྙོམས་པོར།

evening: དགོང་དྲོ།

event: དུས་སྐབས། བྱུང་རྐྱེན།

eventually: མཐའ་མར།

ever: གཏན་དུ། རྟག་ཏུ། རྒྱུན་དུ།

evergreen: གཏན་གནས། བརྗེ་འགྱུར་མེད་པ།

everlasting: གཏན་གནས། མཐའ་མེད་པ།

evermore: གཏན་དུ། རྒྱུན་ཆད་མེད་པར།
every: ཚང་མ།
everybody: མི་ཚང་མ།
everyday: ཉིན་ལྟར།
everywhere: ག་ས་ག་ལ། གང་དུའང་།
evict: གནས་དབྱུང་གཏོང་བ།
evidence: དཔང་པོ། དཔང་རྟགས།
evident: མངོན་གསལ། ཁ་གསལ་ལ་པོ།
evil: ངན་པ། སྡིག་ཅན།
evoke: འབོད་པ། བཀོང་བ།
evolve: འབྱུང་བ།
ewe: ལུག་མོ། མ་མོ།
exacerbate: ཚབས་ཆེ་རུ་གཏོང་བ།
exact: ཏག་ཏག
exaction: ལེན་པ། བཙན་ལེན།
exactly: དེ་ག་རང་། ཏག་ཏག་རང་།
exaggerate: དངོས་སུ་ཡོད་པ་ལས་ལྷག་ཚོམ་གཤོད་པ། ཧམ་པ་གཤོད་པ།
exalt: བསྟོད་བསྔགས་ཕུལ་བ། བསྟོད་པ།
examination: ཡིག་ཚད། ཡིག་རྒྱུགས། བརྟག་དཔྱད།
examine: བརྟག་དཔྱད་བྱེད་པ།
exasperate: ཁོང་ཁྲོ་སློང་བ། སྡུག་ཏུ་གཏོང་བ།

excavate: ཁོག་སྟོང་འབྲུ་བ། རྐོ་བ།
excavation: རྐོ་ལས།
exceed: ཚད་ལས་རྒལ་བ།
excel: ཁྱད་འཕགས་བྱུང་བ།
excellence: ཁྱད་འཕགས་ཀྱི།
excellent: ཁྱད་དུ་འཕགས་པ། ཏ་ལས་པའི་ཡག་པོ།
except: མ་གཏོགས།
exception: དམིགས་བསལ།
excess: ཚད་རྒལ། སང་དྲག་པ། ལྷག་མ།
exchange: བརྗེ་ལེན་བྱེད་པ། བརྗེ་འཇུར།
excise: ནང་ཁྲལ།
excite: ངར་སློང་བ།
excitement: ངར་ཤུགས། ངར་སྐྱེད།
exclaim: འབོད་པ།
exclamation: འབོད་སྒྲ།
exclude: གྲལ་ནས་འབུད་པ། གྲལ་དུ་མ་བཅུག་པ། མ་ཚེ་བ།
exclusive: འཁོད་པ་མ་གཏོགས། མ་ཚེ་བའི།
excrement: སྐྱག་པ། བཙོག་པ།
excreta: སྐྱག་གཅིན།
excrete: བཙོག་པ་སྟོན་པ།
excruciating: ན་ཟུག་ཆེན་པོ།
excursion: སྐྱིད་འཁྱམས།
excuse: དགོངས་པ་ཞུ་བ། དགོང་ཡངས་གནང་

execute: ལས་ཀུ་འཛུག་པ། སྒྲིག་ཐིག

exempler: དཔེ་ཚད། གཏོང་བ།

exemplary: དཔེ་མཚོན་གྱི།

exemplify: དཔེ་སྟོན་པ།

exempt: ཆག་ཡང་གཏོང་བ།

exercise: ལུས་རྩལ། (རྩེ་བ་)

exert: སྒྲིན་པ། འབད་པ།

exhale: དབུགས་ཕྱི་ལ་སྟོན་པ།

exhaust: ཐང་ཆད་པ། སྐྱིག་མ། རྫོ་ཀ་པ།

exhaustive: རྒྱས་པོ།

exhaustion: ཐང་ཆད་པའི།

exhibit: འགྲེམས་སྟོན་བྱེད་པ།

exhibition: འགྲེམས་སྟོན།

exhilarate: སྤྲོ་སྣང་སྐྱེད་པ།

exigent: ཛ་དྲག འཕྲལ་ཚབས་ཅན།

exiguous: དཀོན་པོ། ཆུང་ཆུང་།

exile: སྐྱབས་བཅོལ། རྒྱང་འབུད་

exist: ཡོད་པ། གནས་པ། ⌊གཏོང་བ།

existence: གནས་པ། སྲིད་པ།

existent: གནས་ཡོད་པ། གསོན་པ།

exit: འདོན་ས། སྒོ།

exodus: བྲོས་འགྲུལ།

exorbitant: ཧ་ཅང་གི་ཆེན་པོ།

exorcize (ise): སྲི་གནོན།

exotic: ཕྱི་རྒྱལ་ནས་བྱུང་བ།

expand: རྒྱ་བསྐྱེད་གཏོང་བ། འཕེལ་
རྒྱས་གཏོང་བ།

expansion: རྒྱ་སྐྱེད། འཕེལ་རྒྱས།

expect: རེ་བ་བྱེད་པ།

expectation: རེ་བ། རེ་སྒུག

expectorate: ལུད་པ་གཡུག་པ།

expedient: རན་པོ། སྐབས་དང་མཚུངས་
པོ།

expedition: དམིར་ཡོད་ཕྱིར་བསྐྱོད།

expel: འབུད་པ། ཕྱིར་གཡུག་པ།

expend: བེད་སྤྱོད་བྱེད་པ། འགྲོ་སོང་གཏོང་བ།

expenditure: འགྲོ་སོང་།

expense: འགྲོ་སོང་།

expensive: རིན་གོང་ཆེན་པོ། གུས་པོ།

experience: ཉམས་མྱོང་།

experiment: བརྟག་དཔྱད། ཚོད་ལྟ།

expert: མཁས་པ། ཉམས་མྱོང་ཅན།

expertise: མཁས་པའི་ཞིས་མྱོང་།

expiration: རྫོགས་མཚམས།

expire: ཤི་བ། དུས་ཚོད་རྫོགས་པ།

expiry: རྫོགས་རྒྱུའི། ཤི་རྒྱུའི།

explain: འགྲེལ་བཤད་རྒྱབ་པ།
གསལ་བཤད་བྱེད་པ།

explanation: འགྲེལ་བཤད། གསལ་བཤད།

explanatory: འགྲེལ་བཤད་ཀྱི། གསལ་བཤད་ཀྱི།

explicit: ཏན་ཏན། ཁ་གསལ་ལ་པོ།

explode: འཐོར་བ། གཏོར་བ།

exploit: བཀུག་ཞིག་གཏོང་བ།

explore: བརྟག་ཞིབ་བྱེད་པ།

explosion: འགས་འཐོར།

explosive: འགས་ཐོར་གྱི། ཁོག་ཐབ

exponent: གསལ་སྟོན་བྱེད་མཁན།

export: ཕྱིར་ཚོང་བྱེད་པ།

expose: ཕྱི་ལ་སྟོན་པ།

express: ལབ་པ། གཤོད་པ། སྟོན་པ། གསུང་བ། མགྱོགས་པོར་བསྐྱོད་མཁན།

expression: བརྗོད་བྱ། ལྟ་སྟང་། བརྗོད་སྟངས།

expropriate: རྒྱུ་ནོར་འཕྲོག་པ།

expulsion: འབུད་འདོར། ཕྱིར་འབུད།

expurgate: བཙོག་པ་མེད་པ་བཟོ་བ།

exquisite: ཁྱད་དུ་འཕགས་པ།

exsiccate: སྐམ་པོ་བཟོ་བ།

extempore: ཧོབ་སྔེ་བྱེད་པའམ་གཤོད་པ།

extend: རྐྱང་བ། འབྱུངས་པ། རྒྱ་སྐྱེད་གཏོང་བ།

extension: ཡར་འབྱུངས། རྒྱ་སྐྱེད།

extensive: རྒྱས་པོ། རྒྱ་སྐྱེད་ཆེན་པོ།

extent: ཁྱོན། ཚད།

exterior: ཕྱི་ལོགས་ཀྱི།

exterminate: རྩ་མེད་བཟོ་བ།

extermination: རྩ་མེད།

external: ཕྱི་ལོགས་ཀྱི། ཕྱིའི།

extinct: ཤི་ཚར་བ། དེང་སང་མེད་པ། དཀོན་པོར་འགྱུར་བ།

extinguish: གསོད་པ། (མེ་སོགས)

extirpate: རྩ་བཀོག་གཏོང་བ།

extol: བསྟོད་བསྔགས་ཕུལ་བ།

extort: བཙན་འཕྲོག་བྱེད་པ།

extortion: བཙན་འཕྲོག

extra: ལྷག་མ། འཕར་མ། འཐེབ་པ།

extract: བཀོག་པ། འཐེན་པ། (ཆུ་སོ་ཏ་) འདོན་པ།

extraction: བཀོག་འཐེན།

extraordinary: ཁྱད་པར་ཅན།

extravagant: རྒྱལ་སྤྲོས་ཆེ་པོ། སེར་སྣ་ཆེ་པོ་མ་ཡིན་པ།

extravagate: ནོར་ལམ་དུ་འཁྱར་བ།

extreme: མཐའ་མའི་མཐའ།

extremely: ཧ་ཅང་གི ཤིན་ཏུ།

extricate: བཀྲོལ་བ། དགྲོལ་བ།

extrovert: སྙེད་གསང་མ་བྱེད་མཁན།
ཕྱིར་སྟོན་མཁན།

exuberant: ཟབ་རྒྱས་ཅན། འཕེལ་པོ།

exude: འཛག་པ།

exult: དགའ་སྣང་ཆེན་པོ་སྐྱེས་པ།

eye: མིག སྤྱན།

eyeball: མིག་རིལ།

eyebrow: མིག་གི་རྫི་མ།

eyeglass: མིག་ཤེལ།

eyelash: མིག་སྤུ།

eyelid: མིག་པགས།

eyesight: མིག་གི་མཐོང་གསལ།

eyesore: ལྟ་སྣང་ལ་མ་མཛེས་པ།

eye-witness: དཔང་པོ། མིག་མཐོང་
ལག་ཟིན།

F

fable: སྒྲུང་། གཏམ།

fabricate: རྫོབ་པ། བཟོ་སྐྲུན་བྱེད་པ།

face: གདོང་། ངོ་གདོང་སྟོན་པ། ཞལ་རས། བཞིན་རས།

facial: གདོང་གི ཞལ་རས་ཀྱི།

facilitate: ལས་སླ་པོ་བཟོ་བ།

facility: མཐུན་རྐྱེན།

facing: མདུན་ཕྱོགས། གདོང་སྟོན།

facsimile: འདྲ་བཤུས།

fact: བདེན་པ།

faction: ཕྱོགས་ཁག

factor: རྐྱེན།

factory: བཟོ་གྲྭ

factual: དངོས་གནས་ཀྱི། བདེན་པའི།

faculty: ནུས་པ། མཐོ་སློབ་ཀྱི་སྡེ་ཚན།

fade: ཡལ་བ།

faeces: སྐྱག་པ། བཙོག་པ།

fag: ཐང་ཆད་བཅུག་པ།

fail: ཆད་པ། མཐར་མ་ཕྱིན་པ། མ་འགྲོད་པ། (ཡིག་རྒྱུགས་སོར་)

failure: མཐར་མ་འཁྱོལ་མཁན། ཆད་མཁན། ཕམ་ཆད།

faint: བརྒྱལ་བ། ནུས་སྟོབས་མེད་པ། མ་གསལ་བ།

fair: ཚོང་དུས། མདོག་དཀར་པོ། མཛེས་པོ། དྲང་པོ། དངོས་གནས།

fairly: འགྲིགས་ཙམ། དྲང་པོར།

fairy: མཁའ་འགྲོ

faith: དད་པ། ཡིད་ཆེས།

faithful: དམ་ཚིག་ལྡན་པ།

faithfully: དམ་ཚིག་ལྡན་པར། དམ་ལྡན་པ།

faithless: དམ་ཚིག་མེད་པ། ཡིད་ཆེས་མེད་པ།

fake: བརྫུས་མ། རྫུན་མ། མགོ་སྐོར་གཏོང་བ།

falcon: ཁྲ།

falconer: ཁྲ་གསོ་སྐྱོང་བྱེད་མཁན།

fall: གཟར་བ། ལྷུང་བ། འགྱེལ་བ། སྟོན་ཀའི་དུས།

fallacy: ནོར་འཁྲུལ།

fallible: ནོར་འཁྲུལ་བཟོ་ཉེན་ཅན།

fallow: ཞིང་སྟོང་། ས་རྗེངས།

false: རྫུན་མ།

falsehood: རྫུན་ཚིག

falsify: རྫུན་མ་བཟོ་བ།

falter: ཁྱེ་རེ་ཁྱོ་རེར་འགྲོ་བ།

fame: སྙན་གྲགས། སྐད་གྲགས།

familiar: རྒྱུས་ཡོད། གོམས་འདྲིས་ཡོད་པ།

familiarize(se): གོམས་འདྲིས་བྱེད་པ། རྒྱུས་ཡོད་བྱེད་པ།

family: ནང་མི། མི་ཚང་།

famine: མུ་གེ

famish: ཧ་ཅང་ལྟོགས་པ།

famous: སྙན་གྲགས་ཅན། སྐད་གྲགས་ཆེན་པོ།

fan: རླུང་གཡབ། རླུང་འཁོར། དགའ་པོ་བྱེད་མཁན།

fanatic: ཧ་ཅང་གི་ཞེན་ཁོག་ཚ་པོ།

fanciful: ཁྱད་མཚར་པོ།

fancy: ཁྱད་མཚར། དམིགས་པ།

fang: མཆེ་བ། དུག་སོ། (སྦྲུལ་གྱི)

fantastic: ཁྱད་མཚར་པོ། ཡ་མཚན་པོ། ཧ་ལས་པའི།

fantasy: སེམས་འཁྲུལ་སྣང་།

far: ཐག་རིང་པོ། རྒྱང་ཐག་རིང་པོ།

fare: འཁོར་གླ། འགྲོ་འགྲུལ། ཟོབ་པ།

farewell: ཆིབས་བསྒྱུར་གནང་ཞུ་བ།

farm: གཞིས་ཀ ཞིང་ཁ་རྨོ་བ།

fart: འཕྱེན་གཏོང་བ། རྟག་དྲི (གཏོང་བ་)

farther: ཐག་རིང་དུ། རྒྱང་རིང་དུ།

farthest: རྒྱང་ཐག་རིང་ཤོས།

fascinate: ཡིད་འཕྲོག་པ།

fashion: ཆ་ལུགས། བཟོ་ལྟ་སྟོན་པ།

fast: མགྱོགས་པོ། སྨྱུང་གནས། (ལུ་སྟོད་པ་) ལྟོ་མ་ཟ་བ།

fasten: བརྟན་པོ་བཟོ་བ། དམ་པོ་བཅིང་བ།

fastidious: འདེམས་སྒྲུག་རྒྱག་པ། མཁས་པོ། མགུ་ཁག་པོ།

fat: རྒྱགས་པ། ཚིལ་ལུ། སྦོམ་པོ། མཐུག་པོ།

fatal: གཡོ་ཐབས་བྲལ་བ།

fate: ལས། ལས་བསྐོས།

fateful: ལས་བསྐོས།

father: པཱ་ལགས། པ། ཡབ། ཨ་པ།

father-in-law: བཟའ་ཟླའི་པཱ་ལགས།

fathom: ཕུ་ཀྲི་དྲུག རྟོགས་པ།

fatigue: དཀའ་ལས། ཐང་ཆད་པ།

fatten: རྒྱགས་པ་བཟོ་བ། མཐུག་པོ་བཟོ་བ།

fatty: རྒྱགས་པ། ཚིལ་ལུ་ཅན།

fault: ནོར་འཁྲུལ། སྐྱོན།

favour: ཕན་ཐོགས་པའི་ལས་ཀ། བལྟ་སྐྱོང་།

favourable: ཕན་ཐོགས་ཅན།

favourite: དགའ་ཤོས། སྣང་བར་འགྲོ་ཤོས།

fear: ཞེད་སྣང་། འཇིགས་སྣང་། འཇིགས་སྐྲག།

fearful: ཞེད་སྣང་ཆེ་པོ།

fearsome: ཞེད་སྣང་ཆེ་པོ།

feasible: སྲིད་པ། བྱེད་ཐུབ་འོས་པ།

feast: སྟུགས་སྟོ། (གཏོང་བ་)

feat: རྩལ།

feather: བྱ་སྒྲོ། བྱ་སྤུ།

feathery: བྱ་སྒྲོ་ཅན། ཧ་ཅང་གི་ཡང་པོ་དང་འཇམ་པོ།

feature: གདོང་གི་དབྱིབས། བཟོ་དབྱིབས།

February: ཕྱི་ཟླ་གཉིས་པ།

fee: གླ་ཆ།

feeble: སྟོབས་མེད་པ།

feed: ལྟོ་སྟེར་བ། གསོ་བ།

feel: ཚོར་བ། (སྐྱིལ་པ་) རེག་པ།

feeling: ཚོར་བ། སྙིང་རྗེ། རེག་བྱ།

feet: རྐང་པ། (མང་ཚིག་) ཞུ་ཀྱི (མང་ཚིག་)

feign: ཁྲམ་པ་བྱེད་པ།

feint: གཡོ་སྒྱུ་བྱེད་པ། རྫུན་མ་བྱེད་པ།

felicitate: དགའ་བསུ་ཞུ་བ།

felicity: ཧ་ཅང་གི་དགའ་ཚོར།

feline: ཞི་མིའི།

fell: གཟར་ཟེན་པ། ཕྱུང་ཟེན་པ།

fellow: ཟླ་གྲོགས། མི།

felony: ལས་ཀ་རྫུབ་ཆེན།

felt: ཚོར་ཟིན་པ།

female: མོ། སྐྱེ་དམན། བུད་མེད།

feminine: སྐྱེ་དམན་གྱི། མོ་རིགས།

fence: ར་བ། (བསྐོར་བ་)

fencing: ར་བ། གྲི་རྩེད།

fend: བཀག་པ། སྲུང་བ།

ferment: སྦྱལ་བ། (ཆང་འདྲ་)

fermentation: སྦྱལ་སྨིན།

ferocious: ངར་པོ། འཇིགས་སྐྲག་ཅན།

ferry: གྲུའི་ནང་འོར་འདྲེན། གྲུ་རྒྱུང་།

fertile: ཐོན་སྐྱེད་ཡོད་པ། རྒྱུ་ལུད་འཇོམས་པོ།

fertilizer: ལུད།

fervent: སྙིང་རུས་ཅན།

fervour: སྙིང་རུས།

festival: དུས་སྟོན། དགའ་སྟོན་གྱི་དུས།

festive: དུས་སྟོན་གྱི། དགའ་སྟོན་གྱི།

festivity: དགའ་སྟོན།

festoon: བརྒྱན་པ། ཕྲེང་བཏགས།

fetch: ལེན་པ། འཁྱེར་ཡོང་བ།

fete: དུས་ཆེན།

fetid: དྲི་མ་ངན་པ།

fetus: མངལ་ནང་གི་ཕྲུ་གུ

feud: འཁྲུགས་པ། འཁོན་རྩོད།

feudal: བཀའ་བཀོད་རྒྱུད་འཛིན།

feudalism: བཀའ་བཀོད་རྒྱུད་འཛིན་རིང་ལུགས།

fever: ཚ་བའི་ནད་ཚ། ཚ་བ། ཚད་ནད།

few: ཉུང་ཁ་ཤས། ཁ་ཤས། འགའ་ཤས།

fewer: ཉུང་ཤས་ལས། ཉུང་བ།

fiance: སྙིང་སྡུག (ཕོ་)

fiancee: སྙིང་སྡུག (མ་)

fiasco: ཕམ་ཆད།

fickle: འགྱུར་བ་འགྲོ་ཆོག་ཆོག

fiction: དངོས་གནས་མ་ཡིན་པ།

fictitious: དངོས་གནས་མ་ཡིན་པ།

fiddle: པི་ཝང་། དོན་མེད་ལག་རྩེད་རྩེ་བ།

field: ཞིང་ཁ། ཐང་ཀ

fiend: བདུད། འདྲེ།

fierce: དྲག་པོ། ངར་པོ། ཞེད་སྣང་ཆེ་པོ།

fiery: མེ་ཅན། མེ་ལྟར།

fifteen: བཅོ་ལྔ།

fifth: ལྔ་པ།

fiftieth: ལྔ་བཅུ་པ།

fifty-fifty: ཕྱེད་ཀ་ཕྱེད་ཀ (ཕལ་སྐད་)

fifty: ལྔ་བཅུ།

fig: ཁ་སྒུར། (ཁཱིང་འབྲས་)

fight: འཁྲུགས་པ། འཛིང་བ། འཐབ་པ། འཐབ་འཛིང་།

figure: ཨང་ཀི། བཟོ་དབྱིབས། རི་མོ། གཟུགས་བརྙན།

filch: ཅོག་ཅོག་རྐུ་བ།

file: ཡིག་སྣོད། (ནང་བླུག་ས) གྲལ་རིམ། གསེག་བདར། རྡར་བ།

fill: དགང་བ། བསྐང་བ།

film: གློག་བརྙན།

filter: འཚག་པ། ཚགས།

filth: བཙོག་པ།

filthy: བཙོག་པ་ཅན། དྲི་མ་ཅན།

fin: ཉའི་གཤོག་པ།

final: མཐའ་མ། མཐའ་མཇུག

finance: དངུལ་རྩིས། འགྲོ་གྲོན་གཏོང་བ།

financial: དངུལ་རྩིས་ཀྱི།

financier: འགྲོ་སོང་གཏོང་མཁན།

find: རྙེད་པ། ཐོབ་པ།

fine: བདེ་པོ། ཡག་པོ། ཕྲ་པོ། ཉེས་ཆད། (རྒྱབ་པ་)

finish: ཚར་བ། (བྱེད་པ་) རྫོགས་པ།

fir: སོམ་ཤིང་།

fire: མེ། མེ་མདའ་རྒྱབ་པ།

fire-cracker: ཤོག་པག

fire-extinguisher: མེ་གསོད་བྱེད།

fire-place: མེ་ཐབ།

firm: བརྟན་པོ། ཚོང་ལས་ཁང་།

first: དང་པོ། ཐོག་མ།

firstly: དང་པོར། ཐོག་མར།

fiscal: ཁྲལ་བསྡུས།

fish: ཉ། (གཟུང་བ་)

fishy: ཉ་འདྲ་བ། དོགས་པ་སྐྱེས་འོས་པ།

fissure: སེར་ཀ། ཤོབ་ཏོ།

fist: མུར་རྫོག (གཞུ་བ་) རྫོག་མགོ

fit: རན་པོ། སྒྲིག་པ། སྒྲིག་པོ། བདེ་པོ།

fitness: རན་འགྲིག བདེ་གནས།

fitting: རན་འགྲིག་པ་ཟེ་བ།

five: ལྔ།

fivefold: ལྔ་ལྡན།

fives: ལྔ་ཅན། ལྔ་རེ།

fix: སྦྱར་བ། ཏན་ཏིག་བྱེད་པ། ཐབས་ཐུལ་བའི་དཀའ་ངལ། དགར་བ།

fixation: སྦྱར་སྒྲིག

fixedly: བརྟན་པོར།

fixture: འགྱུར་བ་མེད་པ།

flabby: ལྷུག་ལྷུག ཉ་རེ་ཉི་རེ། སོབ་སོབ།

flag: དར་ཆ། དར་ལྕོག

flair: དང་འདོད་ཆེ་པོ།

flame: མེ་ལྕེ། མེ།

flash: མེ་འོད་འཁྱུག་པ།

flashy: ཚོན་མདོག་ཅར་པོ།

flask: ཤེལ་སྣོད། ལྕགས་སྣོད། ཇ་དམ།

flat: ལེབ་ལེབ།

flatter: ཕྱལ་ལད་གཏོང་པ།

flautist: གླིང་བུ་གཏོང་མཁན།

flavour: བྲོ་བ། རོ།

flaw: སྐྱོན།

flea: ཁྱི་ཤིག ལྗི་བ།

flee: བྲོས་པ།

fleece: ལུག་བལ།

fleet: གྲུ། ཚོགས།

flesh: ཤ། ཤ་གནག

fleshy: ཤ་ཅན།

flew: འཕིར་བ། འཕུར་ཟིན་པ།

flexible: མཉེན་པོ།

flick: རྡོག་ཙམ་གཞུ་བ།

flight: འཕུར་བྲོས། གནམ་གྲུ།

fling: གཡུག་པ།

flint: མེ་ལྕགས།

flip: སྤྲད་རྒྱག་རྒྱབ་པ།

float: ལྡིང་བ། (ཆུ་དང་ནམ་མཁའ་སོགས་ཐོག)

flock: ཁྱུ། མང་འཛོམས་བྱེད་པ།

flog: ཞེ་རྡུང་གཏོང་བ།

flood: ཆུ་ལོག

floor: ཞ་ལེ། ས་སྟེང་། ཐོག་རྩེ།

florist: མེ་ཏོག་ཚོང་མཁན།

flour: གྲོ་ཞིབ།

flower: མེ་ཏོག

flowery: མེ་ཏོག་ཅན།

fluctuate: ཡར་ཆག་ཕྱིན་པ།

fluency: ཆུ་རྒྱུག་རྒྱུག་བདེ་ཉམས།

fluent: ཆུ་རྒྱུག་རྒྱུག་བདེ་པོ། ལྕེ་བདེ་པོ།

fluffy: སོབ་སོབ། འབོལ་པོ།

fluid: ཁུ་བ། སླ་པོ།

fluke: ད་ག་སེ་བྱུང་བ།

flung: གཡུག་ཟིན་པ།

flush: ཆུ་བཤལ་གཏོང་བ།

flute: གླིང་བུ།

flutter: གཤོག་པ་གཡབ་གཡབ་བྱེད་པ།

flux: བར་མཚམས་མེད་པར་ཡོང་བ།

fly: འཕིར་བ། འཕུར་བ།

foal: རྟེའུ། བོང་ཕྲུག

foam: ལྦུ་བ།

focal: དཀྱིལ་གྱི།

fodder: རྩ་ཆག

foe: དགྲ དགྲ་བོ།

foetus: fetus ལ་ག་ཟེགས།

fog: སྨུག་པ།

foggy: སྨུག་པ་ཅན།

fold: ལྟེབ་རྩེག (རྒྱབ་པ་) ལྟེབ་པ། གཏུམ་པ།

folio: ཤོག་ལྷེ།

folk: མི་བརྒྱུད་ཀྱི།

follow: རྗེས་སུ་འགྲོ་བ། དོན་རྟོགས་པ།

follower: རྗེས་འཇུག སློབ་མ།

following: རྗེས་ཀྱི། གཤམ་གསལ།

fond: དགའ་པོ།

food: ཁ་ལག ལྟོ་ཆས། ཞལ་ལག

fool: གླེན་པ། ཧྲུག་པ།

foolhardy: ཧྲུག་རྟགས།

foot: རྐང་པ།

football: རྐང་རྩེད་སྤོ་ལོ།

footpath: རྐང་ལམ། མི་ལམ།

footruler: ཐིག་ཤིང་།

footstep: གོམ་པ།

forage: གཟན་པ།

forbearance: བཟོད་པ།

forbid: བཀག་འགོག་བྱེད་པ།

force: ནུས་ཤུགས། བཙན་དབང་གཏོང་བ།

forcibly: བཙན་དབང་ཐོག

fore: མདུན་ཕྱོགས། སྔོན་གྱི།

forearm: ལག་ངར།

forecast: སྔོན་བརྡ་གཏོང་བ། མངོན་ཤེས་གཤོད་པ

forefather: ཕ་མེས།

forefinger: མཐེབ་བོང་རྗེས་ཀྱི་མཛུབ་མོ།

forefoot: དུད་འགྲོའི་མདུན་གྱི་རྐང་པ།

forego: སྤང་བ། བློས་གཏོང་བ།

foreground: མདུན་ལ།

forehead: ཐོད་ཀོག ཐོད་པ། དཔྲལ་བ།

foreign: ཕྱི་རྒྱལ། ཕྱི་ལོགས་ཀྱི།

foreigner: ཕྱི་རྒྱལ་མི། ཕྱི་རོལ་པ།

foreman: ལས་དཔོན།

foremost: གཙོ་བོ། ཡག་ཤོས།

forenoon: སྔ་དྲོ། ཉིན་གུང་སྔོན།

foresee: སྔོན་ནས་ཧ་གོ་བ།

foresight: མངོན་ཤེས།

forest: ཤིང་ནགས། ནགས་ཚལ།

forester: ཤིང་ནགས་ལྟ་རྟོགས་པ།

foretell: མངོན་ཤེས་གཤོད་པ།

forewarn: སྔོན་བརྡ་གཏོང་བ།

foreword: སྔོན་བརྗོད། སྔོང་བརྗོད།

forfeit: ཐོབ་ཐང་ཤོར་བ།

forgave: དགོངས་ཡངས་སྐྱུད་ཟིན་པ།

forge: བརྫུས་མ་བཟོ་བ། མདུན་ཕྱོགས་འགྲོ་བ།

forgive: དགོངས་ཡངས་སྐྱོད་པ།

form: བཟོ་དབྱིབས། འགེངས་ཤོག

formal: ལུགས་མཐུན།

formality: ལུགས་མཐུན།

format: དེབ་ཀྱི་བཟོ་ལྟ་དང་ཚད།

formation: བཟོ་ཐོན།

former: སྔོན་གྱི། གོང་གི། གནའ་དུས།

formidable: འཇིགས་སྣང་ཅན།

formless: གཟུགས་མེད།

fornication: རྒྱི་ལས། འཁྲིག་སྤྱོད།

fort: མཁར། རྫོང་།

forth: སྔོན་ལ། མདུན་ལ།

forthcoming: ཡོང་རྒྱུ།

forthwith: ལམ་སེང་། ད་མ་ཐག

fortification: བརྟན་པོ་བཟོ་བ། བཙན་སྲུང་། མཁར་བཟོ་བ།

fortify: བཙན་པོ་བཟོ་བ། མཁར་རྒྱབ་པ།

fortnight: བདུན་ཕྲག་གཉིས།

fortnightly: བདུན་ཕྲག་གཉིས་རེར།

fortress: བཙན་མཁར།

fortunate: སྐབས་ཡག་པོ།

fortunately: སྐབས་ལེགས་ནས། རྐྱེན་བཟང་ནས།

fortune: བསོད་བདེ། སྐབས། རྒྱུ་ནོར།

forty: བཞི་བཅུ།

forum: འདུ་འཛོམས་བྱེད་ས།

forward: མདུན་དུ།

foster: གསོ་སྐྱོང་བྱེད་པ། ཚབ་བྱེད་པ།

foster parent: ཕ་ཚབ་མ་ཚབ།

fought: འཁྲུགས་འཛིང་ཟིན་པ།

foul: བཙོག་པ། ངན་པ།

found: བརྙེད་ཟིན་པ། ཐེབ་ཟིན་པ།

foundation: རྨང་གཞི། གཞི་གདན།

founder: བརྙེད་མཁན། འགོ་བཙུགས།

foundling: དྭ་ཕྲུག

fountain: ཆུ་གཏེར།

four: བཞི།

foursome: བཞི་ཚན།

fourth: བཞི་པ།

fourthly: བཞི་པར།

fowl: བྱ་ཕོ་བྱ་མོ།

fox: ཝ་མོ།

fraction: ཆ་ཟུར། ཆ་ཤས།

fracture: སེར་ཀ་(འགས་པ་) ཆག་པ། འགས་ཆག

fragile: ཆག་སླ་པོ།

fragment: དུམ་བུ། ཟུར་ཆ།

fragrant: དྲི་མ་ཞིམ་པོ།

frail: སྟོབས་མེད།

frame: ཁྲི་སྒྲོམ། འཆར་གཞི་བཟོ་བ།

frank: ཁ་བསང་པོ། ཁ་ཕྱང་པོ།

frantic: སྨྱོ་འཚུབ་འཚུབ།

fraternal: སྤུན་ནང་བཞིན།

fratricide: གཅེན་གཅུང་གསོད་མཁན།

fraud: རྫུན། (ཁྲབ་པ་) མགོ་བསྐོར་སླུ་

fraudulent: རྫུན་མ། བྱེད།

freak: ཁྱད་མཚར། རྐོད་བྲོ་པོ།

freckle: སྨུག་སྐྱི་ཆུང་ཆུང་།

free: རང་དབང་ཅན། ཐར་བ། རིན་མེད།

freedom: རང་བཙན། ཐར་གྲོལ།

freeze: འཁྱག་རོམ་ཆགས་བཅུག་པ།

freight: དོས་པོ། ཁལ།

freightage: བདལ་གླ། དོས་པོ་འཁྱེར་གླ།

French: ཕ་རན་སི་མི་རིགས་དང་སྐད།

frenzy: སྨྱོ་བ་ནང་བཞིན།

frequency: ཡང་ནས་ཡང་དུ་བྱུང་བ།

frequent: ཡང་སེ། ཡང་ཡང་འགྲོ་བ།

frequently: ཡང་སེར། ཡང་ནས་ཡང་དུ།

fresh: ཁ་གསར་པ། སོས་པ།

freshly: སོ་སོ་པར།

friction: བྲད་རྡར། མ་འཆམ་པ།

Friday: གཟའ་པ་སངས།

friend: གྲོགས་པོ།

friendly: འཆམ་པོ། གྲོགས་པོ་ནང་བཞིན།

friendship: གྲོགས་པོའི་འབྲེལ་བ། མཐུན་ལམ

fright: ཞེད་སྣང་། འཇིགས་སྣང་།

frighten: ཞེད་སྣང་སྐུལ་བ།

frightful: ཞེད་སྣང་ཆེ་པོ།

frigid: གྲང་མོ།

frill: མཐའ་ལྷས།

frivolous: ཧབ་ཆུང་། དོན་མེད།

fro: ཕར།

frog: སྦལ་པ།

frolic: སྣང་བ་སྐྱིད་པོ། སྤྲོ་པོ།

from: ནས།

front: མདུན། གདོང་།

frontier: ས་མཚམས།

frost: ཁྱགས་ཟིལ།

frosty: ཁྱགས་ཟིལ་ཅན།

frown: གདོང་གི་གཉེར་མ་སྟོན་པ།

frugal: ལེར་སྣ་ཆེ་པོ། བསྲི་ཆགས་ཅན།

fruit: ཤིང་ཏོག འབྲས་བུ། ཤིང་འབྲས།

fruitful: འབྲས་བུ་ཡོད་མཁན།

fruitless: འབྲས་བུ་མེད་པ།

fry: རྔོད་པ། བཀྲག་པ། བསྲེག་པ།

fuel: མེ་ཤིང་། འབར་རྫས།

fugitive: འཁྱམས་འགྲོ་མཁན།

fulfil: སྒྲུབ་པ། མཐར་སྐྱེལ་བ།

full: ཆ་ཚང་། གང་ཚང་། ཁེངས་པ།

fully: ཆ་ཚང་དུ། གང་ཚང་དུ།

fume: རྣངས་པ། དུ་བ། (འདོན་པ་)

fun: རྩེད་སྤྲོའི་རྩེད་མོ། ཀུ་རེ། སྣང་སྐྱིད།

function: མཛད་སྒོ། ལས་ཀ། བྱ་བ།

fund: མ་རྩ།

fundamental: གཞི་རྩ། རྩ་བ།

funeral: རོ་བསྲེག་པའི།

fungus: ཤ་མོ།

funny: རྩེད་སྤྲོ་པོ། ཡ་མཚན་ཅན།

fur: སྤུ།

furl: སྒྲིལ་སྒྲིལ་བཟོ་བ།

furnace: མེ་ཐབ།

furnish: དགོས་དངོས་སྦྱར་བ། སྒྲུབ་པ།

furniture: ནང་གི་འཇོན་ཆས།

further: ད་དུང་། རྒྱང་དུ། འཕར་མ།

furthermore: དེས་མ་ཚད།

furthest: རྒྱང་ཐག་རིང་ཤོས།

fury: འཚིག་པ། ཁོང་ཁྲོ།

fuss: ཟ་ངེ་ཟིང་ངེ་། (བཟོ་བ་)

futile: ཕན་ཐོགས་མེད་པ།

future: མ་འོངས། འབྱུང་འགྱུར། རྗེས་མ།

futuristic: མ་འོངས་སྔོན་མཁན།

futurity: མ་འོངས་ཀྱི། རྗེས་མའི།

G

gab: ཙ་ཙོ།

gadget: འཕྲུལ་ཆ་ཚག་ཅིག

gag: ཁ་བཀག་པ།

gaiety: དགའ་སྤྲོ། སྣང་བ་སྐྱིད་པོ།

gain: ཁེ་བཟང་། ཐོབ་པ།

gainful: ཁེ་བཟང་ཅན།

gait: འགྲོ་དུས་གཟུགས་པོའི་འགྱུར་བཟོ།

gala: དགའ་སྤྲོའི་དུས་སྟོན།

galaxy: སྐར་ཚོགས།

gale: རླུང་འཚུབ། བུ་ཡུག

gall: མཁྲིས་པ།

gallant: བློ་ཁོག་ཅན། སྙིང་སྟོབས་ཅན།

gallantry: བློ་ཁོག་ག

gallop: རྟ་རྒྱུགས་ནང་བཞིན། (འགྲོ་བ་)

gamble: ཤོ་སྦག་རྩེ་བ། ཡ་ཡུད་རྩེ་བ།

game: རྩེད་མོ། རི་དྭགས།

gang: ཚོགས། ཁྱུ། (ངན་པའི་)

gap: བར་སྟོང་།

gape: ཁ་གདང་བ། (ཧ་ལས་པའི་ཚུལ་)

garage: སྣུམ་འཁོར་འཇོག་ཁང་ངམ་བཟོ་ས།

garb: གོས། གྱོན་ཆས།

garbage: གད་སྙིག གད་ཉིག

garden: ལྡུམ་ར།

garland: ཕྲེང་བཏགས། (མེ་ཏོག་སོགས་ཀྱི་)

garment: གོས། གྱོན་ཆས། དུག་སློག

garter: ལྷམ་སྒྲོག

gas: རླངས་རླུང་།

gash: རྨ་གཏིང་ཟབ། (བཟོ་བ་)

gasp: དབུགས་ཕུ་ཆེན་འཐེན་པ།

gastrology: ཁ་ལག་བཟོ་སྦྱངས་ཀྱི་རིག་པ།

gastronomy: ཟས་སྦྱོར་ཀྱི་རིག་པ།

gate: རྒྱལ་སྒོ།

gather: འདུ་བ། བསྡུ་བ།

gathering: འདུ་འཛོམས། མང་ཚོགས།

gaudy: ཧར་པོ།

gauge: ཚད་གཞི། ཚད་རྒྱབ་པ།

gauze: སང་རས།

gawky: སྒམ་པོ་མེད་པ།

gay: ཉམས་དགའ་བ། དགའ་སྐྱིད།

gaze: མིག་ཧུ་རེ་བལྟ་བ།

gear: ཡོ་ཆས། ལག་ཆ།

gelatine: ཕེག་ཕེག

gem: ནོར་བུ། རིན་ཆེན།

gender: ཕོ་མོ། མཚན་མ།

genealogical: མི་རབས་ཀྱི།

general: སྤྱིར་བཏང་། དཀྱུས་མ།

generalize (ise): སྤྱིར་སྤུ་གཏོང་བ།

generally: སྤྱིར་བཏང་དུ།

generate: སྐྲུན་པ། བཟོ་བ།

generation: མི་རབས།

generous: གཏོང་ཕོད་ཅན།

genitals: ཕོ་མོའི་མཚན། སྤྲེང་པ།

genius: ཧ་ཅང་གི་མཁས་པའམ་

genocide: རིགས་བརྒྱུད་རྩ་མེད།

gentle: འཇམ་པོ། གཞི་འཇམ།

gentleman: ཡ་རབས་ཅན་གྱི་མི། མི་དྲག

gentleness: འཇམ་པོའི། ཁྲམ་པོ།

gently: འཇམ་པོར། ག་ལེར།

genuine: དངོས་འབྲེལ། དངོས་གནས།

geography: འཛམ་གླིང་རྒྱས་བཤད།

geology: ས་གཞིའི་རིག་པ།

geometry: ཐིག་རྩིས།

germ: སྲ་འབུ།

germinate: ལྗང་པ་སྐྱེ་བ།

gestation: མངལ་སྦྲུམ།

gesticulate: ལག་བརྡ་བྱེད་པ།

gesture: ལག་བརྡ། རྣམ་འགྱུར། བྱེད་སྟངས།

get: ཐོབ་པ། ལེན་པ།

ghastly: ཞེན་ལོག་ཅན། མདོག་ཉེས།

ghost: དོང་འདྲེ།

ghostly: དོང་འདྲེ་ནང་བཞིན།

giant: མི་ཆེན། ཆེན་པོ།

gibberish: གོ་དོན་མེད་པའི་སྐད་སྒྲ།

giddy: མགོ་ཡུ་འཁོར་བ།

gift: རྔན་པ། གསོལ་རས།

gifted: རང་བཞིན་གྱི་མཁས་པ།

gigantic: ཧ་ཅང་གི་ཆེན་པོ།

giggle: ཧི་ཧི་ཟེར་ཏེ་གད་མོ་ཡུད་ཙམ་ཤོར་བ།

ginger: སྒ་སྨུག

girdle: སྐེད་རགས། (འཆིང་བ་)

girl: བུ་མོ།

girth: རྟའི་གློ་ཐག

gist: དོན་སྙིང་པོ།

give: སྤྲོད་པ། སྟེར་བ།

glacier: འཁྱགས་རྒྱ།

glad: དགའ་སྤྲོ།

glair: སྒོ་ངའི་ནང་གི་དཀར་པོ།

glamour: ཡིད་འཕྲོག་མཁན། མཛུ།

glance: ཡུད་ཙམ་ལྟ་བ། ཟུར་མིག་ལྟ་བ།

glare: མིག་བལྟས་བལྟས་སྡོད་པ། འོད་ཆེན།

glass: ཤེལ། ཤེལ་ཕོར།

gleam: འོད་ཆེམ་ཆེམ།

glee: དགའ་སྤྲོ། དགའ་དགོད།

glide: ཤུད་འགྲོ་བ།

glimpse: འཕྲུག་ཙམ་ལྟ་བའམ་མཐོང་བ།

glisten: འོད་ཆེམ་ཆེམ།

glister: འོད་ཆེམ་ཆེམ།

glitter: འོད་ཆེན་འཕྲོ་བ།

globe: དབྱིབས་རིལ་ཟླུམ།

gloom: མུན་ནག སྡུག་བསྔལ་གྱི་རྣམ་པ། ཡིད་མུག

gloomy: མུན་ནག་ཅན། སྡུག་བསྔལ་ཅན། ཡིད་སྐྱོ་པོ།

glorify: སྙན་གྲགས་སུ་འགྱུར་བ།

glorious: སྙན་གྲགས་ཀྱི། བདེ་སྐྱིད་ཀྱི།

glory: སྙན་གྲགས། བདེ་སྐྱིད།

glossary: ཚིག་དང་དོན། ཚིག་མཛོད།

glove: ལག་ཤུབས།

glue: སྦྱར་རྩི།

glum: གདོང་ནག་པོ།

gnash: སོ་བཙར་བ།

gnaw: སོ་རྒྱབ་པ།

go: འགྲོ་བ། རྒྱུགས། འབྱོན་པ། སྐྱོད་པ།

goad: ཀྱུ་ཚུགས་རྒྱབ་པ།

goal: དམིགས་ཡུལ།

goat: ར།

goatling: ར་ཕྲུག

gobble: མགྱོགས་པོར་ཟ་བ།

god: དཀོན་མཆོག མགོན་སྐྱབས། ལྷ།

godess: ལྷ་མོ།

godlike: དཀོན་མཆོག་ནང་བཞིན། ལྷ་ནང་བཞིན།

godly: ཆོས་སེམས་ཅན། ལྷ་ནང་བཞིན།

godown: དོས་ཁང་།

goggle: མིག་ཤེལ། (ཕལ་སྐད་)

going: འགྲོ་བཞིན་པ།

goitre: ལྦ་བ།

gold: གསེར།

golden: གསེར་གྱི། གསེར་མདོག

gone: ཕྱིན་ཟིན་པ། སྐྱོད་ཟིན་པ།

gong: ཏིང་ཏིང་། ཛ།

good: ཡག་པོ། ལེགས་པོ།

good-afternoon: ཉིན་གུང་བདེ་ལེགས།

good-bye: ག་ལེར་ཕེབས་རོགས་གནང་།

good-evening: དགོང་དྲོ་བདེ་ལེགས།

good-morning: ཞོ་དྲོ་བདེ་ལེགས།

good-night: གཟིམ་འཇགས་གནང་རོགས།

goodwill: སེམས་བཟང་། མཐུན་འབྲེལ།

goof: སྐྱག་པ། སློན་རྟགས་སྟོན་པ།

goofy: སྐྱག་པ།

gorge: ལྟོག་ཧྲབས་ཀྱིས་ཟ་བ། ལུང་གཤོང་།

gorgeous: སྙིང་རྗེ་པོ། ཧར་པོ།

gorilla: མི་རྒོད།

gossip: སྐད་ཆ་ཆོ་མེད།

got: ཐོབ་ཟིན་པ། བྱུང་ཟིན་པ།

gourmet: ཟ་བཏུང་ལྟ་ཚོགས།

govern: འཛིན་དབང་གཟུང་བ། སྐྱོང་བ།

government: གཞུང་།

governor: འཛིན་གཟུང་མཁན། མངའ་སྡེའི་དཔོན་པོ།

gown: ཕྱི་གོས་ལྷུག་ལྷུག

grab: ཧམ་འཕྲོག་བྱེད་པ།

grabble: ལག་པས་ནོམ་པ།

grace: ཐུགས་རྗེ། བྱིན་རླབས།

graceful: ཐུགས་རྗེ་ཆེན་པོ། མཛེས་ཉམས་ལྡན་པོ།

graceless: མཛེས་ཉམས་མེད་པ།

gracious: དྲིན་ཅན། བཟང་པོ།

grade: གནས་རིམ། ཚད། གོ་གནས།

gradual: རིམ་པས། ག་ལེར།

gradually: རིམ་བཞིན། ག་ལེར་ག་ལེར།

graduate: མཐོ་སློབ་ནས་མཐར་ཕྱིན་པ།

grain: འབྲུ།

gram: གྲན་མ།

grammar: བརྡ་སྤྲོད་པའི་གཞུང་།

grammatical: བརྡ་སྤྲོད་ཀྱི། སྒྲ་ངག་གི

gramaphone: སྐད་པར།

grand: རྒྱས་པོ། ཆེན་པོ།

grand dad: པོ་པོ། པོ་བོ། པོ་བོ་ལགས།

grand-father: པོ་པོ། པོ་བོ་ལགས།

grand-mother: རྨོ་རྨོ། རྨོ་བོ་ལགས།

grandeur: གཟི་བརྗིད། རྗིག་པོ།

granny: རྨོ་རྨོ། རྨོ་བོ་ལགས།

grant: གནང་བ། སྦྱིན་པ། སྤྲོད་པ།

granule: འབྲུ།

grape: རྒུ་རྒུན་འབྲུམ།

grapple: གཟུང་བ།

grass: རྩྭ།

grateful: བཀྲིན་བསམ་ཤེས་ཅན།

gratis: སྦྱིན་པ། རིན་མེད་དུ།

gratitude: བཀྲིན་བསམ་ཤེས།

gratuity: རྔན་པ། ཕལ་སྐད་དུ་ཆང་རིན།

grave: དུར་ཁྲོད། ཚབས་ཆེན་པོ།

gravel: རྡོ་ཞིབ།

gravity: ལྗིད་གོག འཐེན་ཤུགས།

gravy: ཤའི་ཁུ་བ།

gray: ཐལ་མདོག འང་ཀུ་མདོག

graze: བ་ཕྱུགས་སོ་རྩ་ཁར་གཏོང་བ།

grease: ཞག་ཚི། སྣུམ་ཞག

great: ཆེན་པོ། མང་པོ། ཁྱད་འཕགས།

greed: འདོད་ཆགས།

greedy: འདོད་ཆགས་ཆེན་པོ།

green: ལྗང་ཁུ།

greet: ལེགས་བསུ་ཞུ་བ།

greeting: འཚམས་འདྲི། ཕྱག་འབུལ།

grey: ཐལ་མདོག འང་ཀུ་མདོག ནག་སྐྱ།

greyhound: ཤ་ཁྱི།

grief: སྡུག་བསྔལ། མྱ་ངན།

griavance: སྡུག་བསྔལ། བདེ་སྡུག

grieve: སྡུག་བསྔལ་བྱེད་པ།

grievious: སྡུག་བསྔལ་ཅན། ཚབས་ཆེན།

grim: ངོ་ནག

grimace: སྣང་བར་མ་ཕྱིན་པའི་རྣམ་འགྱུར།

grim: རྫོར་པོ། དྲག་པ།

grind: ཞིབ་ཞིབ་བཟོ་བ། འཐག་པ།

grinder: འཐག་རྡོ། ཞིབ་ཞིབ་བཟོ་ཆས།

grip: སྒྲར་གཟུང་། (བྱེད་པ་) དམ་པོ་ཟིན་པ།

grisly: ཞེད་སྣང་ཆེ་པོ།

grizzly: སྤྲེ་ནག་སྐྱ་ཅན།

groan: སྡུག་སྐད། ན་ཟུག་གི་སྐད།

groom: མག་པ། རྟ་རྫི།

grope: ལོང་བ་ནང་བཞིན་ལག་སྟབ་བྱེད་པ།

gross: བརྒྱ་གཉིས་བཅུ་གཉིས་སུ་འགྱུར་བ། (༡༤༤) ཁྱོན་བསྡོམས།

grotesque: ཁྱད་མཚར་པོ། དགོད་བྲོ་པོ།

ground: ཐང་། ས་མཐིལ། གཞི།

group: ཚོགས། སྡེ། འཛོམས་པ།

grow: སྐྱེ་བ།

growl: ངར་སྐད། (རྒྱབ་པ་)

growth: ཐོན་སྐྱེད། ཡར་སྐྱེད།

grub: ཁ་ལག (ཡུལ་སྐད་)

gruel: ཐུག་པ།

gruesome: སྣ་སྣང་མ་མཛེས་པ། སྐྱུག་བྲོ་པོ།

grumble: མ་འདོད་པའི་སྐད། (རྒྱབ་པ་)

grunt: ཕག་པའི་སྐད་འདྲ་པོ། (རྒྱབ་པ་)

guarantee: ཁ་ཁྱག་བྱེད་པ།

guaranty: ཁ་ཁྱག གན་རྒྱ།

guard: སྲུང་བ། སྲུང་སྐྱོབ། བལྟ་སྐྱོང་བྱེད་པ།

guardian: སྲུང་སྐྱོབ་པ། བལྟ་སྐྱོང་བྱེད་མཁན།

guerrilla: འཇབ་དམག་གི་མི།

guess: རྟོག་ཚོད་བྱེད་པ། ཚོད་དཔག

guest: སྐུ་མགྲོན། མགྲོན་པོ།

guide: ལམ་སྟོན་པ། ལམ་སྟོན་བྱེད་པ།

guilt: སྡིང་། ཉེས་སྐྱོན།

guilty: སྡིང་ཅན།

guise: ཆ་ལུགས། ཕྱི་སྣང་།

guitar: སྒྲ་སྙན།

gullible: མགོ་སླ་པོ།

gulp: ཁྱུར་མིད་གཏོང་བ།

gum: སོ་ཁ། སྦྱར་རྩི།

gun: མེ་མདའ།

gunny: རྩ་རས། རྩ་རས་ཀྱི་ཕད་གོག

guru: ཆོས་དགེ (སཾ་ཀྲི་ཏའི་སྐད་)

gush: འབེལ་པོར་འདོན་པ།

gust: ལྷགས་ཆེན་པོའི་ཡོང་བ། (རླུང་དང་ཆུ་སོགས་)

gusto: དགའ་འཚོར།

gutter: ཆུའི་ཡུར་བ།

guy: མི། (ཕལ་སྐད་དུ)

gymnasium: ལུས་རྩལ་སྦྱོང་ཁང་།

gymnast: ལུས་རྩལ་མཁས་པ།

gymnastic: ལུས་རྩལ། གཟུགས་རྩལ།

gyrate: འཁྱིར་འཁྱིར་བྱེད་པ།

H

habit: གོམས་གཤིས། གོམས་པ།

habitable: སྡོད་རུང་བ།

habitant: སྡོད་མི། གནས་མི།

habitation: སྡོད་གནས།

habitual: ལུགས་སྲོལ། རྒྱུན་སྲོལ། འཆར་ཅན་གྱི།

habituate: གོམས་གཤིས་ཆགས་པ།

hack: གཏུབ་པ། གཅོད་པ།

had: བྱུང་བ། ཡོད་པ། (འདས་ཚིག)

hag: རྒོ་མོ་མདོག་ཉེས།

haggle: ཁ་རྗོད་པ།

hail: སེར་བ། (རྒྱབ་པ་) ཡོང་བ།

hailstorm: སེར་རླུང་། (རྒྱབ་པ་)

hair: སྐྲ། སྤུ།

hale: སྟོབས་ལྡན། ཐང་པོ།

half: ཕྱེད་ཀ

hall: ཚོགས་ཁང་། ཁང་ཆེན།

hallow: མི་རྟ་ཆེན།

hallucination: འཁྲུལ་སྣང་།

halo: འོད་སྐོར།

halt: མཚམས་བཞག་པ། བཀག་པ།

halve: ཕྱེད་ཀ་བཟོ་བ།

hamlet: གྲོང་པ་ཆུང་ཆུང་།

hammer: ཐོ་བ། (གཞུ་བ་)

hamper: བཀག་པ། བར་གཅོད་བྱེད་པ།

hand: ལག་པ།

handful: སྤར་བ་གང་། ཆུང་ཟད།

handicap: སྟབས་མི་བདེ་བ།

handicraft: ལག་ཤེས། བཟོ་ལག

handkerchief: སྣབས་འཕྱིས།

handle: ཡུ་བ། ལུང་། ལག་པས་འཛུབ

handloom: ཐགས་ཁྲི།

handsome: མཛེས་པོ། ཡིད་དུ་འོང་བ།

handy: སྟབས་བདེ་པོ།

hang: དཀྲུང་བ། བཏགས་པ།

hangar: གནམ་གྲུ་བཞག་ས།

hanky: སྣབས་འཕྱིས།

haphazard: གང་བྱུང་མང་བྱུང་།

hapless: བསོད་བདེ་མེད་པ།

happen: འབྱུང་བ། འོང་བ།

happenings: གནས་ཚུལ།

happiness: བདེ་སྐྱིད།

happy: བདེ་སྐྱིད། དགའ་སྤྲོ།

harass: སྐྱད་ཀོ་བ། སྡུག་པོ་གཏོང་བ།

harbinger: བང་ཆེན།

harbour: གྲུ་ཁ།

hard: མཁྲེགས་པོ།

harden: མཁྲེགས་པོ་བཟོ་བ།

hardly: ཁག་པོར། དཀོན་པོར།

hardy: སྡུག་པོ་སྐྱོང་ཐུབ་མཁན།

hare: རི་བོང་།

harlot: གཞང་ཚོང་མ། སྨད་ཚོང་མ།

harm: གནོད་སྐྱེལ་བ། གནོད་སྐྱོན།

harmful: གནོད་འགལ་ཅན།

harmonious: ཆམས་པོ།

harmony: མཐུན་ལམ། མཐུན་པོ།

harness: ཁྲབ། (རྟའི་) གཟུང་བ།

harpoon: མདུང་།

harrow: ཞོལ་བ།

harsh: རྩུབ་པོ། གྱོང་པོ།

harum-scarum: ཡ་མེད།

harvest: བཙས་མ་རྔ་བའི་དུས།

has: འདུག ཡོད།

hart: ཤ་བ་ཕོ།

hashees: སོ་མ་ར་ཙའི་ངན་ཟག

hashis: སོ་མ་ར་ཙའི་ངན་ཟག

hast: ཡོད། འདུག (བརྡ་རྙིང་)

haste: བྲེལ་ཚབ། མགྱོགས་པོ།

hasten: མགྱོགས་པོ་བྱེད་པ།

hasty: བྲེལ་ཚབས་ཅན། བྲེལ་མྱུར།

hat: ཞྭ་མོ། དབུ་ཞྭ།

hatch: སྒོ་ང་ནས་བྱ་ཕྲུག་འདོན་པ། སྒྲོལ་བ། སྐྱེ་བ།

hate: ཞེ་སྡང་། མ་དགའ་བ།

hatred: ཞེ་སྡང་། མ་དགའ་བ།

haughty: སྤོབས་པ་མཐོ་པོ།

haunt: ཡང་ཡང་འཁོར་བ། (འགྲོ་འོང་)

have: ཡོད། འདུག

haven't: མེད། མི་འདུག

Having: ཡོད། འདུག

havoc: གཏོར་བཤིགས། ཟང་ཟིང་།

hawk: བྱ་ཁྲ།

hay: རྩྭ་སྐམ་པོ།

hazard: དཀའ་ཉེན། རྐྱེན།

hazardous: དཀའ་ཉེན་ཅན།

haze: གསལ་ལ་མ་གསལ།

hazy: མ་གསལ་ལ་བ།

head: མགོ། གཙོ་བོ། འགོ་འཁྲིད་པ།

head-ache: མགོ་ནད།

head-dress: མགོ་རྒྱན།

head-gear: མགོ་བརྒྱན།

heading: འགོ་བརྗོད།

heal: བཅོས་པ། གསོས་པ།

health: འཕྲོད་བསྟེན།

healthy: བདེ་ཐང་། ཁམས་བཟང་།

heap: སྤུང་བ། སྤུང་གསོག

hear: ཉན་པ། གོ་བ། ཐོས་པ།

heard: གོ་ཐོས་བྱུང་བ།

hearing: གོ་ཐོས། ཉན་བཞིན་པ།

hearken: ཉན་པ།

hearsay: དཀྱོག་གཏམ།

heart: སྙིང་།

hearth: ཐབ།

heartily: སྙིང་ཐག་པ་ནས།

heartless: སྙིང་རྗེ་མེད་པ།

hearty: སྙིང་ཐག་པ་ནས།

heat: ཚ་དྲོད།

heathen: ཀླ་ཀློ།

heave: དབུགས་རིང་འཐེན་པ། འདེགས་འབུད་བྱེད་པ།

heaven: ལྷ་ཡུལ།

heavy: ལྗིད་གོག་ཆེ་པོ།

hectic: ཚབ་ཚུབ།

hedge: རྩྭ་ལམ་ཞིང་སྐྱོང་ཆུང་ཆུང་།(གེ་རབ་)

hedgehog: གཟེར་མོ།

heed: དོ་སྣང་བྱེད་པ། སེམས་གཏོད་པ།

heel: རྟིང་པ།

hefty: སྟོབས་ཤུགས་ཆེན་པོ། ལོན་ཆེན་པོ།

height: མཐོ་དམན། དཔངས།

heighten: མཐོ་རུ་གཏོང་བ།

heinous: རྫབ་ཅན།

heir: ཕ་གཞིས་གཟུང་མཁན།

held: བཟུང་བ།

helmet: ལྕགས་ཞྭ།

help: རོགས་པ་བྱེད་པ། ཕན་ཐོགས།

helpful: ཕན་རོགས་ཅན། ཕན་ཐོགས་པོ།

helpless: བྱེད་ཐབས་བྲལ་བ། ཐབས་མེད། རོགས་མེད།

hem: དུག་ལོག་གི་མཐའ་ཁན།

hemisphere: ཟླུམ་ཕྱེད། རིལ་རིལ་ཕྱེད་ཀ།

hen: བྱ་མོ།

hence: ད་ནས། དེ་འདྲ་སོང་ཙ་ན།

henceforth: ད་ནས་བཟུང་།

her: མོའི། མོ་ལ།

herald: བརྡ། (གཏོང་བ་)

herb: སྔོ། རྩྭ།

herbal: རྩྭའི། སྔོ་ཡི།

herd: ཁྱུ། ཚོགས། ཕྱུགས་ཁྱུ།

here: འདི་ལ། འདིར། འདི་གར།

hereditary: མི་བརྒྱུད་ཀྱི།

hermit: སྒོམ་ཆེན། རི་ཁྲོད་པ།

hermitage: རི་ཁྲོད། མཚམས་ཁང་།

hero: དཔའ་བོ། གཏམ་བརྗོད་ཁྲབ་མཁན་གྱི་བུའི་གཙོ་བོ།

heroic: དཔའ་བོའི།

heroine: དཔའ་མོ། གཏམ་བརྗོད་ཁྲབ་མཁན་གྱི་བུའི་གཙོ་བོ།

hers: མོའི། མོ་རང་གི

herself: མོ་རང་ལ།

hesitate: ཐེ་ཚོམ་ཟ་བ།

heyday: དུས་བཟང་བའི་སྐབས།

hiccup: གསིག་བུ། ཨིག་སྒྲ།

hid: སྦས་ཟིན་པ། ཡིབ་ཟིན་པ།

hidden: སྦས་ཟིན་པ། སྦས་པའི།

hide: སྦེད་པ། (མ་འོངས་) ཡིབ་པ།

hideous: ཞེད་སྣང་ཅན།

hiding: སྦེད་ས། འབག་བས། སྦེད་བཞིན་པ།

high: མཐོ་པོ།

highly: ཧ་ཅང་གི ཞེ་དྲག་གི

hike: སྤྲོ་འཁྱམ་དུ་འགྲོ་བ། འཁྱར་སྐྱོད།

hilarious: སྣང་བ་སྐྱིད་པོ། སེམས་སྐྱིད་པོ།

hill: རི།

hillock: རི་ཆུང་ཆུང་། སྒང་འབུར།

him: ཁོ་ལ།

himself: ཁོ་རང་ལ།

hind: རྒྱབ་ཀྱི།

hinder: བཀག་འགོག་བྱེད་པ།

hindmost: རྒྱབ་ངོས་ཐག་རིང་ཤོས།

hindrance: བཀག་འགོག

Hindu: ཧིན་དུ་ཆོས་ལུགས།

hinge: སྒོའི་རྟིང་པ།

hint: བརྡ་མཚོན།

hip: དཔྱི་མགོ

hippotamus: ཆུ་རྟ།

hire: གཡར་བ། གླ་བ།

his: ཁོའི།

historian: རྒྱལ་རབས་མཁས་པ།

historic: རྒྱལ་རབས་སུ་གནས་པའི།

historical: རྒྱལ་རབས་ལྡན་པ།

history: རྒྱལ་རབས།

hit: གཞུ་བ། གཞུས་པ། འཕོག་པ།

hither: འདི་གར། (བརྡ་སྙིང་)

hive: སྦྲང་ཚང་།

hoard: སྤུང་གསོག་བྱེད་པ།

hoarse: རྫུ་བ་པོ། (སྐད་) སྐད་འཛེར།

hoax: མགོ་སྐོར་གྱིས་སླུ་བ།

hobble: རྐང་པ་འཁྱོག་སྟེ་འགྲོ་བ།

hobby: དལ་ལས།

hocus-pocus: མགོ་སྐོར།

hoe: འཇོར། ཏོག་ཙེ།

hog: ཕག་པ།

hoist: དར་ཅོག་སོར་བསྒྲེང་བ། སྒྲེང་བ།

hold: གཟུང་བ། འཛིན་པ།

hole: ཨི་ཁུང་།

holiday: གུང་སེང་། དུས་ཆེན།

holiness: རྗེ་ཆེན།

hollow: ཁོག་སྟོང་།

holocaust: ཡོངས་རྫོགས་གཏོར་བ་ཞིག་ཏུ་ཕྱིན་པ།

holster: ཐུང་མདའི་ཤུབ།

holy: རྗེ་ཆེན། ཆོས་ལྡན།

homage: གུས་བཀུར།

home: ཁྱིམ། ནང་།

homicide: མི་གསོད་པ། མི་གསོད་ལས།

homogeneous: རིགས་གཅིག རྒྱུ་གཅིག་པ

homosexual: ཕོ་ནང་ཁུལ་གྱི་ཆགས་སྤྱོད།

honest: དྲང་པོ། བདེན་པ།

honesty: དྲང་བདེན།

honey: སྦྲང་རྩི།

honeycomb: སྦྲང་ཚང་།

honeymoon: ཆང་སའི་རྗེས་ཀྱི་སྤྲོ་འཁྱམ།

honorific: ཞེས་ས།

honour: གུས་བཀུར། ཆེ་བསྟོད།

honourable: གུས་བཀུར་བྱེད་འོས་པ།

hood: ཐོད་ཁེབས།

hoof: རྨིག་པ། (དུད་འགྲོའི་རྐང་པའི་)

hook: ལྕགས་ཀྱུ། ལྕུ་ཀྱུས་གཟུང་བ།

hoot: ཙུག་སྐད་འདྲ་པོ།

hop: མཆོང་བ།

hope: རེ་བ། (བྱེད་པ་)

hopeful: རེ་བ་ཅན།

hopeless: རེ་བ་མེད་པ། ཕན་མེད།

horizon: མཐའ་ཚད།

horizontal: འཕྲེད་ཐིག

horn: རྭ་ཅོ།

horoscope: ཚེ་རབས་ལས་རྩིས།

horrible: བལྟ་མི་ཐོད་པ། མདོག་ཉེས།

horror: འཇིགས་སྐྲག་ཆེན་པོ།

horse: རྟ།

hospitable: གནས་བཅའ་རུང་བ།

hospital: སྨན་ཁང་།

hospitality: མགྲོན་ཟབ་སྣེ་ལེན།

host: གནས་པོ།

hostage: གཏའ་མར་བཙན་གཟུང་བྱས་པའི་མི།

hostess: གནས་མོ།

hostile: དགྲ་བོའི། མཐུན་པོ་མེད་པ།

hot: ཚ་པོ།

hotch potch: འཛོར་འཛོར། འདྲེས་མ།

hotel: ཟ་ཁང་། མགྲོན་ཁང་།

hound: རྔོན་པའི་ཁྱི།

hour: ཆུ་ཚོད།

hourly: ཆུ་ཚོད་རེ་རེའི།

house: ཁང་པ།

household: ཁང་པའི་མཁོ་ཆས།

housewife: ནང་གི་ཨ་མ།

hover: ལྡིང་བ།

how: ག་འདྲ་སེ། ཇི་ལྟར།

however: གང་བྱས་གང་ལྟར།

howl: ངུ་སྐད། (རྒྱབ་པ་)

hubbub: སྐད་ཟ་ང་ ཟིང་ངེ།

huddle: ལྷུང་འཛོམས། (བྱེད་པ་)

hue: ཚོས་མདོག

hug: འཁྲི་བ།

hullabaloo: སྐད་ཅོར།

hullo: འབོད་སྒྲ།

human: མི། འགྲོ་བ་མི།

human being: མི།

humane: སྙིང་རྗེ་ཅན།

humanitarian: གཞན་སེམས་ཀྱི།

humble: ཉམ་ཆུང་། ཉམ་ཐག

humid: རླན་གཤེར།

humiliate: དམའ་འབེབས་བྱེད་པ།

humility: ཉམ་ཐག་ཅན། གུས་བཀུར་ཅན།

humorous: དགོད་བྲོ་པོ།

humour: དགོད་བྲོ།

hump: འབུར་འདོན།

hunch: བཀུག་པ།

hunch-back: སྒལ་པ་ནོག་ནོག གཉའ་སྒུར།

hundred: བརྒྱ།

hung: དཔྱངས་ཟིན་པ།

hunger: ལྟོགས་ཟ་མས།

hungry: ལྟོགས་པ།

hunt: ཁྱི་ར། འཚོལ་བ།

hunter: ཁྱི་ར་བ། རྔོན་པ།

hurl: གཡུག་པ། འཕེན་པ།

hurricane: རླུང་འཚུབས།

hurry: བྲེལ་ཚབས། མགྱོགས་པོ་བྱེད་པ།

hurt: རྨས་སྐྱོན། (བྱེད་པ་)

husband: ཁྱོ་ག

husbandry: སོ་ནམ་པའི་ལས་ཀ།

animal husbandry: སེམས་ཅན་གསོ་སྐྱོང་།

hush: ཁུ་སིམ་བྱེད་པ།

husk: ཤིང་ཏོག་དང་འབྲུའི་ཕྱི་པགས་སྐམ་[པོ]

hustle: འབུད་གྱུག་གཏོང་བ།

hut: རྩྭ་ཁང་། ཁང་ཆུང་།

hybrid: འདྲེས་མ།

hydrate: ཆུ་མཉམ་བསྲེས་པ།

hydro: ཆུའི་དོན་སྟོན་པའི་སྔོན་འཇུག

hygiene: འཕྲོད་བསྟེན་གྱི་རིག་པ།

hymn: དཀོན་མཆོག་བསྟོད་པའི་གླུ་དབྱངས།

hyperbole: འུར། (ཕལ་སྐད་དུ)

hypertension: ཁྲག་ཤུགས་ཆེན་པོ།

hyphen: དབྱིན་ཡིག་གི་འབྲེལ་རྟགས། (-)

hypocrite: ཚུལ་སྟོན་མཁན།

hypotension: ཁྲག་ཤུགས་ཆུང་ཆུང་།

hypothecate: གཏའ་མར་བཞག་པ།

I

ice: འཁྱགས་པ།

iceberg: འཁྱགས་རི།

icon: སྐུ་འདྲ།

idea: བསམ་བློ། བསམ་ཚུལ།

ideal: དཔེ་མཚོན་ཆེད་རན་པོ།

identical: གཅིག་འདྲ། འདྲ་པོ།

identify: ངོ་སྤྲོད་བྱེད་པ། དབྱེ་གསལ་བྱེད་པ།

identity: ངོ་སྤྲོད།

ideology: བསམ་ཚུལ་གྱི་རིག་པ།

idiot: གླེན་པ།

idle: ལས་མེད།

idol: འདྲ་སྐུ།

if: གལ་སྲིད། གལ་ཏེ། ན།

ignite: མེ་སྦར་བ།

ignoble: རིགས་བརྒྱུད་དམའ་པོ།

ignorance: རྨོངས་པ།

ignorant: རྨོངས་པ།

ignore: སྣང་མེད་བྱེད་པ། གཡོལ་བ།

ill: ནད་པ།

illegal: ཁྲིམས་འགལ།

illegible: ཀློག་མི་ཐུབ་པ།

illegitimate: ཁུངས་མེད། ཉ་ལེ།

illicit: ཁྲིམས་འགལ།

illiterate: བྲིས་ཀློག་མི་ཐུབ་མཁན།

illness: ན་ཚ། ནད།

illogical: ཚད་མ་རིག་པའི་ལམ་དང་འགལ་བ།

illuminate: འོད་འཕྲོ་བ།

illusion: འཁྲུལ་སྣང་།

illusory: འཁྲུལ་སྣང་གི

illustrate: དཔེ་མཚོན་པ།

illustration: དཔེ་མཚོན།

image: འདྲ་བརྙན།

imaginary: འཁྲུལ་སྣང་གི

imagination: བསམ་བློའི་རྟོག་ཚོད།

imaginative: བསམ་བློ་འདྲ་མིན་འཁོར་མཁན། དྲན་རྒྱུ་དགོས་པོ།

imagine: དམིགས་པ། བསཾ་བློར་འཁོར་བ།

imbalance: མ་སྙོམས་པ།

imbecile: གླེན་པ། སྨྱོན་པ།

imitate: ལད་ཟློས་བྱེད་པ།

imitation: ལད་ཟློས། འདྲ་བཟོས།

immaculate: འཛོར་འཛོར་མེད་པ།

immaterial: གཟུགས་མེད།

immature: ནན་ཚད་མ་ལོངས་པ། མ་སྨིན་པ།

immeasurable: ཚད་རྒྱབ་མ་ཐུབ་པ།

immediate: ལམ་སང་། ཉེ་ཤོས།

immediately: ལམ་སང་དུ།

immense: ཧ་ཅང་གི་རྒྱ་ཁྱོན་ཆེན་པོ།

immerse: ཆུ་ལ་སྣུང་བ།

immigrate: ཡུལ་གཞན་ལ་གཞིས་ཆགས་པ།

imminent: འབྱུང་ཉེ་བ།

immobile: བརྟན་པོ། སྒུལ་མ་ཐུབ་པ།

immortal: རྟག་པ། འཆི་རྒྱུ་མེད་པ། ཇོ་ཏ་རྒྱུ་མེད་པ། འཇིག་མེད།

immovable: སྒུལ་རྒྱུ་མེད་པ།

immutable: འགྱུར་བ་འགྲོ་རྒྱུ་མེད་པ།

impact: ནུས་ཤུགས།

impair: སྐྱོན་གཏོང་བ།

impart: སྤྲོད་པ། (སློབ་སྟོན་སོ་ཏ་)

impartial: རིས་མེད། དབྱེ་འབྱེད་མེད་མཁན། དྲང་པོ།

impatient: བཟོད་སེམས་མེད་པ།

impede: གེགས་བྱེད་པ།

impediment: གེགས།

impel: སྐུལ་བ།

imperative: མ་བྱེད་རང་བྱེད།

imperceptible: མཐོང་རྒྱུ་མེད་པ།

imperfect: སྐྱོན་ཅན།

imperialism: བཙན་རྒྱལ་རིང་ལུགས།

impermanent: མི་རྟག་པ། འགྱུར་བ་ཅན།

impetous: དྲག་ཤུགས།

impetus: སྐུལ་ཤུགས།

impious: ཆོས་དད་མེད་པ། ངན་པ།

implant: རྩ་བ་བཙུགས་པ།

implement: ལག་ཆ། ལོ་བྱད། ལག་ལེན་འཁྱེར་བ།

implore: ཞུ་བ་ཕུལ་བ།

imply: བརྡ་སྟོན་པ།

impolite: གུས་ཞབས་མེད་པ།

import: ཕྱི་རྒྱལ་ནས་ཉོ་ལེན་བྱེད་པ།

importance: གལ་ཆེན། གནད་འགག

impose: ཁྲལ་སོགས་རྒྱབ་པ། སྐུལ་བ།

impossible: མ་སྲིད་པ།

imposter: སླུ་བྲིད་པ། མགོ་སྐོར་མཁན

impotent: ནུས་སྟོབས་མེད་པ།

impoverish: སྤྲང་པོ་བཟོ་བ།

impregnable: གླག་མ་འཁེལ་བ། བཏུལ་ཐུབ་རྒྱུ་མེད་པ།

impress: ཡིད་འགུལ་ཐེབས་པ།
impression: པར་རྗེས།
impressive: བློ་ལ་འགྲོ་པོ།
imprison: བཙོན་ཁང་དུ་བཅུག་པ།
imprisonment: བཙོན་བཅུག
improve: ཡར་རྒྱས་གཏོང་བ།
improvise: ལམ་སང་གསར་བཟོ་བྱེད་པ།
impudent: ངོ་ཚ་མེད་པ།
impulse: སྐུལ་བའི་རང་བཞིན།
impure: མི་གཙང་བ། ལྷད་ཅན།
in: ནང་། ནང་ལ། ནང་དུ།
inability: འཇོན་ནུས་མེད་པ།
inaccessible: ཐར་སའི་སླེབས་མེད་པ
inaccurate: མ་དག་པ། ནོར་འཁྲུལ།
inadequate: ཚད་མ་ལོང་པ། མ་ལྡང་བ།
inadvertantly: ཧད་བརྩུགས་ནས་མིན་པར
inanimate: སྲོག་མེད།
inappropriate: རན་པོ་མེད་པ།
inapt: ལག་རྩལ་མེད་པ། མཁས་པ་མིན་པ།
inaudible: གོ་རྒྱུ་མེད་པ། ཐོས་རྒྱུ་མེད་པ།
inaugural: སྒོ་འབྱེད་ཀྱི།
inaugurate: སྒོ་འབྱེད་བྱེད་པ།
inauspicious: བཀྲ་མ་ཤིས་པ། ལྟས་ངན།
inborn: རང་བཞིན་དུ་ཡོད་པ།
incantation: སྔགས།
incapable: འཇོན་ནུས་མེད་པ།
incarnate: སྤྲུལ་སྐུ། ཡང་སྲིད།
incarnation: སྤྲུལ་སྐུ། ཡང་སྲིད།
incense: བསངས། སྤོས།
incentive: སྐུལ་བྱེད།
inception: འགོ་འཛུགས།
incertitude: ངེས་གཏན་མེད་པ།
incessant: ཡང་སེ། ཡང་ཡང་།
incest: སྤུན་ཉེ་ནང་ཁུལ་འཁྲིག་པ།
inch: སོར་མོ་གཉིས་ཙམ་གྱི་ཚད།
incident: རྐྱེན། འབྱུང་རྐྱེན།
incipient: འགོ་ཚུགས་ཀྱི་གནས་སྐབས།
incision: གཤག་གཅོད།
incite: སྐུལ་བ།
incline: འཕྱེད་ལ་འཁྱོག་པ།
inclination: འཕྱེད་ཀྱོག
include: གྲལ་ཁོངས་སུ་བཅུག་པ།
incognizable: ཤེས་རྟོགས་བྱེད་མ་ཐུབ་པ།
income: ཡོང་འབབ།
incomparable: འགྲན་ཟླ་མེད་པ།
incompatible: མ་མཐུན་པ། འགྲན་མེད།
incompetent: འཇོན་རྒྱུ་མེད་པ།
incomprehensible: ཤེས་རྟོགས་བྱེད་ཁག་པོ།

inconceivable: བློར་མ་ཤོང་བ།

inconsiderate: གཞན་སེམས་མེད་པ།

inconsistent: རྒྱུན་གནས་མ་ཡིན་པ།

inconspicuous: མངོན་གསལ་དོད་པོ་མེད་པ།

inconstant: འགྱུར་ལྡོག་ཅན།

inconvenient: སྟབས་མི་བདེ་བ།

incorporate: མཉམ་དུ་སྒྲིལ་བ།

incorrect: མ་དག་པ། ནོར་འཁྲུལ།

incorrigible: བཅོས་ཐབས་མེད་པ།

increase: འཕེལ་བ། འཕར་བ། སྣོན་པ།

incredible: ཡིད་ཆེས་མི་རུང་བ།

increment: འཕར་སྐྱེད།

incriminate: སྐྱོན་འཛུགས་བྱེད་པ།

incur: འཁྲི་བ།

incurable: བཅོས་ཐབས་མེད་པ།

indebted: བུ་ལོན་དུ་ཚུད་པ། དྲིན་འཁོག་ཏུ་གནས་པ།

indeed: དེ་ག་རེད།

indefatigable: ཐང་ཆད་རྒྱུ་མེད་པ།

indefinite: ངེས་གཏན་མེད་པ།

indelible: ཟུབ་རྒྱུ་མེད་པ། བསུབ་ཐབས་མེད་པ།

indemnity: གུན་གསབ།

independence: རང་བཙན།

independent: རང་དབང་ཅན།

indescribable: འགྲེལ་བཤད་རྒྱབ་མི་ཐུབ་པ།

indestructible: བཤིག་ཐབས་མེད་པ། བསྒྱུགས་ཐབས་མེད་པ།

indeterminable: ཐག་ཆོད་ཐབས་མེད་པ།

index finger: མཛུབ་མོ་དང་པོ།

indicate: སྟོན་པ། བསེལ་བ།

indict: ཉེས་འཛུགས་བྱེད་པ།

indictment: ཉེས་འཛུགས།

indifference: སྣང་མེད།

indigenous: ལུང་པ་དགའི།

indirect: ཐད་ཀར་མ་ཡིན་པ།

indiscernible: ཞིབ་ཚོར་མ་ཐུབ་པ།

indisciplined: ཁྲིམས་མེད། སྒྲིག་མེད།

indiscreet: སྦས་གསང་མེད་པ།

indisputable: རྩོད་པ་མེད་པ།

indistinct: མངོན་གསལ་མེད་པ།

individual: སྒེར་སོ་སོ།

indivisible: བགོས་ཐབས་མེད་པ།

indolent: ལེ་ལོ། ཉེབ་ཏོ།

indomitable: མགོ་མཁྲེགས་པོ། ཨུ་ཚུགས་ཆེ་པོ།

indoor: ཁང་པའི་ནང་།

induce: སྐུལ་བ། ཨུ་ཚུགས་རྒྱབ་པ།

indulge: འཛུལ་བཞུགས།

industrious: ཧུར་བརྩོན་ཅན།

industry: བཟོ་གྲྭ། ཚོང་ལས།
inedible: བཟའ་མི་རུང་བ།
ineffective: ཕན་ནུས་མེད་པ།
inefficient: འཇོན་ནུས་མེད་པ།
ineligible: མ་འོས་པ།
inescapable: བྲོས་ཐར་ཐབས་མེད་པ།
inessential: དགོས་གལ་མེད་པ།
inestimable: ཞལ་ཚད་ལས་འདས་པ།
inevitable: གཡོལ་ཐབས་མེད་པ།
inexorable: ཟློག་ཐབས་མེད་པ།
inexperienced: ཉམས་མྱོང་མེད་པ།
inexpensive: རིན་གོང་ཆུང་ཆུང་།
inexpert: མཁས་པ་མ་ཡིན་པ།
inexplicable: འགྲེལ་པ་རྒྱབ་མ་ཐུབ་པ།
inextricable: དགྲོལ་ཐབས་མེད་པ།
infallible: ནོར་མ་སྲིད་པ།
infamous: ངན་ལས་བྱས་པའི་སྙན་གྲགས།
infant: བྱིས་པ།
infanticide: བྱིས་པ་གསོད་པ།
infantry: རྐང་དམག
infect: ནད་འགོ་བ།
infection: འགོས་ནད།
infectious: འགོས་ནད་ཀྱི།
inferior: རྒྱུ་དམན་པ། སྐྱུས་ཀ་སྐྱུག་ག

infernal: དམྱལ་བའི།
inferno: དམྱལ་བ།
infertile: ཐོན་སྐྱེད་མེད་པ།
infest: འཚེ་བ།
infidel: ཆོས་དད་མེད་མཁན།
infinite: མཐའ་ཡས།
infinitesimal: ཤ་ཚང་གི་ཆུང་ཆུང་།
infirm: རྒུད་པོ། ལོ་རྒས་པ།
infirmary: སྨན་ཁང་།
inflammable: མེ་འབར་སླ་པོ།
inflate: རླུང་རྒྱངས་པ། སྦུ་རྒྱབ་པ།
inflexible: གྱོང་པོ། བཀུག་རྒྱུ་མེད་པ།
influence: དབང་ཤུགས།
inform: ལབ་པ། བཤད་པ།
informal: ལམ་ལུགས་ལྟར་མ་ཡིན་པ།
informer: ལན་སྐྱེལ་མཁན།
infrequent: ཡང་སེ་མ་ཡིན་པ།
infuriate: འཚིག་པ་ཟ་བ།
infuse: བླུག་པ།
ingenious: གསར་བཟོ་ལ་མཁས་པ།
ingest: ཟས་ཀྱིས་གྲོད་ཁོག་རྒྱངས་པ།
ingredient: ནང་རྫས།
inhabit: གནས་བཅའ་བ།
inhale: དབུགས་འཐེན་པ།

inherit: ཐོབ་པ། (ཕ་གཞིས་སོར་)

inhuman: སྙིང་རྗེ་མེད་པ། ཀླ་ཀློ།

initial: ཐོག་མའི། མིང་རྟགས།

initiate: འགོ་འཛུགས་པ།

inject: ཁབ། (རྒྱབ་པ་) འཛུག་པ།

injure: རྨས་སྐྱོན་བྱེད་པ།

injury: རྨས་སྐྱོན།

injustice: དྲང་པོ་མ་ཡིན་པ།

ink: སྣག་ཚ།

inkling: ཤེས་ཚོར།

inland: རྒྱལ་ཁབ་ནང་།

inmate: ལྷན་ཚང་གཅིག་པ།

inn: མགྲོན་ཁང་། གནས་ཚང་།

innate: རང་བྱུང་།

inner: ནང་ལོགས་ཀྱི། སྦུག་གི

innocent: སྐྱོན་མེད། ཉམ་ཆུང་། གནོད་མ་སྐྱེལ་མཁན།

innovate: འགྱུར་བ་གཏོང་བ།

innumerable: གྲངས་མེད།

inquire: འདྲི་རྩད་བྱེད་པ།

inquiry: རྩད་གཅོད།

inquisitive: ཤེས་འདོད་ཆེ་པོ།

insane: སྨྱོན་པ།

insatiable: འདོད་པ་ཚིམས་རྒྱུ་མེད་པ།

inscribe: ཡི་གེ་འགོད་པ།

insect: འབུ། སྲིན་ཆགས།

insecticide: འབུ་གསོད་བྱེད།

insensible: བསམ་བློ་མེད་པའི།

insensitive: ཚོར་བ་མེད་པ།

inseparable: འབྲལ་ཐབས་མེད་པ།

insert: བཙུག་པ།

inside: ནང་ལོགས།

insignificant: སྣང་མེད་ཅན།

insincere: ཁ་ཞེ་མ་མཚུངས་པ།

insipid: བྲོ་བ་མེད་པ། ཁྱེད་པ།

insist: ཨུ་ཚུགས་རྒྱབ་པ། ནན་བསྐུལ་

inspect: བལྟ་བསྐོར་བྱེད་པ།

inspire: བློ་དར་སྐྱེད་བཙུག་པ།

instable: བརྟན་པོ་མེད་པ།

install: འཛུགས་པ།

instance: སྐབས། དཔེ།

instantly: སྐད་ཅིག་དེ་ཉིད་དུ། དེ་མ་ཐག་ཏུ།

instead: ཚབ་ལ།

instigate: ཁོག་པ་རྒྱངས་པ།

instinct: རང་བཞིན་གྱི་ཤེས་ཚོར།

institution: ཚོགས་སྡེ།

instruct: སློབ་སྟོན་བྱེད་པ།

instruction: སློབ་སྟོན།

instrument: ལག་ཆ། ཡོ་བྱད།

insufficient: མ་ལྡང་བ། ཚད་མ་ལོང་པ།

insult: སྨད་རའི་ཚིག་རྒྱབ། (ལབ་པ་)

insurance: ཉེན་སྲུང་། འགན་ལེན།

insure: ཉེན་སྲུང་གི་འགན་སྒྲིད་པ།

intact: ཆ་ཚང་དུ། སྐྱོན་མེད།

intangible: དངོས་པུ་མེད་པ།

integrate: ཆ་ཚང་། གང་ཚང་།

intellect: བློ་རིག

intellectual: བློ་རིག་གི །མཁས་པའི།

intelligent: བློ་གྲོས་ཅན། ཤེས་ཡོན་ཅན། སྤྱང་པོ།

intend: འཆར་གཞི། འདོད་པ།

intense: དྲག་པོ། ཚབས་ཆེན་པོ།

intensive: གཏིང་ཟབ་པོ།

intention: བསམ་བློའི་འཆར་གཞི།

inter: ཕན་ཚུན། བར་ལ།

intercept: ལམ་བར་བཀག་པ།

interchange: ཕན་ཚུན་བརྗེ་ལེན་བྱེད་པ།

intercourse: འབྲེལ་འདྲིས། ཆགས་པ།

interdependent: ཕན་ཚུན་བརྟེན་འབྲེལ།

interest: དོ་སྣང་།

interfere: ཐུས་གཏོགས་བྱེད་པ།

interim: བར་མཚམས།

interior: ནང་ལོགས་ཀྱི

intermediary: བར་མི།

intermediate: བར་མི་བྱེད་པ། བྱེར།

intermingle: འདྲེས་པ།

intermission: བར་སེང་།

intermix: བསྲེ་བ། འདྲེས་པ།

internal: ནང་གི

international: རྒྱལ་ཡོངས། རྒྱལ་སྤྱི།

interpret: སྐད་བསྒྱུར་བྱེད་པ།

interpreter: སྐད་བསྒྱུར་པ།

interrelation: ཕན་ཚུན་མཐུན་འབྲེལ།

interrogate: འདྲི་བ་འདྲིས་པ།

interrupt: བར་མཚམས་གཅོད་པ།

intersect: བར་དུམ་གཅོད་པ། དུམ་བུ་གཉིས་སུ་གཅོད་པ།

interwine: དཀྲིས་ཐག་ཐེབས་པ།

interval: བར་སེང་།

intervene: བར་དུ་བཞུགས་པ།

interview: མཇལ་འཕྲད། དྲི་བ་འདྲིས་པ།

intestine: ཁོག་པའི་ནང་གི་རྒྱུ་མ་སོགས།

intimate: ངོ་ཤེས་ཉེ་པོ། འབྲེལ་བ་ཉེ་པོ།

into: ནང་དུ།

intolerable: བཟོད་པ་སྒོམ་མ་ཐུབ་པ།

intolerant: བཟོད་སྒོམ་མ་ཐུབ་མཁན།

intoxicate: ར་བཟི་བརྒྱག་པ།

introduce: ངོ་སྤྲོད་བྱེད་པ། རྒྱལ་ཡོང་བྱེད་པ།

introduction: ངོ་སྤྲོད། སྔོན་བརྗོད།

introvert: སེམས་ནང་གང་ཡོད་མི་ལ་མ་གཤོད་མཁན

intrude: བཙན་འཛུལ་བྱེད་པ།

intuition: སྔོན་ཤེས།

invade: འཙན་གནོན་བྱེད་པ།

invalid: ནད་པ། ཕན་མ་ཐོགས་པ།

invaluable: རིན་ཐང་བྲལ་བ།

invariable: འགྱུར་བ་མེད་པ།

invasion: བཙན་འཁྲིམ། །བཙན་འཛུལ།

invent: གསར་གཏོད་བྱེད་པ།

invention: གསར་གཏོད།

invert: ཨ་ལོགས་རྒྱབ་པ།

invertebrate: སྒལ་ཚིག་མེད་པ།

invest: མ་དངུལ་བཞག་པ།

investigate: འདྲི་རྩད་བྱེད་པ།

investigation: འདྲི་རྩད།

invincible: བཏུལ་ཐབས་མེད་པ།

invisible: མཐོང་རྒྱུ་མེད་པ།

invite: གདན་འདྲེན་ཞུ་བ།

invoice: ཉོས་འཛིན།

invoke: གསོལ་བ་འདེབས་པ།

involuntary: རང་དབང་མེད་པར།

involve: ཚུད་པ།

invulnerable: བཏུལ་ཐབས་མེད་པ།

inward: ནང་ལོགས་སུ། ནང་ཕྱོགས།

irascible: སྲོ་ཐུང་ཐུང་།

irate: ཁོང་ཁྲོ་ཅན།

irksome: དཀའ་ངལ་ཆེ་པོ།

iron: ལྕགས། དབུར་ལྕེ།

irrational: རྒྱུ་མཚན་དང་མི་ལྡན་པ།

irregular: ལུགས་དང་མ་མཐུན་པ།
གང་བྱུང་མང་བྱུང་།

irrelevant: སྐབས་དང་འབྲེལ་བ་མེད་པ

irreparable: བཟོ་བཅོས་གཏོང་ཐབས་མེད

irresistible: སེམས་ཀྱིས་ཐོལ་ཐབས་མེད

irrevocable: འགྱུར་ལྡོག་མེད་པ།

irrigiate: ཞིང་ལ་ཆུ་གཏོང་བ།

irritate: ཁོང་ཁྲོ་སློང་བ། རྣལ་སྐྲོ་བ།

island: མཚོ་གླིང་།

islet: མཚོ་གླིང་ཆུང་ཆུང་།

isn't: མ་རེད།

isolate: ཁག་ཁ་བཟོ་བ། ལོ་སུ་འདོན་པ

isolation: ཟུར་འདོན།

issue: ཕྱིར་འབབ། ཐོན་པ། རྩོད་གཞི།
པར་འགྲེམས།

it: དེ། འདི།

item: དངོས་པོ། ཆ་ལག

itinerary: ལམ་རིམ།

ivory: བ་སོ།

ivy: ཐག་འཁྲུད་མེ་ཏོག

J

jab: ཁུགས་འཛུགས། (བྱེད་པ་)

jabber: སྐད་ཆ་ཆོ་མེད་མང་བ་བཤད།

jackal: ཁྲེ་སྤྱང་།

jaggery: བུ་རམ།

jam: འཚང་ས་ཚོགས།

jar: ཁོལ་དམ། སྣོད།

jargon: སྐད་རྙོགས།

jaundice: མཁྲིས་ནད།

javelin: མདུང་།

jaw: འགྲམ་པ།

jealous: ཕྲག་དོག

jeer: འ་ཁ་རྒྱབ་པ།

jeopardize: ཉེན་སྐྱོན་བྱེད་པ།

jerk: ཁུགས་ཀྱིས་སྒྱུར་རྒྱག་རྒྱབ་པ།

jest: ཚེབ་རྩེ་བ། ཀུ་རེ།

jettison: གཡུག་གཏོང་བ།

jewel: རིན་ཆེན།

jiffy: མགྱོགས་པོར།

jilt: སྙིང་སྡུག་ཕྱོང་བ།

jingle: སིལ་ལིག་སི་ལིག་ཟེར་ཏེ་སྒྲ་སྒྲོགས་པ།

job: ལས་ཀ།

jocular: རྩེད་བྲོ་པོ།

jocund: སྣང་བ་སྐྱིད་པོ།

jog: བགྲོད་པ།

join: མཐུད་རྒྱབ་པ།

joint: མཐུད་མཚམས། མཉམ་འབྲེལ།

joke: རྩེད་བྲོའི་སྐད་ཆ། (གཡེད་པ་)

joker: གད་མོ་འཛུམ་བསྟུན་བ་ཞིག་སློང་མཁན།

jolly: སྣང་བ་སྐྱིད་པོ།

jolt: སྒུལ་ཀྱིག

jot: མགྱོགས་པོར་མདོར་བསྡུས་སུ་བྲིས་པ།

journal: ཚིག་དེབ།

journey: འགྲུལ་བཞུད། (བྱེད་པ་)

jovial: སྤྲོ་ཉམས་ཅན།

joy: དགའ་སྤྲོ།

judge: ཁྲིམས་དཔོན། ཁྲིམས་གཅོད་བྱེད་པ།

judgement: ཁྲིམས་ཀྱི་དཔྱད་ཁྲ།

judicial: ཁྲིམས་ཀྱི།

judicious: མི་བརྟན་པོ། གཟབ་གཟབ་ཅན།

jug: བུམ་པ་འདྲ་བའི་སྣོད་ཞིག

juggle: མགོ་བསྐོར་བ།

juice: ཁུ་བ།

July: ཕྱི་ཟླ་བདུན་པ།

jumble: གང་བྱུང་། འཛོངས་པ།

jumbo: སྦོབས་ཆེན་ཅིག་ཏོ།

jump: མཆོང་བ།

junction: འཛོམས་མཚམས།

juncture: སྐབས་མཚམས།

June: ཕྱི་ཟླ་དྲུག་པ།

jungle: ཤིང་ནགས།

junior: གཞོན་པ།

juniper: ཤུག་པ། (ཤིང་)

junk: གད་སྙིག ཅ་ལག་ཕན་མེད།

jurisdiction: དབང་ཚད། འགན་དབང་།

jurist: ཁྲིམས་ལུགས་མཁས་པ།

jury: ཁྲིམས་དཔོན་ལྷན་ཚོགས།

just: དྲང་པོ། ཙམ།

justice: ཁྲིམས་དྲང་པོ།

justify: བདེན་མཐའ་གསལ་བ།

jut: ཐུར་འདེན།

jute: སོ་མ་ར་ཙ།

juvenile: གཞོན་སྐབས་ཀྱི།

juxtapose: གཤིབས་ཏེ་འཛོག་པ།

K

kalpa: ཀལ་པ།

karma: ལས་འབྲས།

keen: བྱེད་འདོད་ཆེན་པོ། ཅུར་པོ།

keep: ཉར་བ།

keeper: ཉར་མཁན།

kennel: ཁྱི་ཚང་

kerosene(ine): ས་སྣུམ།

kettle: ཁོག་ཕྲེར།

key: ལྡེ་མིག

khaki: ས་མདོག

kick: རྡོག་རྒྱག རྡོག་རྒྱག་གཞུ་བ།

kid: ཕྲུ་གུ

kidnap: མི་ཀུན་མ་རྒྱབ་པ།

kidney: མཁལ་མ།

kill: གསོད་པ།

killer: གསོད་མཁན།

kin: སྤུན། གཉེན་ཚན།

kind: བཀྲིན། རིགས།

kindle: མེ་སྦར་བ།

kindred: སྤུན།

king: རྒྱལ་པོ།

kingdom: རྒྱལ་ཁབ།

kinsfolk: སྤུན་གཉེན།

kiss: ཁ་སྐྱེལ་བ། འོ་བྱེད་པ།

kit: ཡོ་བྱད།

kitchen: ཐབ་ཚང་།

kite: ཤོག་བྱ།

kitten: ཞིམ་ཕྲུག

knack: བྱུས། སྦྱོང་ཐབས།

knead: བརྫིས་པ། (རྩམ་པ་སོགས་)

knee: པུས་མོ།

kneel: པུས་མོ་བཙུགས་པ།

knell: ཤི་བརྡ།

knelt: པུས་མོ་བཙུགས་ཟིན་པ།

knew: ཧ་གོ་ཟིན་པ།

knife: གྲི

knit: ལྷ་བ། (ཨུ་སུ་སོགས་)

knitting: ལྷ་བཞིན་པ།

knock: རྡུང་བ། (སྒོ་སོགས་)

knoll: རི་ཆུང་ཆུང་།

knotty: མདུད་པ་ཅན།

know: ཤེས་པ།

knowingly: ཤེས་བཞིན་དུ།

knowledge: ཤེས་བྱ། ཡོན་ཏན།

knuckle: མཛུ་གུའི་ཚིགས།

L

label: ཁ་བྱང་། ཁོག་རྟགས།

laborious: དཀའ་ངལ་ཅན།

labour: ངལ་རྩོལ། (བྱེད་པ་)

labourer: ངལ་རྩོལ་པ།

lace: ལྷམ་སྒྲོག

lack: མ་ཚང་བ། མེད་པ། ཆད་པ།

lad: བུ་ཆུང་།

ladder: སྐས་འཛེག

ladle: སྐྱོགས། གཟར་བུ།

lady: ལྕམ། སྐྱིང་ལགས།

lag: འགོར་པོ་འགྲོ་བ།

laity: སྐྱ་བོ།

lake: མཚོ།

lama: བླ་མ།

lamasery: གྲྭ་ཚང་།

lamb: ལུག་ཕྲུག ལུ་གུ

lame: རྐང་ཀྱོག

lament: སེམས་སྡུག་བྱེད་པ།

lamp: ཞུ་མར།

land: ས་ཆ། ས་གཞི། [ཡོད་མཁན

landed: ས་ལ་བབས་ཟིན་པ། ས་གཞི

landlady: གནས་མོ། ས་བདག་མ།

landlord: ས་བདག

land tax: ས་ཁྲལ།

lane: ལམ་ཆུང་།

language: སྐད། སྐད་ཡིག

lanky: སྐམ་ཀྱིང་།

lap: པང་པ། ལྕེ་ལྡག་རྒྱབ་པ།

lapis lazuli: བེ་དུརྱ།

lapse: རིམ་བཞིན་ཟད་པ། (དུས་ཚོད།)

larceny: རྐུ་ལས།

large: ཆེན་པོ།

largess: གསོལ་རས།

larynx: མིད་པ།

lascivious: འདོད་ཆགས་ཆེན་པོ།

lash: ལྕགས་ཚན་གཞུ་བ།

lass: བུ་མོ།

lasso: ཞགས་པ།

last: མཐའ་མ། ཐུབ་པ། གནས་པ།
lasting: ཐུབ་ཆེན་པོ།
latch: ཨ་ལྕེང་།
late: ཕྱི་པོ། ཚེ་འདས་པ།
later: རྗེས་སུ། རྗེས་ལ།
lately: ཉེ་ཆར་དུ།
latent: མཐོང་རྒྱུ་མེད་པ། གབ་ཡོད་པ།
lather: ལྦུ་བ།
latitude: ཞེང་ཁ། འཕྲེད་ཐིག
latrine: གསང་སྤྱོད།
latter: ཕྱི་མ།
laud: བསྟོད་བསྔགས། (ཕུལ་བ་)
laugh: གད་མོ། (ཤོར་བ་)
laughter: གད་མོ།
launch: གཏོང་བ། འཕང་བ།
laundry: དུག་ལོག་ཁྲུས་ཁང་།
lavatory: གསང་སྤྱོད། ཁྲུས་ཁང་།
lavish: ཕོང་སེམས་མེད་པ།
lavishly: ཕོང་སེམས་མེད་པར།
law: ཁྲིམས།
lawful: ཁྲིམས་དང་མཐུན་པ།
lawless: ཁྲིམས་མེད།
lawn: སྤང་ཐང་།
lawyer: ཁྲིམས་རྩོད་པ།

lax: ལྷོད་པོ། ལྷོད་ལྷོད།
lay: ཉལ་ཟིན་པ། སྒྱལ་བ། ཕལ་པ།
layer: ཁེབ་རིམ། བརྩེགས་པའི་རིམ་པ།
layoff: ཕྱུལ་སེལ་ལས་མེད་བཟོ་བ།
lazy: ཉོབ་ཏོ། ལེ་ལོ།
lead: འགོ་འཁྲིད་པ། ཞ་ཉེ།
leader: འགོ་འཁྲིད།
leaf: ལོ་མ། ཤོག་ལྷེ།
leaflet: ལོ་མ་ཆུང་ཆུང་། དེབ་ཆུང་།
league: རོགས་མཐུན་ཚོགས་པ།
leak: འཛག་པ། ཐིགས་པ་ལ་རྒྱབ་པ།
lean: སྐམ་པོ། བསྟེ་བ།
leap: མཆོང་བ། རྒྱང་མཆོང་།
learn: སློབ་པ། ཤེས་པ།
learned: ཤེས་ཡོན་ཅན། མཁས་པ།
learnt: སྦྱང་ཟིན་པ། ཤེས་ཟིན་པ།
lease: བོགས་མ། (གཏོང་བ་)
leash: ཁྲེ་ཐག
least: ཉུང་ཤོས། ཆུང་ཤོས།
leather: ཀོ་བ།
leave: འགྲོ་བ། གུང་སེང་།
lecture: གསུང་བཤད།
led: འགོ་འཁྲིད་ཟིན་པ།
ledger: རྩིས་དེབ་གཙོ་བོ།

leech: པད་པ། (འབུ་)

left: གཡོན། ཕྱིན་ཟིན་པ།

left-handed: གཡོན་ལག

leg: རྐང་པ། ཞབས།

legacy: ནོར་སྐལ།

legal: ཁྲིམས་ཀྱི། ཁྲིམས་མཐུན།

legend: ལོ་རྒྱུས། སྒྲུང་།

legible: ཀློག་རུང་བ།

legitimate: ཁུངས་དག

leisure: ཁ་ཡངས་ཀྱི་དུས་ཡུན། དུས་ཡུན་ལྷོད་པོ། ངལ་སྐབས།

lend: གཡར་བ།

length: རིང་ཚད། དཀྱུས།

lenient: ཁ་ཡངས། (སྐྱིད་ལམ་སོང་)

lent: གཡར་ཟིན་པ།

leopard: གཟིག

leper: མཛེ་ནད་པ།

leprosy: མཛེ་ནད།

less: ཉུང་བ།

lessen: ཉུང་དུ་གཏོང་བ།

lesson: སློབ་ཚན།

let: (བྱེད) བཅུག་པ། གནང་བ།

letter: ཡི་གེ ཡིག་འབྲུ།

lettuce: པད་ཚལ།

level: ཁོད་ཚད། (སྙོམས་པ་)

levy: ཁྲལ་རྒྱབ་པ།

liability: སྒྲུབ་དགོས་རྒྱུ། འཁུར་འགན

liable: ཁག་འཁྲི་བའི་ཉེན་ཁ།

liaison: མཐུན་འབྲེལ།

liar: རྫུན་ག་ཤོད་མཁན།

liberal: ཁ་ཡངས་པོ། འཛེལ་མདོག་ཁ་པོ

liberate: བཅིངས་བཀྲོལ་གཏོང་བ།

liberation: བཅིངས་བཀྲོལ། མཐར་དགྲོལ།

liberty: རང་དབང་།

library: དཔེ་མཛོད།

lice: ཤིག (མང་ཚིག་) མཁན།

licence: ཆོག་མཆན་ལག་འཁྱེར། ↑

licencee: ཆོག་མཆན་ལག་འཁྱེར་ཐོབ

licencor: ཆོག་མཆན་ལག་འཁྱེར་སྤྲོད་

license: ཆོག་མཆན་གནང་བ། མཁན།

lick: ལྕེ་ལྡག་རྒྱབ་པ།

lid: ཁ་གཅོད།

lie: རྫུན། (གཏོང་བ་) ཉལ་བ།

lieu: ཚབ།

life: མི་ཚེ། སྐྱེ་བ།

life-span: མི་ཚེའི་རིང་ཐུང་།

lift: ཡར་ཀྱག་པ།

light: ཡང་པོ། འོད། སྦར་བ། (མེ་སོང་

lighten: ཡང་པོ་བཟོ་བ། འོད་འཕྲོ་བ།

lightning: ཐོག །གློག་འཁྱུགས་པ།

like: འདྲ་པོ། དགའ་བ།

likely: འབྱུང་སྲིད། ཕལ་ཆེར། བཟོ་འདྲ།

likewise: འདི་བཞིན་དུ།

liking: དགའ་འདོད།

lily: མེ་ཏོག་ཀུ་མུད།

limb: ཡན་ལག ཀང་ལག

lime: ས་དཀར།

limit: ཚད། མཐའ་ཚད།

limitation: ཚད་མཚམས།

limp: ཀང་པ་འཁྱོག་ཏེ་འགྲོ་བ།

line: ཐིག བང་སྒྲིག་པ། གྲལ།

lineage: རིགས་བརྒྱུད། རྒྱུད་པ།

linguist: སྐད་རིགས་མཁས་པ།

lining: ནང་ཤ

link: སྦྲེལ་བ། མཐུད་པ།

lion: སེང་གེ

lip: མཆུ་ཏོ།

lip-stick: མཆུ་ཏོར་བྱུག་ཚོས།

liquefy: ཆུ་ལྟར་བཟོ་བ།

liquid: ཆུ་འདྲ།

liquidate: བུ་ལོན་སྤྲོད་པ། ཚོང་ལས་སྒོ་རྒྱབ་པ།

liquor: ཆང་རག

list: ཐོ།

listen: ཉན་པ།

listless: སྤྲོག་མེད་ནང་བཞིན།

lit: སྦར་ཟིན་པ། (མེ་)

literacy: ཤེས་ཚད།

literal: ཁ་ཐུག ཡི་གེར་གང་ཡོད་ལྟར།

literary: རྩོམ་རིག་གི

literate: ཡི་གེ་ཀློག་བྲིས་ཤེས་མཁན།

literature: རྩོམ་རིག

litre: གཞལ་ཚད་ཞིག

little: ཆུང་ཆུང་། ཉུང་ཉུང་།

livable: སྡོད་རུང་བ།

live: གནས་པ། གསོན་པ། གནས་བཅའ་བ།

livlihood: འཚོ་ཐབས།

lively: གསོན་ཉམས་དོད་པོ། ཧུར་པོ།

liven: ཉམས་དོད་པོ་བཟོ་བ། སྤྲོ་སྐྱེད་པ།

liver: མཆིན་པ།

living: གནས་བཞིན་པ། འཚོ་བ།

lizard: རྩངས་པ། རྩིག་པ།

load: དོ་པོ། ཁལ།

loaf: བག་ལེབ།

loan: བུ་ལོན། (གཏོང་བ་) གཡར་བ།

loathe: མ་དགའ་བ། (བྱེད་པ་)

loathsome: སྐྱུག་བྲོ་པོ། སྣང་བར་མ་འགྲོ་བ།

loaves: བག་ལེབ། (མང་ཚིག་)

lobster: སྡིག་སྲིན།

local: ས་གནས་དེ་གའི།

locality: ས་ཁུལ།

locate: ས་གནས་རྟད་གཅོད་པ།

lock: སྒོ་ལྕགས་རྒྱབ་པ།

locket: སྐེ་བཏགས། གའུ།

locomotion: འགྲོ་འགུལ།

locust: སྦྲུག་གཟན་འབུ།

lodge: གནས་ཚང་བཅའ་བ།

lodging: གནས་ཚང་།

lofty: མཐོ་ཉམས་ཅན།

log: ཤིང་དུམ་བུ།

logic: ཚད་མ་རིག་པ།

loin: སྒྱུ་ཟུར།

loitre: བར་འཁྱམས་སྡོད་པ།

lone: གཅིག་པུ། ཁེར་རྐྱང་།

lonely: གཅིག་པོ། ཡུལ་ལ་སྡོང་།

lonesome: གཅིག་པུ་ཡིན་པའི་སེམས་སྡུག

long: རིང་པོ།

longevity: ཚེ་རིང་པོ།

longitude: རིང་ཚད།

look: ལྟ་བ། ལྟ་སྟངས།

loom: འཐག་ཁྲི།

loony: སྨྱོན་པ། (མི)

loop: ཨ་ལྷུང་།

loophole: བྲོས་ལམ། གཡོལ་ཐབས།

loose: ལྷུག་ལྷུག གློད་པ།

loosen: ལྷུག་ལྷུག་བཟོ་བ། གློད་པ།

loot: འཕྲོག་བཅོམ། (ཇུས་པའི་ཅ་ལག་)

loquacious: སྐད་ཆ་མང་པོ།

lord: དཔོན། རྗེ། གཙོ་བོ།

lore: ཤེས་རྒྱུས།

lose: རླག་པ། ཤོར་བ།

loss: གྱོང་།

lost: རླག་ཟིན་པ། ཤོར་ཟིན་པ།

lots: ཕོན་ཆེན། མང་པོ།

lotion: བྱུག་སྨན།

lotus: པད་མ།

loud: སྐད་ཆེན་པོ།

louse: ཤིག (གཅིག་ཚིག་)

lovable: བརྩེ་བ་བྱེད་རུང་བ།

love: བརྩེ་བ། དགའ་པོ།

lovely: ཡག་པོ། སྙིང་རྗེ་པོ།

low: དམའ་པོ།

lower: དམའ་བ། དམའ་རུ་གཏོང་བ།

lowly: ཉམ་ཐག གུས་ཞབས་ཅན།

loyal: དམ་ཚིག་ཅན། བརྩེ་གདུང་ཅན།

loyalty: དམ་ཚིག །བརྩེ་གདུང་།

lubricate: སྣུམ་བྱུག་པ། ཞིན།

lucid: ཁ་གསལ་ལ་པོ། གོ་བདེ་པོ།

luck: བསོད་བདེ། རླུང་རྟ།

lucky: བསོད་བདེ་ཅན།

lucrative: ཁེ་སང་ཅན།

ludicrous: ཚ་མེད། ཛབ་རྒྱང་།

lukewarn: དྲོན་འཇམ།

lull: སྙིང་འཇགས་པ། བར་མཚམས།

lullaby: ཕྲུ་གུ་གཉིད་སྐྱལ་བྱེད་ཀྱི་གླུ།

luminous: འོད་འཚེར་འཚེར།

lump: རྡོག་རྡོག འབུར་རྡོག

lumpy: རྡོག་རྡོག་ཅན། འབར་འབུར་ཅན།

lunacy: སྨྱོན་སྨྱོད།

lunar: ཟླ་བའི།

lunatic: སྨྱོན་པ།

lunch: ཉིན་གུང་ཁ་ལག གུང་ཟས།

lung: གློ་བ།

lunge: མདུན་དུ་མཆོང་བ།

lure: སླུ་བ།

lurk: གབ་པ། ཡིབ་པ།

luscious: མངར་བཅུད་ཆེན་པོ།

lust: འདོད་ཆགས། ཆགས་པ།

lustre: འོད་ཟེར།

lute: སྒྲ་སྙན།

luxurious: རྒྱས་སྤྲོས་ཅན།

luxury: རྒྱས་སྤྲོས།

lying: ཉལ་ནས་སྡོད་བཞིན། རྫུན་ག་ཤོད་པ།

M

ma: ཨ་མ།

machine: འཕྲུལ་ཆ།

machinist: འཕྲུལ་ཆ་ལ་མཁས་པ།

mad: སྨྱོན་པ།

madden: སྨྱོན་པ་བཟོ་བ། (ཆད་པ་)

made: བཟོ་ཟིན་པ།

magazine: ཚོགས་དེབ། དུས་དེབ།

magic: མིག་འཕྲུལ།

magician: མིག་འཕྲུལ་སྟོན་མཁན།

magistrate: རྫོང་དཔོན། ཁྲིམས་དཔོན།

magnet: ངར་ལྕགས།

magnificent: གཟི་བརྗིད་ལྡན་པ། ཧ་ལས་པའི་ཡག་པོ།

magnify: ཆེ་རུ་གཏོང་བ།

magnitude: ཆེ་ཚད། ཆེ་ཆུང་།

magpie: སྐྱ་ཀ

maharaja: རྒྱལ་པོ། (ཧིན་དིའི་སྐད་དུ)

maid: ཆང་ས་མ་རྒྱབ་པའི་སྐྱེ་དམན།

maiden: བུ། གཞོན་ནུ་མ།

mail: ཡི་གེ (བསྐུར་བ་)

maim: གདུབ་པ། (དབང་པོ་མ་སྐྱོ)

main: ངོ་མ། གནད་གག་ཆེ་ཤོས།

maintain: འཛིན་པ། གཟུང་བ།

maintenance: འཛིན་སྐྱོང་། ལྟ་རྟོག །འཚོ་རྟེན།

maize: ཨ་ཤོམ།

majesty: གཟི་བརྗིད། དཔལ་ཡོན།

major: ཆེན་པོ། གལ་ཆེ་བ།

majority: མང་ཆེ་བ། ཕོན་ཆེ་བ།

make: བཟོ་བ།

making: བཟོ་བཞིན་པ།

maladministration: འཛིན་སྐྱོང་ལོག་པ

malady: ནད་ཚ།

malapropism: ཚིག་བེད་སྤྱོད་བྱེད་སྟངས ནོར་བ།

male: ཕོ།

malevolent: ངན་སེམས་ཅན།

malice: བསམ་ངན།

malign: དམའ་འབེབས་བྱེད་པ།

mall: རྒྱ་ལམ།

malnutrition: ཟས་བཅུད་མེད་པ།

malodorous: དྲི་མ་ངན་པ།

malpractice: བྱེད་སྟངས་ནོར་བ།

mamma: ཨ་མ། ཨ་མ་ལགས།

mammoth: ཆེན་པོ།

man: མི། ཕོ།

manacle: ལག་ལྕགས།

manage: འཛིན་སྐྱོང་བྱེད་པ།

management: ལྟ་རྟོག །འཛིན་སྐྱོང་།

manager: འཛིན་སྐྱོང་པ། དོ་དམ་པ།

mandate: བཀའ་རྒྱ།

mandatory: བཀའ་རྒྱའི།

mane: ཟེ། རལ་པ།

manger: གཞོང་པ།

mango: ཤིང་ཏོག་ཨ་མྲ།

manhood: འགྲོ་བ་མིའི།

maniac: སྨྱོན་པ། [སྨྱོན་པ།

manifest: མངོན་སུམ། རྣམ་སྤྲུལ་

manifestation: སྤྲུལ་པ།

manifesto: བསྒྲགས་གཏམ།

manifold: རྣམ་པ་སྣ་ཚོགས།

manipulate: བེད་སྤྱོད་བྱེད་པ།

mankind: འགྲོ་བ་མི་རིགས།

manly: ཕོ་ལྷུར།

manner: སྤྱོད་པ།

manoeuvre: དྲུས། ཁ་གཅུས་པ།

mansion: ཕོད་ཁང་ཆེན་པོ།

manual: ལག་པའི། ལག་དེབ། ལག་པས་བྱེད་རྒྱུ།

manufacture: བཟོ་བ། སྐྲུན་པ།

manure: ལུད།

manuscript: ཕྱག་ཆའི་མ་དཔེ། བྲིས་མ།

many: མང་པོ།

map: ས་ཁྲ།

mar: སྐྱོན་གཏོང་བ། འཕྲོ་བརླག་གཏོང་བ།

marathon: ཐག་རིང་རྒྱུགས་རྩལ།

marble: རྡོ་ཀ་མ་རུ་པ།

March: ཕྱི་ཟླ་གསུམ་པ།

march: རྐང་པ་སྒྲོ་བ། རུ་སྒྲིག་གཏོང་བ།

mare: རྟ། (མོ་)

margin: མཐའ།

marine: རྒྱ་མཚོའི།

marital: ཆང་སའི།

maritime: རྒྱ་མཚོ་དང་འབྲེལ་བའི།

mark: རྟགས། (རྒྱབ་པ་) ཨང་གྲངས།

market: ཁྲོམ་ས།

marking: རྟགས། (རྒྱབ་བཞིན་པ་)

maroon: དམར་མདོག

marriage: ཆང་ས།

married: ཆང་ས་རྒྱབ་ཟིན་པ།

marrow: རྐང་མར།

marry: ཆང་ས་རྒྱབ་པ།

Mars: གཟའ་མིག་དམར།

marsh: འདམ་རྫབ།

marshal: དམག་དཔོན་པོ་གནས་ཞེས

mart: ཁྲོམ། ཚོང་ཁང་།

martial: དམག་དང་འབྲེལ་བའི།

martyre: རང་སྲོག་བློས་གཏོང་མཁན།

marvel: ཡ་མཚན་པ། ཧ་ལས་པ།

marvelous: ཡ་མཚན་པོ། ཧ་ལས་པའི།

Marxism: མ་ཁེ་སིའི་རིང་ལུགས།

mascular: ཤུགས་སྟོབས་ཆེན་པོ།

masculine: ཕོའི།

mask: འབག

mason: རྡོ་བཟོ་བ།

masonry: རྡོ་བཟོ། རྡོ་ལས།

mass: མང་ཚོགས། སྤྱིར་བསྡུ་བྱེད་པ།

massacre: ཕོན་ཆེན་པོ་གསོད་པ། (མི་སེར་)

massage: ཕུར་མཉེ། (བྱེད་པ་)

massive: ཕོན་ཆེན་པོ། ཆེན་པོ།

mast: དར་ཤིང་།

master: སྦྱིན་བདག སློབ་དཔོན། སྐུ་ཞབས། མཁས་པ།

mat: གདན།

match: ཚག་སྒྲ། མུ་སི། འགྲན་བསྡུར། འགྲན་ཟླ། མཚུངས་ཟླ།

matching: མཚུངས་པོ།

matchless: འགྲན་ཟླ་བྲལ་བ།

mate: རོགས་པ། གཉེན་སྒྲིག་པ།

material: དངོས་པོ། ཅ་ལག་གི

materialize(ise): དངོས་སུ་བྱུང་བ། གཟུགས་སུ་གྲུབ་པ།

maternal: ཨ་མའི་ཕྱོགས་ཀྱི

maternity: ཨ་མའི་གནས་སྐབས།

mathematical: ཨང་རྩིས་ཀྱི

mathematics: ཨང་རྩིས།

matrimony: གཉེན་སྒྲིག

matter: གནད་དོན། དངོས་པོ།

matting: རྩྭ་རས།

mattress: གདན།

maturate: སྨིན་པ།

mature: ཚོས་པ། སྨིན་པ།

maul: ཉེ་གདུང་གཏོང་བ། རྨས་སྐྱོན་བྱེད་པ།

maxim: བཤད་སྲོལ།

maximise: གང་མང་མང་ངམ་ཆེ་ཤོས་བཟོ་བ།

maximum: ཆེ་ཤོས། མང་ཤོས། མཐོ་ཤོས།

may: ཅིག་ཐུབ་ན། ཕལ་ཆེར། ཆོག་པ།

May: ཕྱི་ཟླ་ལྔ་པ།

me: ང་།

meadow: སྤང་།

meagre: ཉུང་ཉུང་།

meal: ཟས། ཁ་ལག སྒོ།

mean: དོན་སྟོན་པ། འབྲིང་རིམ།

meander: ཆུ་ཀླུང་ཀྱག་ཀྱོག་འགྲོ་བ།

meaning: དོན་དག

means: ཐབས། ཟེར་བའི་དོན།

meant: དོན་སྟོན་ཟིན་པ།

measles: སིབ་བི།

measure: ཚད། (རྒྱབ་པ་)

measurement: ཚད།

meat: ཤ

meaty: ཤ་ཅན།

mechanic: འཕྲུལ་ཆ་བཟོ་མཁན།

mechanize(ise): འཕྲུལ་ཆར་སྒྱུར་བ།

medal: རྟགས་མ།

medalist: རྟགས་མ་ཐོབ་མཁན།

meddle: ཐུས་གཏོགས་བྱེད་པ། ཐེ་ཐུས་བྱེད་པ།

median: དཀྱིལ་གནས།

mediate: བར་མི་བྱེད་པ།

mediator: བར་མི།

medical: སྨན་གྱི། སྨན་པའི།

medicinal: སྨན་སྦྱོར་གྱི།

medicine: སྨན།

medieval: དུས་རབས་བར་མའི།

mediocre: འབྲིང་འབྲིང་།

meditate: སྒོམ་རྒྱབ་པ།

meditation: སྒོམ།

medium: འབྲིང་། བརྒྱུད་ལམ།

medley: མཉམ་བསྲེས་ཀྱི།

meek: ཉམ་ཆུང་།

meet: ཐུག་པ། འཕྲད་པ།

meeting: ཐུག་འཕྲད། ཚོགས་འདུ།

meloncholy: སྐྱོ་སྣང་།

melee: ཟང་ཟིང་།

meliorate: ཡར་རྒྱས་ཕྱིན་པ།(གཏོང་བ)

mellow: སྨིན་པའི་རྟགས།

melodious: སྙན་པོ།

melody: སྙན་གླུ།

melt: བཞུ་བ།

member: ཚོགས་མི།

memoir: ངག་རྒྱུན་ལོ་རྒྱུས།

memorable: དྲན་རུང་བ།

memorandum: བརྗེད་ཐོའི་ཡིག་ཆ།

memorise: བློར་འཛིན་པ། ངག་ལ་གཟུང་བ།

mermory: དྲན་པ།

menace: རྗིག་རྗིག (གདོང་ཆ)

mend: བཅོས་པ།

mendacious: རྫུན་མ།

mendicant: གསོལ་སློང་པ།

menstrual: ཟླ་རེའི།

menstruation: སྐྱེ་དམན་གྱི་ཟླ་ཁྲག

menses: དང་དོན་གཅིག་པ།

mental: ངག་ཐོག བློ་ཡི། སེམས་ཀྱི།

mentality: སེམས་པའི་འཁྱེར་ཕྱོགས།

mention: བརྗོད་པ། གཏོད་པ།

mercentile: ཚོང་ལས་ཀྱི།

merchandise: ཚོང་ཟོག

merchant: ཚོང་པ།

merciful: སྙིང་རྗེ་ཅན།

merciless: སྙིང་རྗེ་མེད་པ།

mercury: དངུལ་ཆུ།

Mercury: གཟའ་སྐར་ལྷག་པ།

mercy: སྙིང་རྗེ།

mere: ཁོ་ན།

merge: འདྲེས་པ།

merit: དགེ་བ། བྱ་བ་བཟང་པོ།

meritorious: དགེ་བའི།

merry: སྣང་བ་སྐྱིད་པོ།

mess: བཙོག་པ། སྦྲེ་ཐབ།

message: ཁ་ལན། འཕྲིན།

messenger: བང་ཆེན། ལན་སྐྱེལ་མཁན།

metal: ལྕགས།

meteorology: གནམ་གཤིས་བརྟག་དཔྱད་

method: ཐབས། ལམ། རིག་པ།

meticulous: སྐྱུལ་དག གཟབ་གཟབ་ཅན

microphone: སྒྲ་ཁུགས་སྒྲར་ཆེད་ཁ་དཔ

microscopic: ཧ་ཅང་གི་ཆུང་ཆུང་།

mid: དཀྱིལ། དབུས།

midday: ཉིན་གུང་།

middle: དཀྱིལ། དབུས།

might: ཅིག་བྱུས་ན། སྟོབས།

mighty: སྟོབས་ཆེན།

migrate: ཡུལ་སྤོ་བ།

mike: microphone གེ་བསྒྲུལ་ཆེག

milch: བཞོན་མ། འོ་མ་བཞོ་རྒྱུ་ཡོད་པ།

mild: འཇམ་པོ།

militant: དམག་མི།

military: དམག་གི

militia: དམག་མི།

milk: འོ་མ། འོ་མ་བཞོ་བ།

milky: འོ་མ་ཅན། འོ་མའི་མདོག་ཅན།

mill: རང་འཐག

millennium: ལོ་སྟོང་ཕྲག་གཅིག

miller: རང་འཐག་བདག་པོ།

million: ས་ཡ།

millionaire: ཆ་ཡས་པའི་ཕྱུག་པོ།
དངུལ་སྒོར་ས་ཡ་མང་པོ་ཡོད་
└མཁན།

mimicry: ལད་ཟློས།

mince: གཙབ་པ།

mind: སེམས། བློ། ཡིད། སེམས་
སྣང་བྱེད་པ།

mindful: དོགས་ཟོན་ཅན།

mine: ངའི། ང་ཡི།

mine: གཏེར་ཁ།

mineral: གཏེར།

mineralogy: གཏེར་རིགས་ཀྱི་རིག་པ།

mingle: འདྲེས་པ། བསྲེ་བ།

miniature: ཆུང་ཆུང་།

minimize(ise): ཉུང་ཤོས་བཟོ་བ།

minimum: ཉུང་ཤོས། ཆུང་ཤོས།

minister: བློན་པོ།

ministry: བློན་ཆེན་ཁང་།

minor: ནན་ཚད་མ་ལོན་པ། ཆུང་ཆུང་།

minority: གྲངས་ཉུང་། ཆུང་སྐབས།

mint: དངུལ་པར་ཁང་།

minus: འཐེན་པ།

minute: སྐར་མ།

minute: ཞ་ཅང་ག་ཆུང་ཆུང་།

minutes: གྲོས་ཚོད་ཟིན་ཐོ།

miracle: རྫུ་འཕྲུལ།

miraculous: རྫུ་འཕྲུལ་གྱི།

mirage: མིག་འཕྲུལ།

mirror: བལྟ་ཤེལ། མེ་ལོང་།

mirth: དགའ་དགའ་སྐྱིད་སྐྱིད། [མཁན།

misanthrope: འགྲོ་བ་མི་ལ་མ་དགའ་

misappropriate: གཞན་ནོར་སྣེར་བདག་བྱེད་

misbehave: སྤྱོད་ངན་བྱེད་པ། └པ།

misbehaviour: སྤྱོད་ངན། ལོག་སྤྱོད།

miscalculate: རྩིས་ནོར་ཐེབས་པ།

miscarriage: ཕྲུ་གུ་མངལ་ནས་ཤོར་བ།

miscellaneous: ཚག་ཚིག

mischief: གནོད་སྐྱོན།

mischievious: གནོད་སྐྱོན་ཆེ་པོ།

misdeed: བྱ་བ་ངན་པ།

miser: སེར་སྣ་ཅན།

miserable: ཐབས་རྟུགས། ཉ་སྡུག

miserly: སེར་སྣ་བྱས་ཏེ།

misery: ཐབས་རྡུགས། སྡུག་བསྔལ།

misfit: རན་པོ་མེད་པ། མ་མཚུངས་པ།

misfortune: བར་ཆད། ཀྱུས་ཉེས།

mishap: རྐྱེན་ངན།

misinterpret: གོ་དོན་ལོག་སྒྱུར་བྱེད་པ།

misjudge: བསམ་ནོར་འཁོར་བ། ཐག་གཅོད་ནོར་བ།

mislead: ལོག་འཁྲིད་བྱེད་པ། ལམ་ནོར་འཁྲིད་པ།

misogamy: ཆང་སར་མ་དགའ་བ།

misplace: བཞག་ས་ནོར་བ།

miss: མ་ཐོབ་པ། ཆད། གཞོན་ནུ་མ།

missile: འཕུར་མདའི་མཚོན་ཆ།

missing: མ་ཚོང་བ། ཆད་པ།

mission: དོན་གཅོད་པ། ཆོས་སྤེལ་ལས་ཁུངས

missionary: ཆོས་སྤེལ་མཁན་གྱི།

misspell: དག་ཆ་ནོར་བ།

mist: སྨུག་པ།

mistake: ནོར་འཁྲུལ།

mister: སྐུ་ཞབས། ཅོ་ལགས།

mistress: ཁང་གཉེར་མ། གྲོགས་མོ།

mistrust: ཡིད་ཆེས་མ་བྱེད་པ།

misty: སྨུག་པ་ཅན།

misunderstand: གོ་ནོར་ཐེབས་པ།

misuse: ཚེད་སྤྱོད་ལོག་པ་གཏོང་བ།

mix: སྲེ་བ། འདྲེས་པ།

mixture: འདྲེས་མ།

moan: ན་སྐད་རྒྱབ་པ།

mob: ཟིང་སློང་མི་ཚོགས།

mobile: སྤོ་བ་ཁུར་བྱེད་རུང་བ།

mock: བརྫུས་མ།

mode: བྱེད་སྟངས། ལུགས།

model: དཔེ། དཔེ་ལྟར་བཟོ་བ།

moderate: འབྲིང་འབྲིང་།

modern: དེང་དུས།

modest: འཛེམ་བག་ཅན། ཐུམ་མདོག་ཁ་པོ།

modify: སྒྱུར་བཅོས་གཏོང་བ།

moisten: རློན་པ་བཟོ་བ།

moisture: བཞའ་ཚན། རློན་གཤེར།

molar teeth: འགྲམ་སོ།

mole: བྱི་ལོང་། (ཅི་ཅེའི་རི་ཀ) སྨེ་བ།

molest: སྨས་པ། དཀྲུག་པ།

moment: ཡུད་ཙམ། སྐབས།

momentary: སྐད་ཅིག་ཙམ་རིང་། ཡུད་ཙམ་རིང་།

momentum: འགུལ་ཤུགས།

monarch: རྒྱལ་པོ།

monastery: གྲྭ་ཚང་། དགོན་པ།

monastic: དགོན་པའི། གྲྭ་པའི།

Monday: གཟའ་ཟླ་བ།

monetary: དངུལ་གྱི

money: དངུལ། སྒོར།

mongoose: ནེའུ་ལེ།

monitor: ཀན་བདག བརྟུ་དཔོན།

monk: གྲྭ་པ།

mono: གཅིག་རྐྱང་།

monogamy: བཟའ་ཟླ་གཅིག་རང་ལེན་གྱི་ལུགས།

monopolist: ཚོང་དབང་གཅིག་བདག་བྱེད་མཁན།

monopolise: ཚོང་དབང་གཅིག་བདག་བྱེད་པ།

monopoly: ཚོང་དབང་གཅིག་བདག

monotonous: གཅིག་རང་། འགྱུར་བ་མེད་པ།

monsoon: ཆར་དུས།

monster: བདུད། མི་ཆེན།

monstrous: བདུད་ཀྱི། ཆེན་པོའི།

month: ཟླ་བ། (ཟླ་བ་བརྩིས།)

monthly: ཟླ་རེའི།

mood: སེམས་ཁམས། རྣམ་འགྱུར།

moon: ཟླ་བ། ཟླ་སྐར།

mop: ཕྱིས་པ།

moral: ཀུན་སློང་།

more: མང་བ།

moreover: དེས་མཚད། ལྷག་པར་དུ།

morn: སྔ་དྲོ།

morning: སྔ་དྲོ། ཞོགས་པ།

moron: མི་རྒན་སེམས་ཚད་མ་ལོན་པ།

morrow: ལང་ཉིན།

morsel: ཁ་གང་། ཏོག་ཙམ།

mortal: མི་རྟག་པ།

mortar: གཏུན་ཁུང་།

mortgage: གཏའ་མ། (བཞག་པ་)

mosque: ཁ་ཆེའི་ལྷ་ཁང་།

mother: ཨ་མ། ཨ་མ་ལགས།

mother country: སྐྱེས་ཡུལ། ཕ་ཡུལ།

motherhood: ཨ་མའི་གནས་སྐབས།

mother-in-law: བཟའ་ཟླའི་ཨ་མ།

mother-land: སྐྱེས་ཡུལ། ཕ་ཡུལ།

motherly: ཨ་མ་ནང་བཞིན།

motion: འགུལ་བསྐྱོད།

motive: དམིགས་ཡུལ། ཀུན་སློང་།

motor: འཁོར་འཕྲུལ།

motor car: སྣུམ་འཁོར།

motor vehicle: སྣུམ་འཁོར།

mould: བཟོ་ལྟ་སྟོན་པ།

mound: ལ་སྒང་།

mount: རི། བཞོན་པ། (རྟ་སོགས་) འཛེགས་པ།

mountain: རི།

mountaineer: རི་ལ་འཛེག་མཁན།

mourn: མྱ་ངན་བྱེད་པ།

mourning: མྱ་ངན།

mouse: ཙི་ཙི། བྱི་བ།

moustache: ཨ་ར། ཁ་སྤུ།

mouth: ཁ། ཞལ།

movable: སྒུལ་རུང་བ།

move: འགུལ། གནས་སྤོ་བ། འགྲོ་བ།

Mr: སྐུ་ཞབས།

Mrs: ལྕམ་སྐུ་ཞབས། (ཆང་ས་རྒྱབ་ཚར་བ་)

much: གང་ཙམ་ཞིག

muck: བཙོག་པ། སྙིག་མ།

mucous: སྣབས་ལུད།

mud: འདམ་བག

muddle: ཉོག་པ། དཀྲུག་པ།

muddy: འདམ་བག་ཅན།

muffler: ཁ་དཀྲིས།

mug: ཕོར་པ།

mulberry: ཤྲིན་འབྲུ།

mule: དྲེལ།

multifarious: སྣ་མང་།

multiple: མང་པོ།

multiplication: བསྒྱུར་རྩིས།

multiply: སྒྱུར་བ།

multitude: མང་ཚོགས།

mum: ཨ་མ། ཁ་བཙུམ་པ།

mumble: ཚིག་མ་གསལ་བ་ལབ་པ།

mummify: དམར་གདུང་བཟོ་བ།

mummy: ཨ་མ། དམར་གདུང་བཟོས་པའི་རོ།

mumps: འགྲམ་པ་དང་སྐེའི་སྐྲང་ནད།

munch: ཟ་བ། མུར་བ།

mundane: འཁོར་བའི། འཛམ་གླིང་འདིའི།

municipal: གྲོང་སྡེའི།

murder: གསོད་པ།

murky: འཐིབས་བསྡུད་པ།

murmur: སྐད་ཆ་མ་གསལ་བ་ལབ་པ།

muscle: ཤ་རྒྱུས།

museum: རྟེན་རིགས་ཁང་། འགྲེམས་སྟོན་ཁང་།

mushroom: ཤ་མོ། མོག་རོ།

music: རོལ་དབྱངས།

musician: རོལ་ཆ་གཏོང་མཁས་པ།

musicology: རོལ་དབྱངས་ཀྱི་རིག་པ།

musk: གླ་རྩི།

muslin: སང་རས།

must: དགོས་ངེས། ངེས་པར་དུ།

mustache: ཨ་ར། ཁ་སྤུ།

mustard: ཡུངས་ཀར།

mutable: འགྱུར་ལྡོག་ཅན།

mute: ཁ་བཙུམས་ནས། སྒྲ་མེད།

mutilate: ཡན་ལག་གཅོད་པ། འཕྲོ་

mutiny: ངོ་ལོག བཀླག་གཏོང་བ།

mutter: སྐད་ཁུབ་ཁུབ་རྒྱབ་པ།

mutton: ར་ཤ། ལུག་ཤ།

mutual: ཕན་ཚུན་གཉིས་དབར།

muzzle: མེ་མདའི་ཁ། རྟ་ཟོག་གི་ཁའི་

my: ངའི། ད་ག།

myope: ཐག་ཉེ་པོ་མ་གཏོགས་མ་མཐོང་

myself: ང་རང་། མཁན།

mysterious: ཡ་མཚན་པོ།

mystery: ཡ་མཚན།

mystic: གསང་བ། སྒོམ་ཆེན་པ།

mythology: ཡ་མཚན་གྱི་སྒྲུང་།

N

nab: ཧོབ་སྤྱི་གཟུང་བ།

nail: གཟེར། གཟེར་རྒྱབ་པ།

nail: སེན་མོ།

naked: དམར་རྗེང་།

name: མིང་། (བཏགས་པ་) མིང་བརྗོད་པ།

family name: གྲོང་མིང་། ཁྱིམ་མིང་།

surname: སོ་སོའི་མིང་།

namely: དཔེར་ན།

nanny: མ་མ།

nap: གཉིད་ཐུང་ཐུང་ཁུག་པ།

nape: ལྟག་གོང་།

napkin: པང་ཁེབ།

narcissism: རང་གཅེས་ཆེན་པོ།

narrate: ལོ་རྒྱུས་བགྲང་བ།

narration: འགྲེལ་བཤད།

narrow: ཕྲ་པོ། རྒྱ་ཆུང་ཆུང་།

narrow-minded: སེམས་རྒྱ་ཆུང་ཆུང་། སེམས་པ་སྡུག་སྒྲུབ་དོག་པོ།

nasal: སྣ་ཐུག་གི

nasty: བཙོག་པ། སྐྱུག་བྲོ་པོ།

nation: རྒྱལ་ཁབ།

national: རྒྱལ་ཁབ་ཀྱི།

nationalism: རྒྱལ་ཁབ་ལ་ཞེན།

nationality: མི་རིགས། ལུང་པ།

nationalize: གཞུང་བཞེས་གཏོང་བ།

native: ཡུལ་དེ་གའི།

natter: སྐད་ཆ་ཙག་ཙིག་གཏོད་པ།

natural: རང་བཞིན་དུ་འབྱུང་བའི།

naturally: རང་བཞིན་དུ།

nature: བྱུང་བ། རང་བཞིན།

naughty: འཆུབ་པོ།

nausea: ཞེ་ལོག

naval: གྲུ་གཟིངས་ཀྱི།

navel: ལྟེ་བ།

navigate: མཚོ་འགྲུལ་བྱེད་པ།

navigation: མཚོ་འགྲུལ།

navy: མཚོ་དམག

nay: མ་རེད། མིན།

near: ཉེ་པོ། རྩར་ལ།

nearly: ཧ་ལམ། ཧོབ་ཙམ་མ་གཏོགས།

neat: གཙང་མ།

necessary: དགོས་གལ་ཅན།

necessitate: དགོས་གལ་ཆ་བ་པ།

necessity: དགོས་ངེས།

neck: སྐེ།

nectar: བདུད་རྩི།

need: དགོས། དགོས་གལ། དགོས་ཆེད།

needful: དགོས་གལ་ཅན།

needle: ཁབ།

needless: དགོས་མེད། དགོས་གལ་མེད་པ།

needs: དགོས་གལ།

needy: སྐྱོ་པོ།

nefarious: ངན་པ།

negative: དགག་སྒྲའི། ཁས་མ་ལེན་པའི།

neglect: སྣང་མེད་དུ་བཞག་པ།

negligence: སྣང་མེད།

negligent: སྣང་མེད་ཅན།

neigh: རྟའི་སྐད་སྒྲ།

neighbour: གྲོང་པ། ཁྱིམ་མཚེས།

neither: དེ་ཡང་མ་རེད།

nephew: ཚ་བོ།

nerve: རྩ་རྒྱུས།

nervous: ཞེད་སྣང་གིས་འདར་བ།

nest: བྱ་དང་བྱིའུའི་ཚང་།

net: དྲ་བ།

nettle: ཟྭ་ཚོད།

neutral: ཕྱོགས་མེད།

never: ནམ་ཡང་།

new: གསར་པ།

next: རྗེས་མ། ཕྱི་མ།

nib: སྨྱུག་གུའི་ཁའམ་སོ།

nibble: སོ་ཆུང་ཆུང་རྒྱབ་སྟེ་ཟ་བ།

nice: ཡག་པོ།

nickname: མིང་ལྡོག

niece: ཚ་མོ།

nigger: མི་རིགས་ནག་པོ།

nigh: ཉེ་བར།

night: མཚན་མོ།

nightingale: བྱིའུ་ཀ་ལ་པིང་ཀ།།

nightly: མཚན་མོའི།

nightmare: གཉིད་ལམ་ཞེད་སྣང་ཚ་པོ།

nil: གང་ཡང་མེད་པ།

nimble: འཁྲུགས་པོ། རྩལ་ཅན།

nine: དགུ

nineteen: བཅུ་དགུ

ninety: དགུ་བཅུ།

ninth: དགུ་པ།

ninthly: དགུ་པར།

nipple: ནུ་མའི་རྩེ།

no: མ་རེད། མིན།

noble: མི་དྲག སྐུ་དྲག ཡ་རབ་ཅན།

nod: མགོ་གཡུག་གཡུག་བྱེད་པ།

noise: སྐད་སྒྲ། ཀུ་ཅོ།

noisy: སྐད་ཚ་པོ།

nomad: འབྲོག་པ།

nomenclature: མིང་བཏགས་སྲོལ།

nominal: མིང་ཙམ་དུ།

nominate: བསྐོ་གཞག་བྱེད་པ།

nomination: བསྐོ་གཞག

nondescript: འགྲེལ་བཤད་རྒྱབ་ཁག་པོ།

none: གང་ཡང་། སུ་ཡང་།

nonentity: དངོས་སུ་མེད་པ། གལ་ཆེན་མིན་པ།

nonpareil: འགྲན་ཟླ་མེད་པ།

nonsense: ཚོ་མེད་པ། ཛབ་ཆུང་།

noodle: རྒྱ་ཐུག

nook: ཁུག་ཀྲོག

noon: ཉིན་གུང་།

noose: ཞགས་པ།

nor: དེ་འང་།

normal: འཆར་ཅན།

north: བྱང་།

northerly: བྱང་ཕྱོགས་སུ།

northern: བྱང་ཕྱོགས་ཀྱི།

nose: སྣ། ཤངས།

nostril: སྣ་བུག སྣ་ཁུང་།

not: མ་རེད། མིན། མེད།

notable: སྐད་གྲགས་ཅན།

notation: རྟགས། མཚན།

notch: ཤག་ཤག་ཅན།

note: སྒོ། (རྒྱབ་པ) དོ་སྣང་བྱེད་པ། དངུལ་ལོར། ཡིག་ཆུང་།

nothing: གང་ཡང་མེད་པ། (མེད་)

notice: གསལ་བསྒྲགས། དོ་སྣང་།

notification: བརྡ། གསལ་བསྒྲགས།

notify: བརྡ་གཏོང་བ། གསལ་བསྒྲགས་བྱེད་པ།

notion: བསམ་ཚུལ།

notorious: ངན་གྲགས་ཅན།

nought: གང་ཡང་མེད། (མེད་)(བརྡ་རྟེན

noun: མིང་སྟོན་པའི་རྣམ་དབྱེ། དངོས་མིང་།

novel: གསར་པ། སྒྲུང་རྩོམ།

novice: གྲྭ་གསར། བློ་གསར། ཨེས་ཆུང་།

now: ད་ལྟ།

nowadays: དེང་སང་།

nowhere: གང་དུའང་། (མིན། མེད། མ་རེད།

noxious: གནོད་པོ།

nuclear: རྡུལ་ཕྲན།

nude: དམར་རྗེན། གཅེར་བུ།

nugget: (གསེར་) རྡོག་རྡོག

null: ནུས་ཤུགས་མེད་པ། ཕན་མེད།

nullah: ཆུ་ཕྱུར།

numb: ཚོར་མེད།

number: ཨང་ཀི། གྲངས་ཀ། ཨང་གྲངས།

numerical: ཨང་ཀིའི།

numerous: མང་པོ།

nun: ཨ་ནི། བཙུན་མ།

nunnery: ཨ་ནིའི་དགོན་པ།

nurse: ནད་གཡོག་པ། གསོ་སྐྱོང་བྱེད་པ།

nursery: བུ་གསོ་ཁང་།

nurtur: གསོ་སྐྱོང་། ཟས་བཅུད་སྦྱིན་པ།

nutrition: བཅུད།

nutritious: བཅུད་ལྡན།

nylon: རས་ཆ་ཞིག

nymphomaniac: འདོད་ཆགས་ཆེན་པོ།

O

oak: བེ་ཤིང་།

oar: གྲུ་གཏོང་ཆེད་ཀྱི་སྐྱ་བ།

oat: ནས།

oath: མནའ།

obedience: རྩིས་བཀུར།

obedient: རྩིས་བཀུར་ཆེན་པོ། ཁ་ལ་ཉན་པོ།

obeisance: གུས་འདུད།

obey: ཁ་ལ་ཉན་པ། རྩིས་བཀུར་བྱེད་པ།

object: དངོས་པོ། དམིགས་ཡུལ།

objection: དགག་པ།

objectionable: དགག་པ་རྒྱབ་འོས་པ།

obligation: འགན།

oblique: འཕྱེད་ཀྱོག

obliterate: བསུབ་པ།

oblong: གྲུ་བཞི་འམ་སྒོར་སྒོར་ཏག་ཏག་མ་ཡིན་པ། བཟོ་མེད།

obnoxious: གནོད་ཅན།

obscene: བག་མེད།

obscure: མ་གསལ་བ། སྒྲིབ་པ།

observant: དོ་སྣང་ཅན།

observation: དོ་སྣང་། ལྟ་རྟོག

observatory: བརྟག་ཞིབ་ཁང་།

observe: བརྟག་ཞིབ་བྱེད་པ། དོ་སྣང་བྱེད་པ། ལྟ་བ།

obsess: ཆགས་སྣང་།

obsolete: རྙིང་པ། བེད་སྤྱོད་མེད་པ།

obstacle: བར་ཆད།

obstruct: བཀག་པ།

obstruction: བར་ཆད། གེགས།

obtain: ཐོབ་པ། བྱུང་བ།

obvious: ཡིན་ཡིན་པ།

occasion: དུས་སྐབས།

occasionally: སྐབས་རེར། སྐབས་འགར། མཚམས་མཚམས་ལ།

Occident: ནུབ་ཕྱོགས་རྒྱལ་ཁབ།

occult: གསང་སྔགས་ཀྱི།

occupant: སྡོད་མཁན།

occupation: འཚོ་ལས། བདག་བཟུང་།

occupy: བདག་གཟུང་བྱེད་པ།
occur: འབྱུང་བ། ཡོང་བ།
ocean: རྒྱ་མཚོ།
o'clock: ཆུ་ཚོད་དེ་ལ།
October: ཕྱི་ཟླ་བཅུ་པ།
octogenarian: ལོ་བརྒྱད་བཅུ་ལོན་པ།
octroi: ལམ་ཁྲལ།
oculist: མིག་ནད་བརྟག་དཔྱད་མཁས་པ།
odd: ཆ་མེད། ཡ། ཁྱད་མཚར།
odour: དྲི་མ།
of: གི
off: ཕར།
offence: ཉེས་སྐྱོན།
offend: སེམས་བསུན་བྱེད་པ།
offensive: འཐབ་རྩོལ།
offer: སྤྲོད་པ། ཕུལ་བ། འབུལ་བ།
office: ཡིག་ཚང་།
officer: ཡིག་ཚང་ལས་བྱེད།
offspring: ཕྲུ་གུ རྒྱུད་པ།
often: ཡང་ཡང་། ཡང་སེ།
ogre: སྲིན་པོ། བདུད།
oil: སྣུམ།
ointment: བྱུག་སྨན།
old: རྙིང་པ། རྒས་ཁོག རྒ་མོ།

omen: སྔ་ལྟས།
ominous: ལྟས་ངན།
omission: བསྐྱུབ་ཕྱིས།
omit: བསྐྱུབ་པ། གཡུག་པ། སྤང་བ།
on: སྟེང་ལ། ཐོག་ལ། སྒོར།
once: ཐེངས་གཅིག དུས་གཅིག་ན།
one: གཅིག
onion: བཙོང་།
only: མ་གཏོགས། གཅིག་པུ།
onomatopoeia: སྒྲ་ནས་བྱུང་བའི་མིང་ཚིག
onslaught: དྲག་གནོན།
onus: འགན།
onwards: ཕར།
onyx: གཟི། (རིན་པོ་ཆེ་)
ooze: འདོན་པ། (བཙིར་བ་ནང་བཞིན་)
opaque: ཕྱི་ནང་མ་གསལ་བ།
open: ཕྱེ་བ། ཕྱེ་ཡོད་པ།
opening: ཁ་ཕྱུང་། འགོ་འཛུགས།
openly: མ་སྦས་པར། སྦས་གསང་མེད་པར།
opera: ལྷ་མོ། ཟློས་གར།
operate: གཤག་བཅོས་བྱེད་པ། ལག་ལེན་བསྟར་བ།
operation: གཤག་བཅོས།
opinion: བསམ་འཆར།
opium: ངན་ཐག

opponent: དགྲ། ཕྱོགས་འགལ།

opportunity: གོ་སྐབས།

oppose: རྒྱབ་འགལ་བྱེད་པ།

opposite: ལྡོག་ཕྱོགས།

opposition: ཕྱོགས་འགལ།

oppress: བཙན་གནོན་བྱེད་པ།

oppression: བཙན་གནོན།

opt: འདེམས་པ།

optician: མིག་ཤེལ་སོ་ཏྲ་བཟོ་ཚོང་བྱེད་

optimist: རེ་བ་ཆེན་པོ། ⌊མཁན།

optimum: མང་ཤོས། མཐོ་ཤོས།

option: གདམ་ཀ

optional: གདམ་ཀ་ཡིན་པ།

or: ཡང་ན།

oracle: ལུང་བསྟན་པ།

oral: ངག་ཐོག

orange: ཚ་ལུམ་མའམ་དེའི་མཚོན་

orbit: རྒྱུ་ལམ། ⌊མདོག

orchard: ཤིང་ཏོག་ལྡུམ་ར།

orchestre: རོལ་དབྱངས་ཚོགས་པ།

ordain: སྡོམ་པ་གནང་བ།

ordeal: དཀའ་སྡུག

order: གོ་རིམ། བཀའ། (གནང་བ་)

orderly: གོ་རིམ་ལྟར།

ordinary: དཀྱུས་མ། ཕལ་པ།

ore: གཏེར་རྡོ།

organ: དབང་པོ། ཡན་ལག

organisation: ཚོགས་པ།

organize(ise): གོ་སྒྲིག་བྱེད་པ།

oriental: ཤར་ཕྱོགས་ཀྱི།

orifice: བུ་ག

origin: འབྱུང་ཁུངས།

original: རྩ་བ། ངོ་མ། མ་དཔེ།

originate: འབྱུང་བ།

ornament: རྒྱན་ཆ།

ornate: མཛེས་རྒྱན་བཏགས་པ།

orphan: དྭ་ཕྲུག

orthodox: རྒྱུན་སྲོལ་དམ་པོར་འཛིན་

ostentation: རྒྱལ་སྟོན། ⌊མཁན།

ostracize(ise): གྲལ་ནས་འབུད་པ།

other: གཞན་པ།

otherwise: དེ་མིན།

otter: སྲམ།

ought: དགོས་པ།

our: ང་ཚོའི།

ourself: ང་རང་ཚོ།

oust: ཕྱིར་འབུད་པ།

out: ཕྱི་ལོགས།

outcast: རིགས་ངན།

outcome: འབྲས་བུ།

outer: ཕྱི་མ། མཐའ།

output: ཐོན་སྐྱེད།

outrageous: རྫབ་ཅན་གྱི།

outright: མཐའ་གཅིག་ཏུ། ལམ་སང་།

outside: ཕྱི་ལོགས་སུ། ཕྱི་ངོས།

outsider: ཕྱི་མི།

outsopken: ཁ་བསལ་ང་ལོ།

outward: ཕྱི་ངོས།

ovation: དགའ་བསུ།

over: སྟེང་ལ། ཐོག་ལ། ཚར་བ།

overcast: སྤྲིན་པས་སྒྲིབ་པ།

overdose: སྨན་ཐུན་ཚད་ལས་ལྷག་པ།

overpower: དབང་གིས་གནོན་པ།

overtake: རྗེས་ཟིན་པ།

overtime: དུས་ཚོད་ལྷག་མ།

overturn: ཨ་ལོགས་ཟེབས་པ།

ovum: མ་ཡི་ཁུ་བ།

owe: བུ་ལོན་ཆ༢་པ། དཀྱེན་པ་སྤྲོད་རྒྱུ།

owl: འུག་པ།

owlet: འུག་ཕྲུག

own: བདག་པ།

ox: གླང་།

P

pace: གོམ་ཚད།

pacify: ཞི་བདེར་བཙུག་པ།

pack: བཏུམ། དོ་པོ། དོ་པོ་བཟོ་བ།

package: དོ་པོ། འབོག་དྲིལ། ⌈དེབ།

pad: འབོལ་གདན།(རྒྱབ་པ་)བྲིས་

paddle: གྲུའི་སྐྱ་བ། ཆུ་ནང་འགྲོ་བ།

paddy: འབྲས།

padlock: སྒོ་ལྕགས།(རྒྱབ་པ་)

pagan: ཀླ་ཀློ།

page: ཤོག་ལྷེ།

paginate: ཤོག་གྲངས་འཁོད་པ།

pagoda: མཆོད་རྟེན།

pain: ན་ཟུག

paint: ཚོན་གཏོང་བ། རྩི།

painter: རི་མོ་བྲིས་མཁན།

pair: ཆ།

pal: གྲོགས་པོ།

palace: རྒྱལ་ཁང་། ཕོ་བྲང་།

palanquin: ཕེབས་ཁྱམས།

palatable: བྲོ་བ་ཆེན་པོ།

palate: རྐན།

palatial: ཕོ་བྲང་ནང་བཞིན། རྒྱལ་ཁང

pale: སྐྱ་མདོག ⌊ནང་བཞིན།

palm: ལག་མཐིལ།

palmistry: ལག་རིས་བརྟག་ཐབས།

palpable: མཐོང་རྒྱུ་དང་འཚོར་རྒྱུ་ཡོད་པ།

palpitate: འཕར་འཕར་བྱེད་པ།

paltry: ཉུང་ཉུང་། ཆུང་ཆུང་། བེད་མེད

pan: ཚལ་སླང་།

pane: སྒོ་དང་གེའུ་ཁུང་གི་ཤེལ།

pang: ཟུག གཟེར།

panic: ཞེད་སྣང་དང་ཚིག་ཆེ་གེ

pant: ཐང་ཆད་པའི་དབུགས་འཐེན་པ།

pantomime: སྐད་སྒྲ་མེད་པའི་ཁྲབ་སྟོན།

pants: གོས་ཐུང་།

papa: ཨ་ཕ། ཕ། པ་ལགས།

paper: ཤོག་བུ། ཚགས་པར།

par: འདྲ་མཉམ།

parable: གཏམ་དཔེ།

parachute: གནམ་མཆོངས་གདུར།

parade: རུ་སྒྲིགས། (གཏོང་བ་)

paradise: ལྷ་ཡུལ། ཞིང་ཁམས།

paragraph: ཡིག་འཕྲེང་གསར་པ།

parallel: འདྲ་མཚུངས།

paralyse: རྩ་ནད། ནུས་མེད་པ་ཆགས་པ།

paramount: བླ་ན་མེད་པ། ཧ་ཅང་གི

parasite: གཞན་རྟེན་འབུ།

parasol: ཉི་གདུགས།

parcel: འཐོག་དྲིལ། དོ་པོ།

parch: རྗོད་པ། བསྐེག་པ།

pardon: དགོངས་ཡངས། (གནང་བ་)

parent: ཕ་མ།

parentage: ཕ་མའི་རིགས་རྒྱུད།

par excellence: འགྲན་ཟླ་མེད་པ།

parity: གཅིག་པ།

park: ལྡིང་ཁ།

parliament: དབུས་གྲོས་ཚོགས་ཁང་།

parole: གློད་བཀོལ།

parrot: ནེ་ཚོ།

parsimony: སེར་སྣ།

part: ཆ་ཤས། ཁག་དབྱེ་བ། སྤང་བ།

partial: ཆ་ཤས།

participate: གྲལ་དུ་བཞུགས་པ། མཉམ་བཞུགས་བྱེད་པ།

particular: ཁྱད་པར། དངོས་པོའི་ཞོ་

parting: ཁག་དབྱེ། གློད་ཐང་། ཁ་ཞུང་།

partition: དབྱེ་འབྱེད། ཁ་འཕྲལ།

partner: རོགས་པ།

partnership: མཉམ་རོགས།

party: ཚོགས་པ། འཐེན་ཁག སྒྲུང་སྐྱོ།

pass: ལམ། ལམ་ཡིག ཐོན་པ། སྐྱོལ་བ།

passable: འགྲོ་ས་ཡོད་པ།

passage: འགྲོ་ལམ།

passed: འདས་གྲོང་ཕྱིན་པ། ཤི་བ།

passing: བརྒལ་བསྐྱོད།

passion: འདོད་ཆགས།

passionate: འདོད་ཆགས་ཆེན་པོ།

passive: ཉེ་བ་ཀོ། འགྱུར་པོ་མེད་པ།

passport: ལག་འཁྱེར།

past: འདས་པ།

pastime: དལ་ལས།

pastor: ཆོས་བཤད་མཁན་པོ།

pasture: རྩྭ་ཁ།

pat: འཕྲུག་འཕྲུག་བྱེད་པ།

patch: ལྷན་པ། (རྒྱབ་པ་)

paternal: ཕ་རྒྱུད་ཀྱི།

path: ལམ།

patience: བཟོད་པ།

patient: བཟོད་སྲན་ཅན། ནད་པ།

patricide: ཕ་གསོད་པ།

patriot: རྒྱལ་གཅེས་ཆེན་པོ།

patron: རྒྱབ་རྟེན།

paucity: ཉུང་ཉུང་།

paunch: གྲོད་ལྤགས།

pauper: སྤྲང་པོ།

pause: མཚམས། (བཞག་པ་)

pavilion: བལྟ་མོ་ཁང་།

paw: སྡེར་མོ།

pay: གླ་ཕོགས། དངུལ་སྤྲོད་པ།

payment: ཕྱིར་སྤྲོད།

pea: སྲན་མ།

peace: ཞི་བ།

peaceful: ཞི་བདེ་ཅན།

peach: ཁམ་བུ་ཞིབ

peacock: རྨ་བྱ།

peahen: རྨ་བྱའི་ཕྲུ་གུ

peak: རྩེ། རི་རྩེ། མཐོ་ཁོས།

pear: སླི། (ལིང་ཏོག་)

pearl: མུ་ཏིག

peasant: ཞིང་པ། གྲོང་གསེབ་པ།

pebble: རྡོ། (ཆུ་འགྲམ་གྱི)

peck: མཆུ་ཏོ་རྒྱབ་པ།

peculiar: ཁྱད་པར་ཅན། ཡ་མཚན།

pecuniary: དངུལ་གྱི།

pedestrian: རྐང་ཐང་འགྲུལ་པ།

pedigree: རིགས་རྒྱུད།

pee: གཅིན་པ། (གཏོང་བ་) (ཕལ་སྐད

peel: པགས་པ་སོགས་བཤུ་བ།

peep: ཡིབ་ནས་བལྟ་བ།

peg: ཕུར་པ། (རྒྱབ་པ་)

pellmell: གང་བྱུང་མང་བྱུང་དུ།

pen: སྨྱུག་གུ

penalize(ise): ཉེས་ཆད་གཏོང་བ།

penalty: ཉེས་ཆད།

penance: དཀའ་ཐུབ།

pencil: ཞ་སྨྱུག

pending: ཐག་མ་ཆོད་པ།

penetrate: འབིགས་པ།

penis: ལྡག་པ། ཕོ་མཚན། མཇེ།

penitentiary: བཙོན་ཁང་།

penniless: དབུལ་ཕོངས།

pension: རྒས་ཕོགས།

pensive: སེམས་སྐྱོ་མདོག

peon: ཡིག་སྐྱེལ།

people: མི། མི་མང་།

pepper: གཡེར་མ།

perceive: ཚོར་བ།

percentage: བརྒྱ་ཆ།

perception: ཤེས་ཚོར།

peremptory: མཐའ་མའི།

perfect: སྐྱོན་མེད།

perfection: སྐྱོན་མེད་པ།

perforate: ཤི་ཁུང་འབིགས་པ།

perform: བྱེད་པ། སྒྲུབ་པ།

performance: སྒྲུབ་བྱ། འཁྲབ་སྟོན།

perfume: དྲི་ཆབ།

perhaps: གཅིག་བྱས་ན།

peril: ཉེན་ཁ།

period: དུས་ཚོད། སྐྱེ་དམན་གྱི་ཟླ་ཁྲག

periphery: མཐའ་བསྐོར།

perish: འཚི་བ།

perishable: འཚི་རྒྱུ་ཡོད་པ། ཡུན་རིང་གནས་མ་ཐུབ་མཁན།

permanent: གཏན་འཇགས།

permeate: ཁྱབ་པ། དགྲམ་པ།

permission: དགོངས་པ། བཀའ་འཁྲོལ།

permit: དགོངས་ལ་གནང་བ།

perpetual: གཏན་གནས། མ་ཆད་པ།

perplex: མགོ་འཐོམས་པ། དོན་ཐོར་བ།

persist: ཨུ་ཚུགས་རྒྱབ་པ།

person: མི། ལུས།

personal: སྒེར་གྱི།

personality: མཐོང་། གཤིས་རྒྱུད།

personally: སྒེར་ཕྱོགས་ནས། མི་ཐད་ཀར།

personify: མིའི་གཟུགས་སུ་བཀོད་པ།

perspiration: རྔུལ་ནག

perspire: རྔུལ་ནག་འདོན་པ།

persuade: ཨུ་ཚུགས་རྒྱབ་པ།

persuasion: ཨུ་ཚུགས།

pertain: འབྲེལ་བ།

pertinent: རན་པོ།

perturb: དཀྲུག་པ།

peruse: གཟབ་གཟབ་ཐོག་ཀློག་པ།

pervade: དགྲམ་སྤྲེལ་པ། ཁྱབ་པ།

pervert: ལམ་ལོག་ལ་འཁོར་བ།

pessimist: ངན་ཕྱོགས་རྐྱང་པར་བལྟ་མཁན། རེ་བ་ཆུང་ཆུང་།

pest: བསྣུན་པོ་བཟོ་མཁན།

pester: བསྣུན་པོ་བཟོ་བ།

pestle: གཏུན།

pet: གཅེས་དངོས།

petal: གདབ་མ།

petition: བདེ་སྡུག་སྙན་ཞུ། [སྐྱེལ་བ།
petrify: རྡོ་རུ་འགྱུར་བ། འཇིགས་དངངས
petty: རྩག་རྩིག ཆུང་ཆུང་།
phantasy: མཐོང་སྣང་། སེམས་པས་
[བཟོས་པ།
phantom: འཁྲུལ་སྣང་།
pharmaceutical: སྨན་གྱི།
pharmacy: སྨན་སྦྱོར་ཁང་།
phase: རིམ་པ།
pheasant: ཞིང་པ། གྲོང་གསེབ་པ།
philander: བུད་མེད་ལ་ཆགས་པ་སྐྱེས་པ།
philanthropist: གཞན་ཕན་པ།
philanthropy: གཞན་ཕན། གཞན་གཅེས།
philology: སྐད་ཡིག་གི་མཚན་རིག
philosophy: མཚན་ཉིད།
phlegm: བད་ཀན། ལུད་པ།
phone: ཁ་པར།
phonetic: སྒྲ་སྐད་ཀྱི།
photo: པར།
photograph: པར། པར་རྒྱབ་པ།
phrase: ཚིག་ཕྲད།
physical: གཟུགས་པོའི།
physician: ཨེམ་ཆེའི།
physiognomy: ལུས་ཀྱི་བརྟག་པ།
physique: གཟུགས་པོ།

pick: སྒྲུག་པ།
picket: ལྷུར་པ།
picnic: གླིང་ཁ། (གཏོང་བ་)
pictorial: པར་ཅན།
picture: པར།
picturesque: སྙིང་རྗེ་པོ།
piece: དུམ་བུ།
piecemeal: དུམ་བུར།
pierce: ཨི་ཁུང་འབིགས་པ།
piety: ཆོས་དད་ཀྱི།
pig: ཕག་པ།
pigment: ཚོན།
pigtail: སྐྲ་ལྷས་མ། ལྕང་ལོ།
pile: སྤུང་། སྤུང་བ།
pilfer: ཙ་ག་ཙེ་ག་རྐུ་བ།
pilgrim: གནས་བསྐོར་བ།
pilgrimage: གནས་བསྐོར།
pill: རིལ་བུ།
pillage: འཕྲོག་བཅོམ་བྱེད་པ།
pillar: ཀ་བ།
pillow: སྔས་མགོ།
pilot: གནམ་གྲུ་གཏོང་མཁན།
pimp: གཞང་ཁང་བདག་པོ།
pimple: ཐོར་པ།

pin: ཁབ་གཟེར།

pincers: སྐམ་པ།

pinch: སེན་འཐོག་རྒྱབ་པ།

pine: ཐང་ཤིང་།

pink: ཟིང་སྐྱ།

pious: ཆོས་དད་ཅན། ཆོས་སེམས་ཆེན་པོ།

pipe: སྦུ་གུ

pirate: མཚོ་འཇག

piss: གཅིན་པ། གཅིན་པ་གཏོང་བ།

pistol: ཐུང་མདའ།

pit: ས་དོང་།

pitch: འཛུགས་པ།

pitcher: ཛ་མ།

piteous: ཐབས་སྡུག་ཅན།

pitiful: ཐབས་སྡུག

place: ས་ཆ། གནས།

placid: ཞི་དུལ་ཅན། ། སྙོམ་པ།

plain: རྒྱ་ཐང་། དཀྱུས་མ། འཐོང་

plaintiff: ཁ་རྒྱུ་བཙུགས་མཁན།

plait: ལྕུས་མ། ལྕང་ལོ།

plan: འཆར་གཞི། (འགོད་པ་)

plane: འཕུར་ལེན། གནམ་གྲུ

planet: གཟའ་སྐར།

plank: པང་ལེབ།

plant: རྩི་ཤིང་། (འཛུགས་པ་)

plantation: འཛུགས་ལས།

plaster: སྦྱར་སྨན། སྦྱར་ཤོག

plastic: འཇིབ་ཤོག

plate: སྡེར་མ།

platform: སྟེགས་ཆ།

platoon: དམག་སྡེ།

plausible: ཡིན་མདོག་ཁ་པོ།

play: རྩེད་མོ་རྩེ་བ།

playful: རྩེད་མོར་དགའ་པོ། ཀུ་རེ་ཅན།

plead: ཞུ་བ་ཕུལ་བ།

plesant: ཡིད་འོང་། ། སོ་བྱུང་བ།

please: ཐུགས་རྗེ་གཟིགས། དགའ

pleasure: དགའ་སྤྲོ།

pleat: ལྟེབ་རྩེག

pledge: གཏའ་མ། (འཛོག་) ཁས་ལེན།

plentiful: འབེལ་པོ།

plenty: འབེལ་པོ།

pliers: སྐམ་པ།

plight: གནས་སྟངས།

plod: རྐང་པ་ལྕིད་པོར་སྤོ་བ།

plot: ས་ཆ། འཆར་གཞི། (བཟོ་བ་)

plough: ཐོང་གཤོལ།

pluck: བཏོག་པ། སྒྲུག་པ།

plum: རྒུན་འབྲུམ།

plumage: བྱ་སྒྲོ།

plumber: ཆུ་ཀ་ལ་སོ་ཏྲི་བཟོ་མཁན།

plump: རྒྱགས་རིལ།

plunder: འཕྲོག་བཅོམ་བྱེད་པ།

plunge: མཆོང་བ།

plural: མང་ཚིག

plus: བསྡོམས། ཁ་སྣོན།

plush: རྒྱལ་སྤྲོས་ཅན།

ply: ཕར་ཚུར་སྐྱེལ་འདྲེན་བྱེད་པ།

pocket: ཧམ་ཕག

poem: ཚིགས་བཅད།

point: རྩེ། མཛུབ་བརྩུ་ཏ་པ། རྩེ། དོན་ཚན།

point-blank: ཧ་ཅང་གི་ཉེ་པོ། ཁ་གསལ་པོར།

pointed: རྣོ་ཅན།

pointless: དོན་མེད། ཚོ་མེད།

poison: དུག (སྦྲིད་པ་)

poke: རྩེ་བཙུགས་པ།

pole: འཛམ་གླིང་གི་ལྷོ་བྱང་།

police: སྐོར་བྱ་བ། སྐོར་སྲུག་པ།

policy: སྲིད་ཇུས།

polish: འཕྲིས་རྒྱབ་པ། རྩེ་གཏོང་བ།

polite: ཡ་རབ།

politely: ཡ་རབ་བྱས་ཏེ། ཞེ་ས་ལྡན་པར།

political: སྲིད་དོན་གྱི།

politician: སྲིད་དོན་མཁས་པ།

poll: འོས་ཤོག་བླུག་པ།

pollute: བཙོག་པ་བཟོ་བ།

polyandry: ཁྱོ་ག་མང་པོ་ལེན་སྲོལ།

polygamy: བཟའ་ཟླ་མང་པོ་ལེན་སྲོལ།

pomp: རྗིད་པོ། རྒྱལ་སྤྲོ།

pompous: རྒྱལ་སྤྲོས་ཅན།

pond: ཆུ་མིག རྫིང་བུ།

ponder: བསམ་བློ་གཏོང་བ།

pontiff: བླ་ཆེན།

pony: རྟེ་ཐུ།

pool: ཆུ་འཁྱིལ།

poor: སྐྱོ་པོ།

poplin: རས་ཆ་ཞིམ

populace: མི་དམངས།

popular: སྐད་གྲགས་ཅན།

popularize(ise): སྐད་གྲགས་ཆེན་པོ་བཟོ་བ།

populate: མིས་དགང་བ།

population: མི་འབོར།

porcupine: བྱི་ཐུར། (སེམས་ཅན་)

pork: ཕག་ཤ

porous: ཨི་ཁུང་ཅན།

porridge: ཐུག་པ།

port: གྲུ་གཟིངས་ཀྱི་བབས་ཚུགས།

portable: སྒྲོ་བ་ཁྱུས་ཆེད་རུང་བ།

portent: ལྟས།

porter: ཁུར་པོ་བ། དོ་པོ་ཁུར་མཁན།

portfolio: ལས་འགན།

portion: དུམ་བུ། ཆ་ཤས།

portrait: འདྲ་རིས།

portray: མཚོན་པ།

pose: སྤྱོད་སྟངས།

position: གནས་སྟངས། གོ་གནས།

positive: ངེས་གཏན།

possess: དབང་བ། བདག་པ།

possession: བདག་གཟུང་།

possessive: གཅེས་འཛིན་ཆེན་པོ།

possibility: སྲིད་རྒྱུ།

possible: སྲིད་པ།

possibly: གཅིག་བྱས་ན། [གཏོང་ན།

post: རྗེས་ཀྱི། གོ་གནས། ཡ་གེ

postage: ཡི་གེ་གཏོང་གླ།

poster: སྦྱར་ཡིག

posterior: རྗེས་ཀྱི། རྒྱབ་ཀྱི། རྐུབ།

posterity: བུ་རྒྱུད།

posthomous: ཤི་བའི་རྗེས་སུ།

postmaster: ཡིག་ཁང་འགོ་འཛིན།

postpone: ཕར་འགྱངས་བྱེད་པ།

posture: སྤྱོད་སྟངས།

pot: རྫ་མ། བུམ་པ།

potato: ཞོ་ཁོག

potent: ནུས་ཤུགས་ཅན།

potential: ནུས་པ།

pouch: ཁུམ་ཕག

poultry: བྱ་ཏེ་སོགས།

poultry-farm: བྱ་གསོ་ཁང་།

pounce: མཆོང་བ།

pound: རྡོག་པ། འཛལ་ཚད་ཞིག

Pound: དབྱིན་ཡུལ་གྱི་སྒོར་མོ།

pour: བླུག་པ།

poverty: དབུལ་ཕོངས།

powder: རྫུམ་པ་ནང་བཞིན། ཞིབ་ཞིབ།

power: དབང་ཆ། ནུས་པ།

powerful: ནུས་ཤུགས་ཆེན་པོ།

powerless: ནུས་པ་མེད་པ།

practicable: རུང་བ། ཐུབ་པ།

practical: དངོས་ཡོད། ལག་ལེན་གྱི།

practically: དངོས་སུ།

practice: སྦྱོང་བརྡར། ཉམས་ལེན།

practise: སྦྱོང་བརྡར་བྱེད་པ།

practitioner: ཉམས་ལེན་བྱེད་མཁན།
prairie: རྩ་ཐང་རྒྱ་ཆེན་པོ།
praise: བསྟོད་ར། བསྟོད་ར་གཏོང་བ།
praiseworthy: བསྟོད་འོས་པ།
prance: བང་འགྲོས་རྒྱབ་པ།
prank: འཕྲག་ཚིགས། རྩེད་མོ། ཁྲ།
prattle: སྐད་ཆ་དོན་མེད་མང་པོ་གཏོང་
pray: སྨོན་ལམ་རྒྱབ་པ།
prayer: སྨོན་ལམ། གསོལ་འདེབས།
preach: ཁྲབ་སྤེལ་བྱེད་པ།
precarious: ཉེན་ཁ་ཅན།
precaution: དོགས་ཟོན། སྔོན་འགོག
precede: སྔོན་དུ་འགྲོ་བ།
precedent: སྔོན་གྱི་དཔེ།
precentor: དབུ་མཛད།
precept: བཅའ་ཁྲིམས།
precinct: ས་མཚམས། ས་ཁུངས།
precipice: གཡང་ས།
precipitous: གཡང་གཟར་པོ།
precise: ཏག་ཏག སྒྲིན་པོ། ནན་པོ།
precision: ངེས་གཏན།
preconceive: སྔོན་ནས་དམིགས་པ།
predator: གནོད་སྐྱོན་བྱེད་མཁན་སེམས་ཅན།
predecessor: སྔོན་འབྱོན་པ།
predicament: རྐྱེན་ངན།
predominate: དབང་སྒྱུར་བ།
preeminent: ཁྱད་དུ་འཕགས་པ།
preface: སྔོན་བརྗོད།
prefect: རྫོང་བདག
prefer: གདམ་ཀ་རྒྱབ་པ།
preference: དགའ་མོས།
pregnable: འདུལ་སླ་པོ།
pregnant: སྦྲུམ་མ།
prehistoric: རྒྱལ་རབས་སུ་མ་བཀོད་གོང་གི
prejudice: སྙིང་ནད།
preliminary: སྔོན་འགྲོ
premature: མ་སྨིན་པ།
premeditate: བསམ་བློ་སྔོན་ནས་གཏོང་ཁ།
premium: (ཡོང་བབས་)འཕར་མ། གསོལ་རས།
preoccupy: སེམས་པ་འཛེམས་པ།
preparation: གྲ་སྒྲིག
prepare: གྲ་སྒྲིག་བྱེད་པ།
preposterous: ཚོ་མེད། མ་གྲིད་པ།
presage: སྔ་ལྟས།
presence: དྲུང་དུ་ཡོད་པའི་ཚུལ།
present: ད་ལྟ། ལག་རྟགས། འབུལ་བ།
present tense: དུས་ད་ལྟ་བ།
presently: ད་ལྟ་ར།

preservation: ཉར་ཚགས།

preserve: ཉར་ཚགས་བྱེད་པ།

preside: དབུ་བཞུགས་བྱེད་པ།

president: སྲིད་འཛིན། གཙོ་འཛིན།

press: གསར་འགོད་ཁང་། བཙེར་བ།

pressure: གནོན་ཤུགས། [དཔག་ཤ།

presume: ཡིན་ཚུལ་བྱེད་པ། བློ་ཚོད་

presumption: ཚུལ་བྱེད། དཔག་ཚོད།

pretence: ཚུལ་སྟོན། ཀྱེད།

pretend: ཚུལ་སྟོན། ཀྱེད་ག་ཐོད་པ།

pretext: ཁ་གཡོགས།

pretty: སྙིང་རྗེ་པོ། མཛེས་པོ།

prevail: དར་བ། ཁྱབ་པ།

prevent: སྔོན་འགོག་བྱེད་པ།

prevention: བཀག་སྡོམ། [སྲུ།

preventive: སྔོན་འགོག་གི བཀག་སྡོམ་

preview: ཐོག་མའི་དཔྱད་ཞིབ།

previous: སྔོན་གྱི།

prey: གནོད་འཚེ་བྱེད་པ།

price: གོང་ཚད།

priceless: རིན་ཐང་བྲལ་བ།

prick: གཙག་པ།

pride: སྤོབས་པ།

priest: བླ་མ། ཆོས་པ།

prima facie: ཐོག་མར།

primary: སློབ་འགྲོ རྩ་བ།

prime: ཐོག་མའི།

primitive: གནའ་རབས་ཀྱི།

primordial: ཐོག་མའི།

prince: རྒྱལ་སྲས།

princess: རྒྱལ་པོའི་སྲས་མོ།

principal: སློབ་གྲྭའི་དབུ་འཛིན། གཙོ་བོ།

principally: གཙོ་ཆེར།

principality: རྒྱལ་སྲས་ཀྱིས་སྐྱོང་བའི་ཡུལ།

principle: གཞི། སྲོལ།

print: པར་རྒྱབ་པ།

printing: པར་སྐྲུན།

prior: སྔོན་མར།

prison: བཙོན་ཁང་།

prisoner: བཙོན་པ།

privacy: གསང་བ།

private: སྒེར་གྱི། གསང་བའི།

privilege: ཐོབ་ཐང་།

prize: རྔན་པ། གསོལ་རས།

probable: སྲིད་རུང་བ།

probation: ཚོད་ལྟའི་གནས་སྐབས།

probe: དཔྱད་ཞིབ་བྱེད་པ།

problem: དཀའ་ངལ། རྙོག་ཁྲ།

proboscis: གླང་ཆེན་གྱི་སྣ།

procedure: འགྲོ་ལུགས།

proceed: འགྲོ་བ། བསྐྱོད་པ།

proceeding: བྱ་སྤྱོད།

proceedings: ལས་རིམ། ཁྲིམས་དཔྱད།

proceeds: ཡོང་འབབ།

process: བྱེད་སྟངས། ལག་ལེན།

procession: རུ་སྒྲིག

proclaim: གསལ་བསྒྲགས་བྱེད་པ།

procrastination: ཕར་འགྱངས་བྱེད་པ།

procure: སྒྲུ་རུབ་བྱེད་པ།

prodigal: ཆུད་ཟོས།

produce: འབྲས་བུ་སྟོན་པ། སྐྲུན་པ།

product: ཐོན་འབྲས།

production: ཐོན་སྐྱེད།

profession: འཚོ་ཐབས།

professionally: མཁས་པོར།

proficient: མཁས་པ།

profit: ཁེ་བཟང་།

profitable: ཁེ་ཕན་ཅན།

profound: གཏིང་ཟབ།

prognosticate: ལུང་བསྟན་པ།

programme (am): ལས་འཆར།

progress: ཡར་རྒྱས། ཡར་རྒྱས་འགྲོ་བ།

progression: ཡར་རྒྱས།

progressive: ཡར་ཐོན་ཅན།

prohibit: བཀག་འགོག་བྱེད་པ།

project: འཆར་གཞི། དམིགས་ལས་པ།

projection: ཕྱིར་ཐོན། འཕུར་ཐོན།

proletariate: འབྱོར་མེད་གྲལ་རིམ།

prologue: འགོ་བརྗོད།

prolong: ཡུན་རིང་དུ་གཏོང་བ། ཕར

prolongation: ཕར་འགྱངས།|འགྱངས་པ།

promise: དམ་བཅའ། (གཞག་པ་)

promote: གོ་གནས་སྤར་བ། སྤར་བ།

promotion: གནས་སྤར། [བྱེད་པ།

prompt: མགྱོགས་པོ། བསྐུལ་གཏུག

promulgate: ཡོངས་བསྒྲགས་བཟོ་བ།

pronoun: མིང་ཚབ།

pronounce: ཐག་ཆོད་གསལ་བསྒྲགས་བྱེད་པ།

pronunciation: སྒྲ་གདངས།

proof: རྒྱུ་མཚན། ཁུངས་སྐྱེལ།

prop: སྐྱོར་ཏེ་སླང་བ།

propaganda: ཁྱབ་བསྒྲགས།

propagate: ཁྱབ་བསྒྲགས་བྱེད་པ།

propel: འཕྱིར་འདེད་བྱེད་པ།

proper: རན་པོ། ངོ་མ།

properly: ཡག་པོ་བྱས་ཏེ།

property: རྒྱུ་ནོར།
prophecy: ལུང་།
prophesy: ལུང་སྟོན་པ།
prophet: ལུང་བསྟན་པ།
prophectic: ལུང་བསྟན་གྱི།
propitiate: བསྐང་གསོ་གཏོང་བ།
propitious: བཀྲིས་པ། བཟང་པོ།
proportion: ཚད། ཆ་ཁགས།
proposal: འཆར་གཞི།
propose: འཆར་གཞི་བཀོད་པ།
proprietor: བདག་པོ།
prosecute: ཉེས་འཛུགས་བྱེད་པ།
prosecution: ཉེས་འཛུགས།
prospect: རེ་བ།
prospective: རེ་ཐབས་ཡོད་པ།
rosper: དར་བ། རྒྱས་པ།
rosperity: ལམ་ལྡིང་།
rosperous: ལམ་ལྡིང་ཅན།
rostitute: གཞང་ཚོང་མ། འཆལ་མོ།
rostitution: སྨད་འཚོང་པའི་ལས་ཀ
rostrate: ཕྱག་འཚལ་བ།
rotect: སྲུང་སྐྱོང་བྱེད་པ།
rotection: སྲུང་སྐྱོབ།
rotein: ཟས་བཅུད།

protest: ངོ་རྒོལ་བྱེད་པ།
prototype: མ་དཔེ། མ།
proud: སྤོབས་པ་ཆེན་པོ། རང་མཐོང་ཅན།
prove: ར་སྤྲོད་བྱེད་པ།
proverb: ཁ་དཔེ།
provide: སྤྲོད་པ། ཡོད་པར་བྱེད་པ།
provident: ཕྱུགས་བསམ་ཅན།
province: ཞིང་ཆེན། ཆོལ་ཁ།
provincial: ཆོལ་ཁའི།
provisions: བཟའ་ཆས།
provocation: ཁོང་ཁྲོ།
provocative: ཁོང་ཁྲོ་སློང་ཚིག
provoke: ཁོང་ཁྲོ་སློང་བ།
proximity: ཉེ་བར།
prudent: སྐྱུང་གྲུང་ཅན།
prune: རྩེ་གཏུབ་པ།
psalm: བསྟོད་པའི་གཞས།
pseudo: བརྫུས་མ།
pseudonym: མིང་ཚབ། མིང་བརྫུས་མ།
psychiatrist: སེམས་ནད་བཅོས་མཁན།
psycho: སེམས་ཀྱི་དོན་སྟོན་པའི་སྨྱོན་འདུག
psychological: སེམས་ཀྱི།
psychology: སེམས་ཀྱི་རིག་པ།
puberty: ལང་ཚོ་དར་བ།

public: མི་དམངས།
publication: པར་འགྲེམས།
publicity: ཁྱབ་བསྒྲགས།
publish: པར་འགྲེམས་བྱེད་པ།
publisher: པར་འགྲེམས་པ།
puddle: འཁྱིལ་ཆུ་རྙོག་པོ།
puff: ཕུ་རྒྱབ།
pug: རི་དྭགས་ཀྱི་རྐང་རྗེས།
pugnacious: རྒྱག་རྡེ་ཆེ་པོ།
puja: ཞབས་བརྟན། ཞལ་འདོན།
puke: སྐྱུག་པ།
pull: འཐེན་པ། འདྲེན་པ།
pulp: ཞིབ་ཞིབ།
pulpit: ཁྲི།
pulsate: འཕར་བ།
pulse: ལག་རྩ། དྲ་ལི།
pump: ཕུ་རྒྱབ་པ། ཕུ་ཡིས་འདྲེན་པ།
pun: ཚིག་རྩེད།
punch: ཁུ་ཁྱུང་འཐེབས་པ། གཞུ་བ།
punctual: དུས་ཚོད་ཏག་ཏག་ལ།
punctuate: མཚམས་གཅོད་པ།
punctuation: ཚིག་མཚམས།
puncture: རྡོལ་བ། (རྡེའི་སྐད་
pundit: རིག་གཞུང་ལ་མཁས་པ། (ཧིན་

punish: ཉེས་པ་གཏོང་བ།
pupil: སློབ་ཕྲུག དགེ་ཕྲུག
puppet: ཨ་ལ་པེ་ཀོག་གི་མི།
puppy: ཁྱི་ཕྲུག
purchase: ཉོ་བ།
pure: གཙང་མ། ལྷད་མེད་པ།
purge: སྡིག་སྒྲིབ་ལས་གཙང་མ་བཟོ་བ།
purification: གཙང་འཁྲུས།
purify: གཙང་མ་བཟོ་བ།
purple: སྨུག་དམར།
purpose: དོན་དག དམིགས་ཡུལ།
purr: ཞི་མིའི་སྐད།
purse: དངུལ་ཁུག སྒྲ་ཁུག
pursue: རྗེས་འདེད་བྱེད་པ།
pursuit: རྗེས་འདེད།
pus: རྣག ཆུ་སེར།
push: བུད་རྒྱག་གཏོང་བ།
pussy: ཞིམ་ཕྲུག
put: བཞག་པ། འཇོག་པ།
putrid: རུལ་པ།
puzzle: མགོ་འཁོར་བྱེད།
puzzling: མགོ་འཁོར་པོ།
pygmy: མི་རིགས་ཐུང་ཐུང་ཞིག
pyramid: མཆོད་རྟེན་དབྱིབས་ཀྱི་རྡོ་རྩེ་

pyre: རོ་སྲེག་ཆེད་འཕིང་གི་རྩིག་པ།

python: སྦྲུལ་རིགས་ཆེན་པོ་ཞིག།

Q

quack: ངན་པའི་སྨན། སྨན་ཆོར། (རྒྱབ་ལ་) བརྫུས་མ།

quadrangle: ཟུར་བཞི་ཅན།

quadruped: རྐང་བཞི་པ། (དུད་འགྲོ་)

quadruple: བཞི་ལྡབ།

quadruplet: ཕྲུ་གུ་བཞི་མཉམ་སྐྱེས།

quadruplicate: བཞི་ལྡབ་ཏུ་སྒྱུར་བ།

quaint: ཁྱད་མཚར་པོ།

quake: འགུལ་བ། གཡོ་བ།

qualification: ཤེས་ཡོན།

qualify: ཁུངས་སུ་འཚུད་པ། ཚད་ལྡན་བཟོས།

quality: སྤུས་ཀ། ཆོས་ཉིད།

quantity: མང་ཉུང་། འབོར།

quantum: གྲངས་ཚད།

quarrel: འཁྲུག་རྩོད་རྒྱབ་པ།

quarry: རྡོ་ཁུང་།

quarter: བཞི་ཆ་གཅིག

quarterly: ཟླ་བ་གསུམ་རེར།

quaver: འདར་བ།

quay: གྲུ་གཟིངས་བབས་ཚུགས།

queen: བཙུན་མོ། རྒྱལ་མོ།

queenly: རྒྱལ་མོ་ལྟ་བུ།

queer: ཁྱད་མཚར། ཡ་མཚན་པོ།

quell: གནོན་པ། འདུལ་བ།

quench: ངོམས་པར་བྱེད་པ།

query: འདྲི་རྩད།

question: འདྲི་བ།

questionaire: འདྲི་ཤོག

queue: གྲལ། བང་སྒྲིག་པ།

quibble: ཚིག་རྩེད་བྱེད་པ།

quick: མགྱོགས་པོ། མྱུར་པོ།

quicken: མགྱོགས་སུ་གཏོང་བ།

quickly: མགྱོགས་པོར།

quiet: ཁ་ཁུ་སིམ་པོ།

quill: སྒྲོ་སྨྱིག

quilt: ཕོག་ཁེབས། ཉལ་ཟན།

quintal: ཀི་ལོ་ ༡༠༠ ཚད་ཞིག

quintessence: མཁོ་གནད་ཆེ་ཤོས།

quit: སྤྲོང་བ། གཡུག་བཞག་པ།

quite: འགྲིགས་ཙམ། ཟད་དེ།

quiver: འདར་བ། མདའ་ཁུབ།

quorum: ཚོགས་འདུར་མི་འབོར་དགོས་ཚད།

quota: ཐོབ་ཆ།

quotation: གོང་ཚད། བརྗོད་ཚིག

quote: བརྗོད་པ། ལུང་དྲངས་པ།

quoth: བརྗོད་པ། (བར་རྙིང་)

R

rabbit: རི་བོང་།

rabble: མི་ཚོགས་ཟ་ ངེ་ཟིང་ངེ་།

rabid: སྨྱོ་ཚུབ།

rabies: ཁྱི་སྨྱོན་གྱིས་སོ་རྒྱབ་པའི་སྨྱོ་ནད།

race: རིགས་བརྒྱུད། མི་རི། རྒྱུག་རྩལ།

racial: རིགས་ཀྱི།

rack: སྒྲོམ།

radiant: འོད་ཅན།

radiate: འོད་འཕྲོ་བ།

radical: གཞི་རྩའི།

radio: རླུང་འཕྲིན།

radish: གུང་ལ་ཕུག

raffle: རྒྱན་ཤོག

rag: རས་ལྷན་ཛར་ཛོར། གོས་རྡུལ།

rage: ཁོང་ཁྲོ། (ལང་བ་)

ragged: ཛར་ཛོར་ཅན།

raid: བཙོམ་པ། འཕྲོག་བཅོམ་བྱེད་པ།

rail: ར་བ། མེ་འཁོར།

railway: མེ་འཁོར་ལྕགས་ལམ།

rain: པ། ཆར་པ་རྒྱབ་པ།

rainbow: འཇའ།

raincoat: ཆར་གོས། ཆར་ཁེབས།

raindrop: ཆར་འབྲུ།

rainfall: ཆར་པ།

rainy: ཆར་པ་ཅན།

raise: སྤར་བ། ཡར་འདེགས་པ།

raja: རྒྱལ་པོ། (ཧིན་རྡིའི་སྐད་)

rake: རྒྱ་གཞིབ།

rally: མི་ཚོགས། (འཛོམས་པ་)

ram: ལུག་ཕོ། ལུག་ནང་བཞིན་རྡུང་ཀ

rampage: གང་བྱུང་དུ་འགྲོ་བ། ↓ རྒྱུག་པ།

rampart: ལྕགས་རི། སྲུང་པ་རྩེབ་པོ།

ranch: ར་བ། ས་ཁྱོན་ཆེའི་གསོ་སྐྱོང་ཁང་།

random: གང་བྱུང་དུ།

rang: དྲིལ་བུ་... བཀྲོལ་ཟིན་པ།

range: རྒྱ་ཁྱོན། རི་རྒྱུད།

rank: གོ་གནས། གྲལ།

ransack: དཀྲུགས་པ་ཞིབས་བྱེད་པ།

ransom: གཏའ་མའི་རིན་གོང་།

rant: སྐད་ཆ་ཚོ་མེད་གཤོད་པ།

rap: ཐག་ཐག་གཏོང་བ།

rape: བཙན་འཁྲིག (བྱེད་པ་)

rapport: འབྲེལ་བ།

rapture: ཤ་ཚང་གི་དགའ་ཚོར།

rare: དཀོན་པོ།

rascal: མ་རབ་ཅན།

rash: ཐོར་བ་རྒྱུང་རྒྱུང་། གཟབ་མེད་པ

rat: ཙི་ཙི། བྱི་བ།

rate: གོང་ཚད། རིན་གོང་། ཚད།

rather: དེ་ལས། ལས།

ratify: ཏན་ཏིག་བཟོ་བ།

rating: གོང་ཚད། ཨང་རིམ།

ratio: མཚུངས་བྱ།

ration: ཐོབ་ལས་ཚད།

rational: ཡག་ཉེས་ཧ་གོ་ཤེས་པ།

rattle: དཀྲོག་དཀྲོག་གི་སྒྲ།

raucous: སྐད་སྒྲ་རྩུབ་པོ།

ravage: གཏོར་བཤིག(གཏོང་བ་)

ravel: རྙོག་རྫིང་།

raven: ཕོ་རོག

ravenous: ལྟོག་ཛ་མཙན།

ravine: གྲོག་རོང་།

raw: རྗེན་པ།

ray: འོད་ཟེར།

raze: བཤིག་པ། མེད་པ་བཟོ་བ།

rajor: སྐྲ་གྲི

reach: འབྱོར་བ། སྨོབ་པ། སླེབ་པ།

reaction: ཕྱིར་ལན། ལྡོག་ལན།

reactionary: ལོག་སྤྱོད་པ། ངོ་ལོག་པ།

read: ཀློག་པ།

readable: ཀློག་རུང་བ།

readily: གྲ་སྒྲིག་ཏུ། ཐོགས་པ་མེད་པར།

readiness: གྲ་སྒྲིག་གི་ཚུལ།

reading: ཀློག་པ། ཀློག་བཞིན་པ།

readjust: བསྐྱར་སྒྲིག་བྱེད་པ།

ready: གྲ་སྒྲིག

real: ངོ་མ། དངོས་གནས།

reality: དངོས་ཡོད།

realize: རྟོགས་པ། དངོས་སུ་སྒྲུབ་པ།

really: ངོ་མ་རང་། དངོས་གནས་རང་།

realm: ཡུལ་ཁམས།

reap: འབྲས་བུ་ལེན་པ། བཙས་མ་རྔ་བ།

rear: རྒྱབ་ངོས། གསོ་སྐྱོང་བྱེད་པ།

reason: དོན། རྒྱུ་མཚན། (གཤོད་པ་)

reasonable: འོས་པོ། རན་པོ།

rebate: གཅོག་ཆ།

rebel: ངོ་ལོག་པ།
rebellion: ངོ་ལོག
rebellious: ངོ་ལོག་ཅན།
rebound: ཕྱིར་འཕར་བ།
rebuilt: བསྐྱར་དུ་རྩིག་པ།
rebuke: གཤེ་གཤེ་གཏོང་བ།
recall: དྲན་གསོ་བྱེད་པ། ཕྱིར་འབོད་པ།
recede: ཕར་འཐུམ་པ།
receipt: བྱུང་འཛིན།
recent: ཉེ་ཆར།
reception: སྣེ་ལེན།
recess: བར་སེང་།
recharge: བསྐྱར་དུ་ཁུཿ་གཞོན་བྱེད་པ།
rechauffe: ཚ་དྲོད་བྱས་པའི་ཟས།
recherche: གཟབ་གཟབ་བྱས་ཏེ་སྦྱང་བ།
recipe: སྨན་ཡིག སྔོ་ག་གང་ཡོད་ཀྱི་ཐོ།
recipient: ཐོབ་མཁན། རག་ས།
reciprocal: མཚུངས་པའི་ལན།
reciprocate: ལན་འཇལ་བ།
recite: སྐྱོར་བ། (ངག་ནས་)
recitation: ངག་འདོན། ངག་སྐྱོར།
reckless: གཟབ་གཟབ་མེད་པ། སྣང་མེད།
recluse: གཅིག་པུ་སྡོད་མཁན། རི་ཁྲོད་པ།
recognize: ངོ་ཤེས་པ། ངོས་ལེན་བྱེད་པ།

recollect: དྲན་གསོ་བྱེད་པ། དྲན་པ།
recollection: དྲན་གསོ།
recommend: རྒྱབ་སྐྱོར་བྱེད་པ།
recommendation: ངོ་སྦྱོར་ཡི་གེ ལམ་སྟོན།
reconcilation: མཐུན་སྒྲིག
reconcile: ཕན་ཚུན་འགྲིག་པ།
record: ཡིག་ཆ། ཐོ་རུ་བཀོད་པ།
recount: ཞིབ་རྒྱས་སུ་གཏོད་པ།
recourse: ཐབས་ཤེས་ཀྱི་ལམ།
recover: སོས་པ། ཕྱིར་ལེན་པ།
recovery: དྲག་སྐྱིད།
recreation: ག་ཡངས་ཀྱི་ལས་ཀ་རྩམ་རྩེད་མོ།
recruit: འདུ་སྐོང་བྱེད་པ།
recruitment: འདུ་སྐོང་།
rectal: རྐུབ་ཀྱི།
rectangular: གྲུ་བཞི་ནར་ནར།
rectangular: གྲུ་བཞི་ནར་ནར་ཅན།
rectification: བཅོས་འགྱུར།
rectify: སྐྱོན་བཅོས་བྱེད་པ།
rector: འགོ་འཛིན།
rectum: རྐུབ།
recuperate: དྲག་སྐྱིད་ཕྱིན་པ།
recuperation: དྲག་སྐྱིད།
recuperative: དྲག་སྐྱིད་ཀྱི།

red: དམར་པོ།

redeem: སྐྱོབ་པ། དཀྲོལ་བ།

redirect: ཁ་ཕྱོགས་སྒྱུར་བ།

redress: བཅོས་བྱེད་པ།

reduce: ཉུང་དུའམ་ཆུང་དུ་གཏོང་བ།

reduction: གཅོག་ཆ།

reek: དྲི་ངན།

reel: གྲིལ་འཁོར།

reenter: བསྐྱར་དུ་འཛུལ་བ།

reentry: བསྐྱར་འཛུལ།

reestablish: བསྐྱར་དུ་འཛུགས་སྐྲུན་བྱེད་པ།

refer: འབྲེལ་བསྟན་བྱེད་པ།

referee: དཔང་པོ།

reference: འབྲེལ་བསྟན་བྱེད་ས།

refill: བསྐྱར་དུ་དགང་བ།

refine: དྭངས་མ། ཁམས་གཙང་།

reflect: ཕྱིར་ལྡོག་པ། བསམ་བློ་སྣོར་བ།

reflection: གཟུགས་བརྙན།

reflex: གཟུགས་བརྙན། ལུས་ཀྱི་རྩེ་བའི་རང་བཞིན།

reform: སྒྱུར་བཅོས་བྱེད་པ།

reformation: སྒྱུར་བཅོས། ལེགས་བཅོས།

refrain: འཛེམ་པ།

refresh: བསྐྱར་དུ་སློང་བ། ངལ་གསོ་བ།

refreshment: ངལ་གསོ།

refrigerate: འཁྱག་སྒམ་ནང་བླུག་པ།

refrigerator: འཁྱག་སྒམ།

refuge: སྐྱབས་གནས།

refugee: སྐྱབས་བཅོལ་བ།

refund: ཕྱིར་སློག་པ།

refusal: དགག་པ།

refute: ནོར་འཁྲུལ་སྟོན་པ།

regain: ཕྱིར་ཐོབ་པ།

regal: རྒྱལ་པོའི།

regard: བརྩི་མཐོང་། སྣང་བ།

regency: རྒྱལ་ཚབ་ཀྱི་དབང་ཆ།

regenerate: གསར་སྐྱེད་བྱེད་པ།

regent: རྒྱལ་ཚབ། སྲིད་གསོ་བྱེད་པ།

regicide: རྒྱལ་པོ་བཀྲོང་བ།

regime: སྲིད་སྐྱོང་།

register: དེབ་སྐྱེལ་བྱེད་པ། ཐོ་དེབ།

registration: དེབ་སྐྱེལ།

reject: ངོས་ལེན་མ་བྱེད་པ། མིན་ལབ་པ།

rejoice: དགའ་བ།

rejoicement: དགའ་སྟོན།

rejoinder: ལན་འདེབས།

rejuvenate: གཞོན་དུ་ཕྱིན་པ།

rejuvenation: གཞོན་དུ་བསྒྱུར་ཕྱིན།

relapse: ནད་ལོག་རྒྱབ་པ།

relate: གཏོད་པ།

relation: འབྲེལ་བ།

relative: སྤུན།

relax: ངལ་གསོ་བ།

relaxation: ངལ་གསོ།

relay: འབྲེལ་མཐུད།

release: གློད་པ། གློད་བཀྲོལ།

relent: ཚབས་ཆུང་དུ་གཏོང་བ།

relevant: འབྲེལ་བ་ཡོད་པ། བེད་སྤྱོད་ཡོད་པ།

reliable: བློས་བཀལ་རུང་བ།

relics: སྐུ་གདུང་།

relief: རོགས། བདེ་བ།

relieve: གློད་པ། རོགས་བྱེད་པ།

religion: ཆོས། ཆོས་ལུགས།

religious: ཆོས་ཀྱི། ཆོས་འབྲེལ།

relinquish: སྤོང་བ། འདོར་བ།

reliquary: སྐུ་གདུང་སོའུ་འཇོག་ས།

relish: བྲོ་བ། ཞིམ་པོ།

reluctant: འདོད་མོས་མེད་པ།

reluctantly: འདོད་ལམ་འདོད་བཞིན།

rely: བློས་བཀལ་བ།

remain: གནས་པ། ལུས་པ།

remainder: ལྷག་མ།

remanent: ལྷག་འཕྲོས།

remark: མཚན་བརྗོད་པ།

remarkable: ངོ་སྨང་བྱེད་འོས་པ། ངོ་མཚར་ཅན།

remedy: བཅོས་ཐབས།

remember: དྲན་པ།

remembrance: དྲན་གསོ། དྲན་རྟེན།

remind: དྲན་གསོ་གཏོང་བ།

reminder: དྲན་གསོ་གཏོང་མཁན།

remiscence: དྲན་སོས།

remit: དངུལ་སོགས་སྤྲོད་པ།

remittance: དངུལ་སྤྲོད།

remnant: ལྷག་འཕྲོས།

remonstrance: བདེ་སྡུག་སྙན་སེང་།

remonstrate: སྙན་སེང་ཞུ་བ།

remorse: འགྱོད་སེམས།

remote: མཐའི། ཐག་རིང་གི

removable: སྤོ་ཕུད་བྱེད་རུང་བ།

remove: སྤོ་ཕུད་བྱེད་པ།

remunerate: གླ་ཆ་སྤྲོད་པ། བྱ་དགའ་སྤྲོ

remuneration: གླ་ཆ། རྔན་པ། (དངུལ་གྱི

renaissance: ཕྱི་དར་གྱི་དུས།

renal: མཁལ་མའི།

render: བཟོ་བ། བྱེད་པ། སྙེར་བ།

rendezvous: འཛོམས་ས།

rendition: སྒྱུར་འགྲེལ།

renegade: ཆོས་དད་ལོག་མཁན།

renew: བསྐྱར་གསོ་བྱེད་པ།

renounce: སྤོང་བ། གཡུག་པ།

renovate: བཅོས་སྒྱུར་བྱེད་པ།

renovation: སྒྱུར་བཅོས།

renowned: སྙན་གྲགས་ཅན།

rent: ཁང་གླ། ཁང་པ་གཡར་བ།

rental: ཁང་གླའི་ཐོག

renunciation: སྤོང་བྱ། བློས་གཏོང་།

repair: བཟོ་བཅོས།

reparable: བཟོ་བཅོས་བྱེད་རུང་བ།

reparation: གུན་གསབ།

repast: ཁ་ལག ལྟོ།

repatriate: རང་ཡུལ་དུ་ཕྱིར་ལོག་པ།

repay: སྐྱིན་ཚབ་སྤྲོད་པ།

repayment: སྐྱིན་ཚབ།

repeal: ཕྱིར་འཐེན་བྱེད་པ། བསུབ་པ།

repeat: བསྐྱར་ཟློས་བྱེད་པ།

repeatedly: བསྐྱར་ནས་བསྐྱར་དུ།

repel: ཕྱིར་ཟློག་པ།

repent: འགྱོད་པ་སྐྱེས་པ།

repetition: བསྐྱར་ཟློས།

replace: ཚབ་བཙུག་པ།

replacement: ཚབ།

replay: བསྐྱར་དུ་རྩེད་པ།

replenish: བསྐྱར་ནས་དགང་བ། ཁ་སྐོང་བ།

replica: འདྲ་བཤུས།

reply: ལན། ལན་རྒྱབ་པ།

report: སྙན་ཞུ། ལས་བསྡོམས།

repose: ངལ་གསོ།

reprehend: གཤེ་གཤེ་གཏོང་བ།

represent: ཚབ་བྱེད་པ། གསལ་སྟོན་བྱེད་པ།

representative: སྐུ་ཚབ།

reprimand: གཤེ་གཤེ་གཏོང་བ།

reproduce: བསྐྱར་དུ་བཟོ་བ།

reptile: སྦྲུལ་དང་རྐང་པའི་རིགས།

republic: མི་དམངས་རྒྱལ་ཁབ།

repudiate: འདོར་བ། སྤོང་བ།

repugnant: འགལ་ཟླ། ཡིད་དུ་མི་འོང་བ།

repulse: ཕྱིར་འཕར་བ།

repulsion: ཕྱིར་ཟློག

reputation: མིང་། (སྤྱོད་པའི)

reputed: སྙན་གྲགས་ཅན་གྱི་མི།

request: རེ་བསྐུལ། རེ་བསྐུལ་ཞུ་བ།

requiem: འདས་ཆོས།

require: དགོས་པ། མཁོ་གནད་སྒྲུང་བ།

requirement: མཁོ་དགོས།

requisite: དགོས་བྱེད།

requisition: དགོས་གལ།

rescue: སྐྱོབ་པ།

research: བསྐྱར་དུ་འཚོལ་བ། ཉམས་ཞིབ།

resemblance: འདྲ་མཚུངས།

resemble: འདྲ་བ།

resent: སེམས་ལ་གནོད་པ།

resentment: ཁྲོ་སེམས།

reservation: ཟུར་གསོག སྔོན་འཛིན།

reserve: ཟུར་གསོག་བྱེད་པ། ཟུར་དུ་ཉར་བ།

reservoir: མཛོད།

reside: གནས་པ། སྡོད་པ།

residence: སྡོད་གནས།

resident: སྡོད་མཁན།

residential: སྡོད་གནས་ཀྱི།

residual: ལྷག་མ་འི།

residue: ལྷག་མ།

resign: ཕྱ་དགོངས་ཞུ་བ།

resignation: དགོངས་ཞུ་ཕྱ་དགོངས།

resin: ཚི།

resist: གདོང་ལེན་བྱེད་པ།

resistance: གདོང་ལེན།

resolve: (སེམས་) ཐག་གཅོད་པ།

resonance: གྲག་ཆ།

resonant: གྲག་ཅན།

resort: ཐབས་འཚོལ་བ།

resource: ཡོང་ཁུངས། ལམ།

respect: གུས་ཞབས། ཞེ་ས།

respectable: གུས་ཞབས་ཞུ་རུང་བ།

respectful: གུས་ཞབས་ཅན།

respective: རིམ་པ། རེ་རེ།

respiration: དབུགས་ཡར་འཐེན་མར་བཏང་

respire: དབུགས་ཡར་འཐེན་མར་བཏང་བྱེད་པ

respite: འཕྲལ་སེལ་ངལ་གསོ།

resplendent: འོད་འཚེར་འཚེར།

respond: ལན་རྒྱབ་པ།

response: ལན།

responsibility: ལས་འགན།

responsible: ལས་འགན། འགན་ཡོད་པ།

rest: ངལ་གསོ། ངལ་གསོ་བ།

restaurant: ཟ་ཁང་།

restive: གྱོང་པོ།

restless: འཚབ་འཚུབ།

restoration: བསྐྱར་གསོ། ཉམས་གསོ།

restore: ཉམས་གསོ་བྱེད་པ། བསྐྱར་གསོ་བྱེད་པ

restrain: བཀག་སྡོམ་བྱེད་པ།

restrict: བཀག་སྡོམ་བྱེད་པ།

restriction: དམ་བསྒྲགས།

result: འབྲས་བུ། སྨིན་འབྲས།
resume: སླར་ཡང་འགོ་འཛུགས་པ།
resumption: བསྐྱར་ལེན།
resurrect: འདས་ལོག་ཡོང་བ།
resurrection: འདས་ལོག
resuscitate: སོས་པ། སྲོག་བླུག་པ།
retail: སིལ་འཚོང་བྱེད་པ།
retain: ཉར་ཚགས་བྱེད་པ།
retaliate: ལན་སློག་པ།
retard: བཀག་པ། འགྱང་བ།
retarded: ཀུན་ལས་དམན་པ།
reticence: སྐད་ཆ་ཉུང་ཉུང་།
retinue: འཁོར་གཡོག
retire: ངལ་གསོ་བ། འཁྱུར་བ།
retirement: ལས་འཁྱུར། ཟུར་ཡོལ།
retort: ངན་ལན་སློག་པ།
retract: སྐམ་པ།
retreat: ཕྱིར་འཐེན་བྱེད་པ། རི་ཁྲོད་
retrench: ཉུང་དུ་གཏོང་བ། ཏུ་གཞས་པ།
retrogress: རྒྱབ་ཤེག་རྒྱབ་པ།
retrospect: འདས་པར་ཕྱིར་ལྟ།
return: ཕྱིར་ལོག་པ། ཕྱིར་སློག་པ།
reunion: བསྐྱར་འཛོམས།
reunite: སླར་ཡང་ཐུག་འཕྲད་བྱུང་བ།

reveal: ཕྱིར་སྟོན་པ། ཕྱི་ལ་གསལ་བ།
revelation: ལུང་བསྟན།
revenge: དགྲ་ལན། དགྲ་ལན་ལེན་པ།
revenue: གཞུང་ཁྲལ།
reverend: བཀུར་འོས་པ།
reverie: སེམས་གཡེང་།
reverse: ཕྱི་ནང་སློག་པ། ལྡོག་ཕྱོགས།
revert: ཕྱིར་ལོག་བྱེད་པ།
review: བསྐྱར་ཞིབ། (བྱེད་པ)
revival: སླར་གསོ།
revive: སླར་གསོ་བྱེད་པ།
revoke: ཕྱིར་འཐེན་བྱེད་པ།
revolt: ངོ་རྒོལ་བྱེད་པ།
revolution: གསར་བརྗེ། སྐོར་ར།
revolve: འཁོར་བ། སྐོར་བ།
revolver: ཐུང་མདའ།
reward: བྱ་དགའ། རྔན་པ། (སྤྲོད་པ)
rheumatism: གྲུམ་བུ། (ནད་)
rhinoceros: བསེ་རུ།
rhododendron: ཤིང་སྟག་མ།
rib: རྩལ་པའི་རྩིབ་མ།
rice: འབྲས།
rich: ཕྱུག་པོ།
riches: ནོར།

rickety: བརྟན་པོ་མེད་པ། གཡོ་འགུལ་ཅན། ཆག་མདོག་ཁ་པོ།

ride: བཞོན་པ།

ridge: བྲག་བྱུར། རི་ཟེ།

riduculous: ངར་ཆུང་། ཚོད་བྲོ་པོ།

riding: བཞོན་བཞིན་པ།

rifle: མེ་མདའ།

rift: སེར་ཁ། གས།

right: གཡས། དག་དག མ་ནོར་བ།

righteous: དྲང་པོ། ཡ་རབ།

rightful: ཐོབ་ཐང་ཐོག་ནས། ལུང་མཐུན།

rigid: མཁྲེགས་པོ། བརྟན་པོ།

rigourous: རྩུབ་པོ། སྲོང་པོ།

rim: མཐའ་བསྐོར།

ring: འཁོར་ལོ། ཚེག་ཁེབས། ཨ་ལོང་། དྲིལ་བུ་སོགས་བཀྲོལ་བ།

rinse: ཆུ་བ་ཞལ་གཏོང་བ།

riot: ཟིང་འཁྲུགས། ཞི་བདེ་དཀྲུག་པ།

rip: ཧྲལ་བ།

ripe: སྨིན་པ།

ripple: ཆུའི་གཉེར་མ།

rise: ལང་བ། ཤར་བ། འཕར་བ།

rising: ཡར་ལང་། ངོ་རྒོལ། ལང་བཞིན་པ།

risk: ཉེན་ཁ།

rite: ཞབས་བརྟན། ཆོག སྐུ་རིམ།

ritual: ཆོག་འདི།

rival: དགྲ ཁ་ཐད།

river: རྒྱུགས་ཆུ།

rivulet: རྒྱུགས་ཆུ་ཆུང་ཆུང་།

road: ལམ། འགྲོ་ལམ།

roam: འཁྱམ་པ།

roar: ངར་སྐད། (རྒྱབ་པ་)

roast: རྔོད་པ། སྲེག་པ།

rob: ཧྲུ་མ་ཧྲུ་བ། འཕྲོག་བཅོམ་བྱེད་པ་

robber: འཕྲོག་བཅོམ་པ།

robbery: འཕྲོག་བཅོམ།

robe: དུག་སློག གོས། ན་བཟའ།

robot: འཕྲུལ་འཁོར་མི།

robust: སྟོབས་རྩལ་ཅན། དྲུར་པོ།

rock: བྲག རྡོ་ཆེན། ཕ་བོང་། འཁྱོམ་འཁྱོམ་བྱེད་པ། གཡོ་བ།

rocket: མེ་ཤུགས་ཕུར་མདའ།

rocky: བྲག་ཅན། རྡོ་ཅན།

rod: ལྕག་རྒྱུག ཁྱིམ་ཐང་ཟེར

rodent: ཙི་ཙི། རི་བོང་དང་ཙི་མོང་གི་རིགས་

rogue: རྫུབ་ཆེན། འཁྱམ་སྐྱེར།

role: འགན། ཁྲབ་མཁན་གྱི་བྱེད་སྒོ།

roll: སྒྲིལ་བ། སྒྲིལ་སྒྲིལ།

romance: དགའ་རྩེད། (སྙིང་)

roof: ཐོག་ཁ།

rook: ཁ་ཏ།

room: ཁང་མིག ས་ཆ།

rooster: ཁྱིམ་བྱ་ཕོ།

root: རྩ་བ། གཞི་རྩ།

rope: ཐག་པ།

rosary: ཕྲེང་བ།

rose: རྒྱ་སེ་མེ་ཏོག

roster: ལས་འགན་རེ་མོས་ཀྱི་ཐོ།

rosy: རྒྱ་སེ་མེ་ཏོག་འདྲ་པོ།(མདོག་དང་དྲི)

rot: རུལ་བ། རུལ་པ།

rotate: འཁོར་བ།

rotation: འཁྱིལ་འཁོར། བང་རིམ།

rotten: རུལ་པ།

rough: རྩུབ་པོ།

round: ཟླུམ་ཟླུམ། རིལ་རིལ།

rouse: སློང་བ།

route: ལམ།

row: གྲལ། གྲལ་གཏོང་བ། ཟང་ཟིང་དང་ [སྐད་ཅོར།

rowdy: གྲིགས་མེད། སྐད་ཅོར་ཆེ་པོ།

royal: རྒྱལ་པོའི། མི་གནས་མཐོ་པོ།

royalty: རྒྱལ་པོའི་གོ་གནས། ཐོབ་ཁྲལ།

rub: བདར་བ། འཕྱིད་པ་ཕྱུར་བདར།

rubber: འགྱིག འགྱིགས་བཤུབ།

rubbish: གད་སྙིགས ཕན་མེད།

rubble: ས་རྡུག རྡོ་རྡུག

rucksack: རྒྱབ་ཁུག ཕད་གོག

rude: རྩུབ་པོ། གྱོང་པོ།

rudiment: རྩ་བ། གཞི་རྩ།

ruffian: ཕྱོད་ངན། གྲིགས་མེད།

rug: ས་གདན།

rugged: རྩུབ་པོ། སྒུར་རེ་སྒོར་རེ།

ruin: འཕྲོ་བརླག་གཏོང་བ། གྱང་གོག ཞིག་ཁྲུལ། བ་ཤིག་པ།

rule: ཁྲིམས། སྲིད་དབང་།

ruler: དབང་འཛིན་མཁན། ཐིག་ཤིང་།

rum: ཨ་རག་ཞིག

rumble: ལྡིར་སྒྲ། ལྡིར་སྒྲ་སྒྲོག་པ།

rummage: སྤྱོག་འབྲུ་རྒྱབ་པ།

rumour: དཀྲོག་གཏམ།

run: རྒྱུག་པ།

runner: རྒྱུགས་མཁན། བང་ཆེན།

runners-up: ཨང་རིམ་གཉིས་པ།

running: རྒྱུག་རྩལ། རྒྱུག་བཞིན་པ།

Rupee: རྒྱ་གར་སྒོར་མོ།

rupture: ཁགས་འཐོར་ཤོར་བ།

rural: གྲོང་གསེབ་ཀྱི།

ruse: མགོ་སྐོར། སླུ་བྲིད། གཡོ་སྒྱུ།

rush: འཚངས་ཀ (རྒྱབ་པ་) མགྱོགས་
ཤུས་དང་ངར་སྤར་བ།

rust: བཙའ། བཙའ་རྒྱབ་པ།

rustle: ལོ་མ་སྐམ་པོའི་སྐད་སྒྲ།

rusty: བཙའ་ཅན།

ruth: སྙིང་རྗེ།

ruthless: སྙིང་རྗེ་མེད་པ།

S

sabotage: གནོད་སྐྱོན། གཏོར་བཤིག

saboteur: གནོད་སྐྱོན་ནཾ་གཏོར་བཤིག

sack: ཕད་གོག འབུད་པ། |གཏོང་མཁན།

sacred: རྩ་ཆེན། [གཙོང་བ།

sacrifice: མཆོད་པ། རང་དོན་བློས་

sacrilegious: རྩ་ཆེན་རི་ཁ་ལ་མཐོང་ཆུང་།

sad: སེམས་སྐྱོ་པོ།

saddle: རྟའི་སྒ། སྒ་རྒྱབ་པ།

safe: བརྩན་པོ། ཉེན་ཁ་མེད་པ།

safety: སྲུང་སྐྱོབ།

safety-match: ཙག་སྒྲ།

saffron: གུར་གུམ། (མདོག་)

sag: རྡིབ་པ། འོག་གནོན།

sagacious: རིག་པ་རྣོ་པོ།

sage: དྲང་སྲོང་།

said: ལབ་ཟིན་པ།

sail: གྲུ་ནང་ཕྱིན་པ། གྲུའི་རླུང་གཡོར།

sailor: གྲུ་གཏོང་མཁན།

saint: གྲུབ་ཐོབ། རྣལ་འབྱོར་པ།

sake: དོན། ཆེད་དུ།

salad: གྲང་ཚལ།

salary: གླ། ཕོགས།

sale: ཚོང་།

salient: གནད་གལ་ཆེ་བ། ཕན་ཐོགས

saliferous: ཚ་མང་བ། [ཆེ་བ།

saliva: མཆིལ་མ།

salivate: ཁ་ཆུ་འདོན་པ།

salt: ཚྭ།

salutation: ཕྱག་འབུལ།

salute: ཕྱག་འབུལ་ཞུ་བ།

salvation: ཐར་པ།

same: གཅིག་པ། མཚུངས་པ། འདྲ་པོ།

sample: སྤུས་ཚད། དཔེ། [བཟོ་བ།

sanctify: སྡིག་པ་འམ་དྲི་མ་མེད་པར་

sanction: བཀའ་འཁྲོལ། བཀའ་འཁྲོལ་

sanctity: རྩ་ཆེན། དམ་པ། [གཙང་བ།

sanctuary: ཞི་བདེའི་གནས།

sand: བྱེ་མ།

sandalwood: ཙནྡན།

sandwich: བར་དུ་བཙིར་བ།

sandy: བྱེ་མས་དགང་བ། བྱེ་མ་ཅན།

sane: སྨྱོན་པ་མ་ཡིན་པ། སེམས་ཐང་ཐང་།

sang: གཞས་བཏང་ཟིན་པ།

sanguinary: ཁྲག་ཅན། སྲོག་གཅོད་ཀྱི།

sanitary: འཕྲོད་བསྟེན་གྱི།

sanitation: འཕྲོད་བསྟེན།

sanity: སེམས་ཐང་ཐང་།

sank: བྱིངས་ཟིན་པ།

sanyasi: ཆོས་པ། དགེ་སློང་།

sans: མེད་པར།

Sanskrit: ལེགས་སྦྱར་སྐད། སཾ་ཀྲི་ཏ།

sapling: ཤིང་སྡོང་ཆུང་ཆུང་།

sari: རྒྱ་གར་སྐྱེ་དམན་གྱི་དཀྲིས་གོས་ཞིག

sat: བསྡད་ཟིན་པ།

satan: བདུད།

satchel: ཀོ་བཟོས་ཀྱི་སྣོད་ཆུང་ཞིག

satellite: མིས་བཟོས་རྒྱུ་སྐར།

satiate: འདོད་པ་ཚིམ་པ། འགྲང་བ།

satisfaction: འདོད་ཚིམ། འདོད་ངོམས།

satisfactory: འདོད་པ་ཚིམ་པའི།
འགྲིགས་ཙམ།

satisfy: འདོད་པ་ཚིམ་པ། ངོམས་པ།

saturate: ཆུས་སྦྱང་བ། དགང་བ།

Saturday: གཟའ་སྤེན་པ།

saucer: དཀར་ཡོར། ཏྲ་ཀྱུ།

sausage: རྒྱུ་མ།

savage: ཀླ་ཀློ།

save: སྐྱོབ་པ། བསྲི་ཚགས་བྱེད་པ།

saviour: སྐྱོབ་མཁན།

savour: བྲོ་བ་མྱོང་བ། དྲི་མ་སྣོམ་པ།

saw: མཐོང་ཟིན་པ། སོག་ལེ།

say: ལབ་པ།

saying: ལབ་བཞིན་པ། གཏམ་དཔེ།

scabbard: གྲི་དཔའ་དམ་གྱི་ཤུབས།

scald: ཆུ་འམ་རླངས་པ་ཚ་པོས་འཚིག་པ

scale: ཐིག་ཤིང་། ཚད་ཤིང་། སྒྲ
ཉ་དང་སྦྲུལ་སོགས་ཀྱི་པགས་

scalp: ཐོད་པ། མགོ་པགས།

scalpel: གཤག་བཅོས་བྱེད་ཆེད་ཀྱི་གྲི་

scan: ལྟ་བ། ཞིབ་རྟགས་བྱེད་པ།

scandal: དཀྲིག་གཏམ། ཁ་གཏོང་བ།

scandalize(ise): དཀྲིག་གཏམ་བཟོ་
མིང་ཤས་བཟོ་བ།

scant: དཀོན་པོ། ཉུང་ཉུང་།

scanty: དཀོན་པོ། འདང་ཙམ།

scapegoat: གཞན་སྐྱོན་རང་ཐོག་ལེན་མཁན

scar: རྨ་ཤུལ།

scarce: དཀོན་པོ། ཉུང་ངུ།

scare: ཞེད་སྣང་བསྐྱལ་བ།

scarf: ཁ་དཀྲིས། ཁ་བཏགས།

scarlet: དམར་མདོག

scathe: རྨ་བཟོ་བ།

scatter: གཏོར་བ། བཀྲམ་པ།

scavenger: རོ་དང་བཙོག་པ་ཟ་མཁན།

scene: མཐོང་རྒྱ། ལྟ་མོའི་ལེའུ།

scenery: ཡུལ་ལྗོངས། མཐོང་རྒྱ།

scenic: མཐོང་རྒྱ་མཛེས་པོ། ཡུལ་ལྗོངས་མཛེས་པོ།

scent: དྲི་མ། དྲི་མ་སྣོམ་པ། དྲི་ཞིམ་གྱི་རྒྱུ།

sceptic: ཡིད་ཆེས་ཞེ་དྲག་མེད་མཁན།

schedule: དུས་ཚོད། མཛད་རིམ།

scheme: འཆར་གཞི། གཡོ་འཕྲུལ།

schizophrenia: སེམས་སྨྱོན་ནད་རིགས།

scholar: སློབ་གཉེར་བ། ཉམས་ཞིབ་པ།

scholarship: སློབ་གཉེར་བའི་མཐུན་རྐྱེན།

school: སློབ་གྲྭ ཉའི་ཁྱུ། ⌊སློབ་ཡོན།

science: ཚན་རིག

scientific: ཚན་རིག་གི

scission: གཤག་གཏུབ།

scissor: ཅེམ་ཙེ། འཆེམ་གྲི།

scoff: འཕྱ་སྨོད་བྱེད་པ།

scold: གཤེ་གཤེ་གཏོང་བ། བཀའ་སྐྱོན་

scoop: སྐྱོགས། འབྲུབ། ⌊གནང་བ།

scope: དམིགས་ཡུལ། འགྲོས།

scorch: འཚིག་པ། སྐམ་པ།

score: ཉི་ཁུ་ཙམ། ཨང་ཀི(གསོག་པ་)

scorn: མཐོང་ཆུང་བྱེད་པ།

scorpion: སྡིག་པ་ར་ཚ།

scoundrel: མི་ངན་ཆེན།

scout: སོ་པ། བརྟག་ཞིབ་པ། གདོང་ལེན།

scowl: གདོང་གནག་སྟོན་པ།

scramble: ཤབ་ཐེབ་རྒྱབ་པ།

scrap: དུམ་བུ།

scrap: འཁྲུགས་པ།

scrape: འདྲུད་པ། གཞར་བ།

scratch: སྤར་ཁ་རྒྱབ་པ། རྨ་རྩུང་། བྲད་ཤུལ།

scrawl: ཡི་གེ་ལམ་རེ་མོ་ཇོར་ཇོར་བྲིས་པ།

scream: ཀ་སྐྲ། ཀ་སྐྲ་རྒྱབ་པ།

screech: སྐད་ཆེན་རྒྱབ་པ། སྐད་ངན།

screen: ཡོལ་བ།(རྒྱབ་པ་) བཅད།(རྒྱབ་པ་) སྟོན་པ།(གློག་བརྙན་)

screw: གཅུས་གཟེར། གཅུས་གཟེར་རྒྱབ་པ།

screw-driver: གཅུས་གཟེར་སྒྲིམ་བྱེད།

scribble: ཛོར་ཛོར་གང་བྱུང་བྲིས་པ།

scribe: འབྲི་བ།

script: ཡིག་གཟུགས། བྲིས་རྩོམ་གྱི་མ་དཔེ།

scripture: དཔེ་ཆ།

scroll: སྒྲིལ་བ། ཤོག་བུའམ་རས་སྒྲིལ།

scrotum: རླིག་པའི་སྒྲོ་བ།

scrub: ཕྱུར་བདར་བྱེད་པ།

scrupulous: དྭོགས་ཟོན་ཅན།

scrutinize(ise): ཞིབ་བརྟག་བྱེད་པ།

scrutiny: ཞིབ་དཔྱད། ཞིབ་འཇུག

scuffle: ཁ་འཛིངས། ཁ་འཛིངས་རྒྱབ་པ།

sculptor: རྐོས་རིས་རྒྱབ་མཁན།

sculpture: རྐོས་རིས།

scum: ཉག་ཉིག

scurry: མགྱོགས་པོར་འགྲོ་བ།

scythe: ཟོར་བ།

sea: རྒྱ་མཚོ།

seal: ཐམ་ག། ཐམ་ཁ་རྒྱབ་པ། ཁ་རྒྱབ་པ།

seam: འཚེམ་ཕྲུབ།

search: འཚོལ་བ།

searching: འཚོལ་བཞིན་པ།

season: ནམ་དུས།

seasonal: ནམ་དུས་ཀྱི།

seat: ཀུབ་ཀྱག སྡོད་ས།

secession: རྒྱབ་ཕྱུད།

seclude: གཅིག་པུ། མི་གཞན་མེད་པ།

seclusion: གཅིག་ཀྲང་གནས་སྐྱངས།

second: གཉིས་པ། ཆུ་ཚོད་ཀྱི་སྐར་ཆ།

second floor: ཐོག་ས་གཉིས་པ།

second-hand: རྙིང་པ།

second-rate: སྤུས་ཞན་པ།

secondary: རིམ་པ་གཉིས་པའི།

secondly: གཉིས་པར།

secrecy: གསང་བར།

secret: གསང་བ།

secretary: དྲུང་ཡིག

secretly: གསང་བའི་ཐོག སྦས་གསང་གིས།

sect: ཆོས་ལུགས།

sectarianism: ཆོས་ལུགས་ཀྱི་ཞེན།

section: སྡེ་ཚན། ཁག

secular: འཇིག་རྟེན་གྱི།

secure: བརྩན་པོ། བརྟན་པོ།

security: བདེ་སྲུང་། གཏའ་མ།

sedate: ཞི་བ།

sedative: ཞི་སྨན།

sediment: སྙིགས་མ།

seduce: སླུ་བ། འཁྲིག་རྒྱུར་སླུ་བ།

see: མཐོང་བ། བལྟ་བ།

seed: འབྲུ། སོན། ས་བོན།

seedling: ལྗང་བུ།

seek: འཚོལ་བ།

seem: སྣང་བ། མཐོང་སྣང་བྱུང་བ།

seen: མཐོང་ཟིན། བལྟས་ཟིན་པ།

seep: འཚག་པ། བར་དུ་ཐིམ་པ།

segment: དུམ་བུ།

segregate: ཁེར་རྐྱང་ཐོན་པ།

seismograph: ས་ཡོམ་བརྟག་བྱེད་འཁྲུལ་ཆས།

seismology: ས་ཡོམ་རིག་པ།

seize: གཟུང་བ། འཛིན་གཟུང་བྱེད་པ།

seizure: འཛིན་གཟུང་།

select: འདེམས་པ།

selection: འདེམས་སྒྲུག

self: སོ་སོ། རང་ཉིད།

selfish: རང་འདོད་ཆེན་པོ།

selfless: རང་འདོད་མེད་པ།

sell: ཚོང་བ།

seller: ཚོང་མཁན།

selling: ཚོང་བཞིན་པ།

semen: ཐིག་ལེ།

semi: ཕྱེད་ཀའི་དོན་སྟོན་པའི་སྔོན་འཇུག

semi-circle: ཟླུམ་ཕྱེད། སྒོར་སྒོར་ཕྱེད་ཀ།

seminar: ལྷན་ཚོགས། གྲོས་ཚོགས།

send: གཏོང་བ། སྐུར་བ།

sending: གཏོང་བཞིན་པ།

senior: རྒན་པ། བགྲེས་པ། མཐོ་བ།

sensation: ཤེས་ཚོར།

sense: ཚོར་བ།

sense-organ: ཚོར་བའི་དབང་པོ།

sensibility: དྲན་པ། ཚོར་བ།

sensible: རིག་པ་ཅན། གོ་དོན་ཡོད་པ།

sensitive: ཚོར་བ་རྣོན་པོ།

seneless: ཚོར་མེད། བསམ་བློ་འཁོར་རྒྱུ་མེད་པ།

sensory: ཚོར་བའི།

sensual: འདོད་ཆགས་ཀྱི།

sent: བཏང་ཟིན་པ། བསྐུར་ཟིན་པ།

sentence: ཚིག་སྒྲུབ། ཁྲིམས།

sentient: ཤེས་ཚོར་ཡོད་པའི།

sentient beings: སེམས་ཅན་ཐམས་ཅད།

sentiment: བསམ་བློ། འདུ་ཤེས།

sentimental: སེམས་སྐྱོ་མདོག་ཅན།

sentinal: སྒོ་སྲུང་བ།

separate: ཁག་དབྱེ་བ། ཁ་འཕྲལ་བ།

separation: ཁག་དབྱེ། སོ་སོ།

September: ཕྱི་ཟླ་དགུ་པ།

septic: རུལ་བ།

septuagenarian: མི་རྒན་ལོ་བདུན་ཅུ་བ།

septuagenary: གྲངས་ཀ་བདུན་ཅུ་ཅན།

sequence: རིམ་འབྱུང་། བང་རིམ།

serene: ཁ་ཁྱུ་ལེམ་པོ།

serf: བྲན་གཡོག

sergeant: དམག་དཔོན་གྱི་གོ་གནས་ཞིག

serial: ཨང་གྲངས་ཀྱི། བང་རིམ།

series: ཨང་རིམ། རིམ་པ།

serious: ཚབས་ཆེན་པོ། དོན་ལྡན།

sermon: ཆོས་བཤད།

serpent: སྦྲུལ།

serpentine: སྦྲུལ་ལྟ་བུ། སྦྲུལ་གྱི།

serum: ཆུ་སེར།

servant: གཡོག་པོ། ཞབས་ཕྱི།

serve: གཡོག་རྒྱག་པ། ཞབས་ཕྱི་ཞུ་བ།

service: གཡོག ལས་ཀ

serviceable: ཕན་ཐོགས་པོ།

servile: སྙེམ་ཆུང་། བྲན་གཡོག་གི

servitude: བྲན་གཡོག

sesame: ཏིལ།

session: ལྷན་ཚོགས། ཚོགས་དུས།

set: སྒྲིག་པ། ནུབ་པ། (ཉི་ཟླ་སོགས་)
ཆ་འགྲིག་པ། འཇོག་པ།

setting: སྒྲིག་ལམ། ནུབ་བཞིན།

settle: གཞིས་ཆགས་པ། མོས་ཆམས་
བྱེད་པ། འཛུགས་པ།

settlement: གཞིས་ཆགས། མོས་ཆམས།

settler: གཞིས་ཆགས་མཁན།

seven: བདུན།

seventeen: བཅུ་བདུན།

seventh: བདུན་པ།

seventhly: བདུན་པར།

seventieth: བདུན་ཅུ་པ།

seventy: བདུན་ཅུ།

sever: ཁ་འཕྲལ་བ། གཏུབ་པ།

several: འགའ་ཁག། སྣ་མང་།

severe: ཚབས་ཆེན།

sew: འཚེམ་པ།

sewage: བཙོག་ཆུ། སྐྱག་ལམ།

sewer: བཙོག་ཆུའི་ཡུར་བ།

sewing: འཚེམ་པོའི།

sewing machine: འཚེམ་པོའི་འཁོར་ལོ།

sewn: བཙེམས་ཟིན་པ།

sex: ཕོ་ཚན་མོ་ཚན། ཆགས་པ།

sexual: འདོད་ཆགས་ཀྱི། ཕོ་མོའི་ཚན་གྱི།

sexy: ཆགས་སློང་།

shabby: ཇར་ཇོར། འཚོར་པོ།

shack: ཁང་ཆུང་གོག་པོ།

shackle: ལྕགས་སྒྲོག

shade: གྲིབ་ནག བསིལ་གྲིབ།

shadow: གྲིབ་གཟུགས། གྲིབ་ནག

shady: བསིལ་གྲིབ་ཅན།

shaggy: སྤུ་སོབ་སོབ། ཛིར་ཛིར་ཅན།

shake: འགུལ་བ། སྒུལ་བ། སྤྲུགས་པ། སྒྲིམ་པ།

shaky: བརྟན་པོ་མེད་པ། འགུལ་མཁན། འདར་སིག་སིག

shall: མ་འོངས་བྱ་ཚིག་སྟོན་མཁན།

shallow: གཏིང་དམའ་པོ། གཏིང་མེད།

shambles: ཟང་ཟིང་།

shame: ངོ་ཚ། ངོ་ཚ་བ།

shamfaced: ངོ་ཚ་ཅན།

shan't: shall not བྱ་བསྡུས་ཚིག

shanty: ཐབས་སྐྱོ་པོ། (སྡོད་ཁང་)

shape: བཟོ་ལྟ། བཟོ་ལྟ་བཟོ་བ།

share: སྐལ་བ། ཐོབ་ཆ། བགོ་བཤའ་རྒྱབ་པ།

shark: ཉ་ཆེན་ཞི།

sharp: རྣོ་པོ། དུས་ཚོད་ཏག་ཏག་ལ།

sharpen: རྩེ་རྣོ་པོ་བཟོ་བ།

sharpner: རྩེ་རྣོན་མཁན།

shatter: སིལ་གཏོར་བྱེད་པ།

shave: བཞར་བ། (སྤུ་སོ་)

shawl: གཟན་འདྲ་བའི་དཀྲིས་གོས་ཞིག

she: མོ།

sheaf: ཚག་པ། བམ་ཚག

shear: བལ་འབྲེག་པ།

sheath: ཤུབས།

sheaves: ཚག་པ། (མང་ཚིག་)

shed: རྒྱ་ཁང་། འདོན་པ། སྤོན་པ། སྤོང་བ།

sheep: ལུག

sheet: རས་ཁེབས།

shelf: བང་ཁྲི།

shell: དུང་། སྤར་ཁའམ་སྒོང་ངའི་པགས་པ།

shelter: ཡིབ་ས། སྐྱབས་གནས།

shelve: བང་ཁྲིར་འཇོག་པ།

shelves: བང་ཁྲི། (མང་ཚིག་)

shepherd: ལུག་རྫི།

sheriff: རྫོང་དཔོན།

Sherpa: ཤར་པ་མི་རིགས།

shield: སྲུང་བ། ཕུབ།

shift: སྤོ་བ། སྤོ་ཤུད། བརྗེ་སྒྱུར།

shin: རྐང་པའི་ངར་དུང་།

shine: འོད་འཕྲོ་བ། ཤར་བ། (ཉི་མ་སོགས་)

Shinto: ཉི་ཧོང་གི་ཆོས་ལུགས་ཞིག

ship: གྲུ་གཟིངས། མཚོ་ཐོག་གཏོང་བ།

shipment: གྲུ་ཐོག

shipping: གྲུ་གཟིངས་ཀྱི།

ship-yard: གྲུ་གཟིངས་བཟོ་ས།

shirk: གཡོལ་བ། གཟུར་བ།

shirt: སྟོད་ཐུང་།

shit: སྐྱག་པ། སྐྱག་པ་གཏོང་བ།

shiver: འདར་བ།

shoal: ཉའི་ཁྱུ།

shock: བརྡབ་གསིག ཧོན་ཐོར་བ།

shoe: ལྷམ།

shoe-lace: ལྷམ་སྒྲོག

shoe-string: ལྷམ་སྒྲོག

shook: འགུལ་ཟིན་པ། སྐྱོ་ཟིན་པ།

shoot: མདའ་འཕེན་པ། ཤུགས་ཀྱིས་འགྲོ་བ། ཡལ་ག་ཆུང་ཆུང་།

shooting: མདའ་འཕེན་བཞིན་པ།

shop: ཚོང་ཁང་། ཉོ་ཆ་རྒྱབ །

shopping list: ཉོ་ཆའི་ཐོ།

shore: མཚོ་འགྲམ།

short: ཐུང་ཐུང་། ཉུང་དྲག་པ།

short-cut: མགྱོགས་ལམ།

shortage: ཉུང་ཆད། མ་འདངས་པ།

shorten: ཐུང་དུ་གཏོང་བ།

short-hand: མགྱོགས་ཡིག

shortly: དུས་མི་རིང་བ། མགྱོགས་པོར།

shot: shoot གི་འདས་ཚིག

shotput: ལྕགས་རྡོ།

should: shall གི་འདས་ཚིག

shoulder: དཔུང་པ། ཕྲག་པ།

shoulder-blade: སོག་པ།

shout: སྐད་ཅོར། སྐད་ཆེན་རྒྱབ་པ།

shove: འབུད་ཀྱག་གཏོང་བ། འདེད་པ།

shovel: ཁྱེམ། སྐྱག་མ།

show: སྟོན་པ། ཁྲབ་སྟོན།

shrank: འཁུམས་ཟིན་པ།

shred: སིལ་སིལ། སྙེ་ཚེར།

shrewd: སྤྱང་པོ་དང་མཁས་པ།

shriek: སྐད་གཅེར། སྐད་གཅེར་རྒྱབ་པ།

shrill: སྐད་གཅེར།

shrine: མཆོད་ཁང་།

shrink: འཁུམས་པ། སྐུམ་པ།

shroud: རོ་རས་ཀྱིས་འཐུམ་པ།

shrub: ཤིང་སྡོང་ཆུང་ཆུང་།

shrug: དཔུང་སིག དཔུང་སིག་རྒྱབ་པ།

shudder: འདར་སིག འདར་སིག་རྒྱབ་པ།

shuffle: བསྲེ་བ། དཀྲུག་པ།

shun: སྤོང་བ། འཛེམ་པ།

shunt: གཟུར་གཡོལ་བྱེད་པ།

shy: ངོ་ཚ་ཅན།

sick: ནད་པ། ན་བ།

sicken: ནད་པ་བཟོ་བ།

sickly: ནད་པ། (འདྲ་པོ་)

sickness: ནད། ན་ཚ།

side: ཕྱོགས། ངོས། ལོགས། ཕྱིར་ཕྱེད་པ།

sideways: ཟུར་ལོགས་སུ།

siege: དམག་དཔུང་གིས་མཐའ་བསྐོར་བ།

sieve: འཚག་སེ།

sift: འཚག་པ། གཙག་པ།

sigh: དབུགས་རིང་། དབུགས་རིང་གཏོང་བ།

sight: མཐོང་བ། མཐོང་སྣང་།

sightless: ཞར་བ། ལོང་བ།

sightly: ལྟ་འོས་པ། མཛེས་པོ།

sign: རྟགས། བརྡ། མིང་རྟགས་རྒྱབ་པ།

signal: བརྡ། བརྡ་སྟོན་པ།

signatory: མིང་རྟགས་རྒྱབ་མཁན།

signature: མིང་རྟགས། ལག་ཡིག

significance: དོན་གནད།

significant: དོན་གནད་ལྡན་པ།

signification: དོན།

signify: དོན་སྟོན་པ། མཚོན་པ།

silence: ཁ་ཁུ་སིམ་པོ། ཁ་བཅུམ་པ།

silent: ཁག་ཁག

silently: ཁག་ཁག་ལ། ཁ་ཁུ་སིམ་པོར། ཁ་བཅུམ་སྟེ།

silk: གོས་ཆེན།

silken: གོས་ཆེན་གྱི།

silky: གོས་ཆེན་འདྲ་པོ།

sill: སྒོའི་ཐེམ་པ། སྒེའུ་ཁུང་གི་ཐེམ་སྐས།

silly: ཧབ་ཆུང་། ལྐུག་པ། གླེན་པ།

silver: དངུལ།

similar: འདྲ་པོ།

similarly: ད་གནང་བཞིན་གྱི།

simmer: འཁོལ་མ། སྐོལ་བ།

simple: སླ་པོ། རྐྱང་པ། ཕལ་པ།

simpleton: གླེན་པ།

simplify: གོ་སླ་པོ་བཟོ་བ།

simultaneous: མཉམ་བྱུང་། དུས་མཚུངས།

simultaneously: དུས་མཉམ་ལ། དུས་གཅིག་ཏུ།

sin: སྡིག་པ།

since: བརྒྱུད་སྟེ། ཡིན་ཙ་ན།

sincere: དྲང་བདེན། བློ་དཀར།

sincerely: དྲང་བདེན་ཐོག་ནས། སེམས་གཏིང་ནས།

sincerity: དྲང་བདེན།

sinew: རྩ་རྒྱུས།

sing: གཞས་གཏོང་བ།

singer: གཞས་གཏོང་མཁན།

single: གཅིག་པུ། གཅིག་རྐྱང་།

single-handed: རོགས་པ་མེད་པར།

singly: གཅིག་པུར།

singsong: གདངས་མེད་པའི་གཞས།

singular: གཅིག ཁྱད་པར་ཅན།

sinister: མཐོང་སྣང་ལ་མ་མཛེས་པ།

sink: ཆུ་གཞོང་། བྱིང་བ། འཐིམ་པ།

sinking: བྱིང་བའི། འཐིམ་བཞིན་པ།

sinner: སྡིག་ཅན། སྡིག་ཆེན།

sip: ཧུབ། ཧུབ་རྒྱབ་ཏེ་འཐུང་བ།

sir: དགེ་རྒན།

sire: ཕ། ཕ་བྱེད་པ།

sister: ཨ་ལྕགས། སྤུན་ཁང་ནང་
གཡོག་མ། ཨ་ཅེ།

sisterhood: ཨ་ཅེའི་ཚོགས་པ།

sister-in-law: གཅེན་གཅུང་གི་མནའ་
མ།

sit: སྡོད་པ།

site: གནས། ས་ཆ།

situated: གནས་པ།

six: དྲུག

sixteen: བཅུ་དྲུག

sixth: དྲུག་པ།

sixthly: དྲུག་པར།

sixty: དྲུག་ཅུ།

sizable: གང་ཚོམ་གྱི་ཆེན་པོ།

size: ཆེ་ཆུང་། ཁྱོན།

sizzle: ཚོད་པའི་སྐད།

skeleton: རུས་པ།

sketch: བཀོད་རིས། བཀོད་རིས་བྲི་བ།

skiing: འཁྱུགས་ཤུད། ཤོར་བ།

skid: འདྲེད་ཤུད་རྒྱབ་པ། འདྲེད་བདར

skilful: ལག་རྩལ་གྱི། སྦྱང་གྲུང་གི

skill: ལག་རྩལ།

skilled: ལག་རྩལ་ཅན། མཁས་པ།

skin: པགས་པ། པགས་པ་ཤུ་བ།

skinny: ཤ་སྐམ་པོ། (མི) པག་པ་ཅན།

skip: ཐག་མཆོང་རྒྱབ་པ། མཆོང་བ།

skirmish: དམག་འཐབ་ཆུང་ཆུང་།

skirt: སྐྱི་དམན་གྱི་སྨད་གོས་ཞིག

skull: ཐོད་པ། ཀ་པཱ་ལ།

sky: གནམ། ནམ་མཁའ།

slab: རྡོ་ལེབ། པང་ལེབ།

slack: འགོར་པོ། ལྷོད་པོ།

slacken: འགོར་པོ་ཆགས་པ། ལྷོད་པོ་ཆགས་པ

slain: བསད་ཟིན་པ།

slake: ངོམས་པ་བྱེད་པ། འདོད་པ་ཚིམ

slam: སྒོ་སོར་ཤུགས་ཀྱིས་རྒྱབ་པའཾ་དེའི་

slander: སྨད་ར་གཏོང་བ། དམལ་བརྗོད

slang: ཕལ་སྐད། ཕྲུང་སྐད། གསང་སྐད།

slant: འཕྲེད། འཕྲེད་སྒྲིག་པ།

slantingly: འཕྲེད་དུ།

slap: ཐལ་ལྕག ཐལ་ལྕག་གཞུ་བ།

slate: གཡམ་པང་།

slaughter: གསོད་པ། སྲོག་གཅོད་པ།

slave: བྲན་གཡོག

slavery: བྲན་གཡོག་ཉར་སྲོལ།

slavish: བྲན་གཡོག་ནང་བཞིན།

slay: གསོད་པ།

sledge-hammer: ཐོ་བ་ཆེན་པོ་ཞིག

sleek: སྙུམ་པོ། སྤྲབས་བདེ་པོ།

sleep: གཉིད། ཉལ་བ།

sleeper: ཉལ་མཁན།

sleeping-bag: ཉལ་ཁུག

sleep-walker: གཉིད་ཁུ་བཞིན་འགྲོ་མཁན།

sleepy: གཉིད་ཐོ་པོ།

sleet: གངས་ཆར། གདྲུ་ཆར་འབབ་པ།

sleeve: ཕུ་དུང་།

slender: ཕྲ་པོ།

slept: ཉལ་ཟིན་པ། གཉིད་ཁུ་ཟིན་པ།

slice: ལེབ་ལེབ། གཤག་པ།

slide: འདྲེད་ཤུད། འདྲེད་འདར་ཤོར་བ།

slight: ཕྲན་བུ།

slightly: ཕྲན་བུར།

slim: ཕྲ་པོ།

sling: ཨུར་རྡོ། ཨུར་རྡོ་རྒྱབ་པ།

slip: འདྲེད་འདར་ཤོར་བ། ནོར་འཁྲུལ།

slipper: ལྷམ་ཞིག

slippery: འདྲེད་འདར་ཤོར་པོ།

slit: སེར་ཁ། གཤག་པ།

slogan: སྐད་འབོད། འབོད་ཚིག

slope: ཐུར། འཕྲེད་ངོས། འཕྲེད་དུ་སྙོལ་བ།

sloppy: ལྷན་པ། ཆུ་རྫར་རྫར།

sloth: ཉིབ་ཏོ། ལེ་ལོ།

slothful: ཉིབ་ཏོ། ལེ་ལོ་ཅན།

sloven: མི་རྫར་རྫར།

slow: ག་ལེར། འགོར་པོ། དལ་པོ་བྱེད་པ།

slow-witted: སྤྱང་རིག་མེད་པ།

slowly: ག་ལེར།

slug: སྦྲུག་པའི་འབུ། ལྕག་རིལ།

sluggish: ཉིབ་ཏོ། ཉ་རེ་ཉོ་རེ།

slum: གྲོང་ལམ་བཙོག་པ།

slumber: གཉིད། (ཁུ་བ)

slump: རིན་གོང་ཆག་པ། ཉིབ་བཞིན་སྡོད་པ།

slung: དབྱུངས་ཟིན་པ།

slut: སྤྱོད་མན་རྫོར་པོ། གཞང་ཚོང་མ།

slush: འདམ་བག

sly: གཡོ་སྒྱུ་ཅན། སྤྱང་པོ།
smack: འགྲམ་ལྕག།(གཞུ་བའམ་དེའི་སྒྲ་)
small: ཆུང་ཆུང་། ཉུང་ཉུང་།
small-pox: འབྲུམ་ནད།
smart: གཙང་སྦྲ་ཅན། སྤྱང་པོ།
smash: གཅག་གཏོར།(བྱེད་པ་)
smear: བྱུག་པ།
smell: དྲི་མ། དྲི་མ་སྣོམ་པ།
smelly: དྲི་མ་ངན་པ།
smelt: དྲི་མ་བསྣོམས་ཟིན་པ།
smile: འཛུམ།(སྟོན་པ་)
smily: འཛུམ་ཅན།
smirk: འཛུམ།(སྟོན་པ་)
smite: རྡུང་བ།
smith: མགར་བ།
black smith: ལྕགས་བཟོ་བ།
silver smith: དངུལ་བཟོ་བ།
smithereens: སིལ་གཏོར། སིལ་ཐོར།
smithery: མགར་ལས།
smithy: ལྕགས་བཟོ་ཁང་།
smitten: བརྡུངས་ཟིན་པ།
smoke: དུ་བ།
smoker: ཐ་མག་འཐེན་མཁན།
smoky: དུ་བ་ཅན།

smooth: འཇམ་པོ།
smother: དབུགས་སུབ་བཏང་སྟེ་གསོད་པ།
smoulder: མེ་ལྕེ་མེད་པར་འབར་བ།
smudge: ནག་ནོག ནག་ནོག་བཟོ་བ།
smuggle: ནག་ཚོང་རྒྱབ་པ།
smuggling: ནག་ཚོང་།
snail: སྦྲིག་ལྤོ་འབུ། སླག་པའི་འབུ།
snake: སྦྲུལ།
snap: འདྲུ་བར། གཅོད་པ། ཆད་པ།
snappy: མགྱོགས་པོ།
snare: རྙི།
snarl: ངར་སྐད་རྒྱབ་པ། དཀྲི་ཐག་ཐེབས་པ།
snatch: འཕྲོག་པ།
sneak: འཇབ་ནས་ལྡུ་བ།
sneeze: ཧབ་སྦྲིད།(རྒྱབ་པ་)
sniff: སྣ་དབུགས་རྔུབ་པ།
snore: གཉིད་ནང་དབུགས་འཐེན་པའི་སྐད་ཅོར།
snort: སྣ་སྦྲིད་ཕུ་ཆེན་རྒྱབ་པ།(རྒྱབ་པ་)
snot: སྣབས་ལུད།
snotty: སྣབས་ལུད་ཅན།
snout: སྣ།(ཕག་པའི་)
snow: གངས། གངས་རྒྱབ་པ། ཁ་བ།
snow-storm: གངས་ཀྱི་བུ་ཡུག
snowy: གངས་ཀྱིས་གང་བ།

snub-nosed: སྣ་ལེབ།

snuff: སྣ་ཐམ། སྣ་ཐམ་འཐེན་པ།

snuggle: ཉམ་པ། གཞིབ་གཞིབ་བྱེད་པ།

so: དེ་ལྟར། དེ་བཞིན།

so far: ད་བར།

so-so: ཨ་ཙུ་ཅོ།

soak: སྦང་བ།

soap: ཡི་ཙེ།

soap case: ཡི་ཙེ་བླུག་སྣོད།

soap dish: ཡི་ཙེ་བླུག་སྣོད།

soapy: ཡི་ཙེ་ལྡན་པ།

soar: གནམ་ལ་ལྡིང་བ།

sob: ངུ་སྐད་རྒྱབ་པ།

sober: ར་མ་བཟི་བ།

sobriquet: མིང་ལྡོག

soccer: རྐང་རྩེད་པོ་ལོ།

sociable: ཀུན་དང་མཐུན་པ།

social: སྤྱི་ཚོགས་ཀྱི།

socialism: སྤྱི་ཚོགས་རིང་ལུགས།

socialist: སྤྱི་ཚོགས་རིང་ལུགས་པ།

society: སྤྱི་ཚོགས།

sociology: སྤྱི་ཚོགས་གནས་སྟངས་ཀྱི་རིག་པ།

sock: རྐང་ཤུབས། ཨོ་མོ་སུ།

socket: སྦེ་ཁུང་།

sodomy: སྐྱེ་པོ་ནང་ཁུལ་ཆགས་པ།

sofa: འབོལ་གདན་ཅན་གྱི་རྐུབ་སྟེགས།

soft: འབོལ་པོ། སོབ་སོབ།

soften: སོབ་སོབ་བཟོ་བ།

softly: ཀ་ལེར། འཇམ་པོར།

soil: ས། རྫོར་པོ་བཟོ་བ།

sojourn: གནས་སྐབས་རིང་སྡོད་པ།

solace: སེམས་གསོ།

solar: ཉི་མའི།

solar-eclipse: ཉི་འཛིན།

solar-system: ཉི་མའི་ཁྱིམ་རྒྱུད།

sold: བཙོངས་ཟིན་པ།

solder: ཚ་ལེ་རྒྱབ་པ།

sole: མཐིལ། གཅིག་རྐྱང་།

solemn: གུས་ཞབས་དང་དོན་ལྡན་པའི།

solicit: རེ་བསྐུལ་ཞུ་བ། གུས་ལྷ་ཞུ་བ།

solid: རྡོག་རྡོག མཁྲེགས་པོ།

solidarity: ཆིག་སྒྲིལ།

solitary: གཅིག་པུ།

solitary-confinement: མི་གཅིག་རྐྱང་སྡོད་སའི་བཙོན་ཁང་།

solitude: གཅིག་པུ་གནས་ས།

solo: གཅིག་པུར།

solstice: ཉི་ལྡོག

soluble: བཞུར་རུང་བ།

solution: བཞུར་རྩི། རྙོག་ཁྲ་བཤལ་ལམ།

solve: རྙོག་ཁྲ་བཤལ་བ།

sombre: ཡི་མུག

some: འགའ་ཤས། ཁ་ཤས། ཏོག་ཙམ།

somersault: མགོ་རྟིང་སློག་པ།

something: གང་ཞིག

sometime: དུས་ཞིག་ལ།

sometimes: མཚམས་རེ། སྐབས་རེ།

somewhat: ཕྲན་བུ།

somewhere: གང་རུའང་།

somnambulism: གཉིད་ནང་འགྲོ་བ།

son: བུ། བུ་ཕྲུག

song: གཞས། གླུ་གཞས།

songster: གཞས་གཏོང་མཁན།

sonny: བུ།

soon: མགྱོགས་པོ། ལམ་སང་།

soot: དུ་བའི་དྲེག་པ། སྲེ་ནག

soothe: ཞིབ་འཇམ་བཟོ་བ།

soothsayer: མ་འོངས་ལུང་བསྟན་པ།

sophisticated: ཁག་པོ། རྟོག་ཁག་པོ།

soprano: སྐད་ཕྲ་ཞེས།

sorcerer: མཐུ་རྒྱབ་མཁན།

sorcery: མཐུ་སྔགས།

sore: རྨ།

sorrow: སྡུག་བསྔལ།

sorrowful: སྡུག་བསྔལ་ཅན།

sorry: དགོངས་དག བློ་ཕམ་པོ།

sort: སྣ་ཁ། དབྱེ་བ་འབྱེད་པ།

sought: བཙལ་ཟིན་པ།

soul: སེམས། རྣམ་ཤེས།

sound: སྐད། སྐྱོན་མེད་པ། བདེ་པོ།

soup: ཁུ་བ། ཐང་།

sour: སྐྱུར་མོ།

source: འབྱུང་ཁུངས།

south: ལྷོ་ཕྱོགས།

southerly: ལྷོ་ཕྱོགས་སུ།

southern: ལྷོ་ཕྱོགས་ཀྱི།

souvenir: དྲན་རྟེན།

sovereign: གཙོ་བོ།

sovereignty: རྒྱལ་སྲིད། ཐོབ་དབང་།

sow: ས་བོན་འདེབས་པ། ཕག་མོ།

space: ས་ཆ། བར་སྟོང་།

spade: ཁྱེམ། སྐྱག་མ།

spake: ལབ་ཟིན་པ། (བརྡ་རྙིང་)

span: མཐོ་གང་། རྒྱང་ཐུང་།

spangle: རྒྱན་ཆ་ཕྲ་ཕྲ་མང་པོ།

spank: ཐལ་ལྕག་གཞུ་བ།

spanking: ཐལ་ལྕག

spare: དཀོན་པོ། བསྒྲི་ཚར་བྱེད་པ།

spark: མེ་ཙག

sparkle: མེ་ཙག་འཕོར་བ།

sparrow: མཆིལ་པ། ཁང་བྱིའུ།

sparse: དཀོན་པོ། ཐར་ཐོར།

sparsely: ཐར་རེ་ཐོར་རེར།

spat: མཆིལ་མ་གཏོར་ཟིན་པ།

spatial: བར་སྣང་གི ནམ་མཁའི།

speak: སྐད་ཆ་གཤོད་པ། ལབ་པ།

speaking: ལབ་བཞིན་པ། སྐད་ཆ།

spear: མདུང་།

special: དམིགས་བསལ།

specialist: རིག་གཅིག་རྐང་འཛིན།

speciality: ཁྱད་ཆོས།

specialize: རིག་གཅིག་རྐང་འཛིན་བྱེད་པ།

species: རིགས། སྣ་ཁ།

specific: དམིགས་བསལ།

specification: ཁྱད་བརྗོད། དཔེ་སྟོན།

specify: ཁྱད་པར་དུ་བརྗོད་པ།

specimen: དཔེ།

speck: ནག་ཐིགས། ནག་རྡེག

spectacle: ལྟད་མོ།

spectacles: མིག་ཤེལ།

spectacular: ལྟད་མོ་ཆེན་པོ།

speculate: དམིགས་པ།

speculation: དམིགས་པ།

sped: རྒྱུག་ཟིན་པ།

speech: ཚོགས་བཤད། ངག

speechless: ངག་མེད། གཤོད་རྒྱུ་མེད་པ།

speed: མགྱོགས་པོ་བྱེད་པ། མགྱོགས་ཚད།

speedometer: མགྱོགས་ཚད་བལྟ་ཆེད་ཀྱི་འཁྲུལ་ཆས།

speedy: མགྱོགས་པོ།

spell: དག་ཆ་སྒྲིར་བ། སྦྱོར་ཀློག་རྒྱབ་པ།

spelling: དག་ཆ།

spelt: དག་ཆ་སྒྲིར་ཟིན་པ། སྦྱོར་ཀློག་རྒྱབ་ཟིན་པ།

spend: འགྲོ་སོང་གཏོང་བ།

spend thrift: འགྲོ་སོང་ཕངས་མེད།

spent: འགྲོ་སོང་བཏང་ཟིན་པ། ཁ་གཏོང་མཐའ།

sperm: ཐིག་ལེ། ས་བོན།

sphere: རིལ་རིལ།

spherical: རིལ་རིལ་དབྱིབས།

spice: སྨན་སྣ། སྨན་སྣ་རྒྱབ་པ།

spicy: སྨན་སྣ་ཅན། ཁ་ཚ་པོ།

spider: སྡོམ། (འབུ་)

spike: ལྕགས་གཟེར་རྩེ་རྣོ་པོ།

spill: གཡོ་བ། འཐོབ།

spilt: གཡོས་ཟིན་པ།

spin: སྒྲིམ་པ། འཁྱིར་བ། འཁལ་བ།

spinach: སྤྱི་ཚལ་ཞིག

spinal: སྒལ་ཚིགས་ཀྱི།

spindle: ཕང་། ཡོག་ཤིང་།

spine: སྒལ་ཚིགས།

spinning: འཁལ་ལས།

spinster: སྐྱེ་དམན་ཧྲང་ཧྲང་།

spiral: བསྒོར་འཁྱིར།

spirit: བླ་སྲོག འདྲེ། ཀུན་གཞི།

spirits: ཨ་རག

spirited: ཧུར་པོ།

spiritless: ཉིབ་ཏོ། ཧུར་པོ་མེད་པ།

spiritual: ཆོས་དང་འབྲེལ་བའི།

spit: མཆིལ་མ། མཆིལ་མ་གཡུག་པ།

spite: གཏིང་ནད། ཞེ་སྡང་།

spittoon: མཆིལ་མ་གཡུག་སྣོད།

splash: ཆུ་སོའི་གཏོར་བའམ་འཐོར་བ།

splendid: རྒྱལ་སྤྲོས་ཅན། རྗིད་པོ།

splendour: གཟི་བརྗིད། གཟི་འོད།

splinter: ཤིང་དུམ་རྡོ་ཆག་རྡུལ་ཞིབ་ཞིབ།

split: སེར་ཁ། གས་པ། གཤག་པ།

spoil: འཕྲོ་བརླག་གཏོང་བ།

spoke: བཤད་ཟིན་པ།

sponge: ཅ་ལག་སོབ་སོབ།

spongy: སོབ་སོབ་ཅན། འགོལ་འགོལ།

sponsor: སྦྱིན་བདག

spontaneous: རང་བཞིན་གྱིས་འབྱུང་བ།

spontaneously: རང་བཞིན་གྱིས།

spoon: ཐུར་མ། ཐུར་མས་འཐུང་བའམ་ཟ་བ།

sporadic: ཐ་རེ་ཐོར་རེ།

sport: རྩེད་མོ།

sporting: རྩེད་འཛོ་ཅན།

spot: གནས། ནག་ཐིག ངོ་ཐག་ཆོད་པ་

spouse: བཟའ་ཟླ།

sprain: ཚིགས་སམ་རྩ་འཁྱུས་པ།

sprang: འཕར་མཆོང་བྱེད་པ།

sprawl: རྐང་ལག་བརྐྱངས་ཉལ།

spread: བཀྲམ་པ། དཀྲམ་པ། ཁྱབ་པ།

sprightly: འཁྲུག་པོ།

spring: དཔྱིད་ཀ ཆུ་མིག འཕར་མཆོང་

sprinkle: འཐོར་བ། གཏོར་བ། ཁྲེད་པ།

sprint: གང་མགྱོགས་རྒྱུག་པ།

sprout: མྱུ་གུ ལྡུང་པ་སྐྱེ་བ།

sprung: འཕར་མཆོང་བརྒྱབ་ཟིན་པ།

spun: འཁལ་ཟིན་པ།

spurious: བརྫུས་མ།

sputum: ཁ་ལུད།

spy: སོ་པ།

squabble: རྒྱ་འདྲེ། རྒྱ་འདྲེ་རྒྱབ་པ།

squad: ཚོགས་སྡེ།

squalid: ལྟ་སྣང་ལ་མ་མཛེས་པ། རྫོར་ཕོ།

squall: བུ་ཡུག ཆར་རླུང་ཚུབ་ཚུབས།

squander: (དངུལ་སོགས་) གང་བྱུང་བེད་སྤྱོད་བྱེད་པ།

square: གྲུ་བཞི།

squash: བཙིར་བ། ཁེང་ཏོག་ཁུ་བ།

squat: སྒྱིད་པ། མི་རྒྱག་པ་ཆུང་ཆུང་།

squeak: སྐད་སྲ་པོ་རྒྱབ་པ།

squeal: སྐད་སྲ་པོ་འདོན་པ། བཙིར་སྐད།

squeeze: བཙིར་བ།

squint: མིག་ཡོན་པོར་ལྟ་བ།

squirrel: སྦྲེ་མོང་།

stab: གྲི་སོགས་བརྫུག་པ།

stable: རྟ་ར།

stack: སྤུང་།

stadium: རྩེད་མོ་ཚོགས་ར།

staff: ལས་བྱེད།

stag: ཤ་བ་ཕོ།

stage: སྟེང་ཆ།

stagger: ཁྲེར་ཁྲེར་ཞུས་ཏེ་འགྲོ་བ།

staging: འཁྲབ་སྟོན།

stain: ནག་ཐིག ར་རྡོར་གྱི་ཁུལ།

stainless: བཙོག་མེད་པ།

stair: སྐས་འཛེག

staircase: རྡོ་ཀྲུག རྡོ་སྐས།

stairways: རྡོ་ཀྲུག རྡོ་སྐས།

stake: རྒྱན།

stalemate: ཐབ་ཁོར་མེད་པ། སྤྱི་འགྲེལ་མེད་པ།

stalk: རྐང་། ཡུ་བ། འཇབ་ནས་བལྟ་བའམ་འདེད་པ།

stall: ཚོང་ཟོག་སྒྲིག་ག་ཁྲོམ་བྱེད་ཁང་།

stallion: རྟ་གསེབ།

stalwart: སྟོབས་ཕྱུགས་ཆེན་པོ།

stamina: དབུགས་ཐག བཟོད་སྲན།

stammer: ཁ་དིག་པ། ལྕེ་དིག་པ།

stamp: རྟགས་ཐམ། ཐམ་ཀ།

stampede: ཁྲུ་རྒྱུག (བྱེད་པ་)

stand: ལང་བ། ས་སྒྲིགས། སྙེགས།

standard: ཚད་གཞི། ཚད་ལྡན།

standardize(ise): ཚད་ལྡན་བཟོ་བ།

standing: ལང་བཞིན་པ། བརྟན་གནས།

standstill: འགུལ་མེད།

stank: དྲི་མ་ཁ་ཟེན་པ།

stanza: ཚིགས་བཅད། ཤློཀ

staple: འཚེམ་གཟེར། (རྒྱབ་པ་)

star: སྐར་མ། གནད་ཡོད་མི།

starch: བག་ཆུ། (རྒྱབ་པ་)

stare: མིག་ཟེར་ཏེ་ལྟ་བ།

staring: མིག་ཟེར་ཏེ་ལྟ་བའི།

stark: མཁྲེགས་པོ།

stark naked: དམར་ཧྲང་།

start: འགོ་འཛུགས་པ།

starting: འགོ་འཛུགས།

startle: ཧེན་འཐོར་བ།

starvation: ལྟོགས་ཤི།

starve: ལྟོགས་ཤི་ཐེབས་པ།

state: རྒྱལ་ཁབ། མངའ་སྡེ། གནས་སྟངས། གཤོད་པ།

stately: གཟི་བརྗིད་ཅན།

statement: བརྗོད་གསལ།

statesman: སྲིད་ཇུས་མཁས་པ།

static: འགྱུར་བ་མེད་པ།

station: ས་ཚིགས། གནས་སུ་འཛོག་པ།

stationary: སྤོ་ཤུད་མི་བྱེད་པ།

stationery: འབྲི་སྤྱད་ཀྱི་ཡོ་བྱད།

statistics: ཁ་གྲངས་ཀྱི་ཐོ།

statuary: སྐུ་འདྲའི། འདྲ་སྐུའི་རིག་པ།

statue: འདྲ་སྐུ། སྐུ་འདྲ།

status: གོ་གནས། གནས་སྟངས།

statute: ཁྲིམས་ཡིག

statutory: ཁྲིམས་ཐོག་གི

stay: སྡོད་པ། གནས་པ།

staying: སྡོད་བཞིན་པ།

steadfast: བརྟན་པོ།

steady: བརྟན་པོ། བརྟན་པོ་བཟོབ།

steal: རྐུན་མ་རྒྱབ་པ།

stealth: གསང་ཐབས།

steam: རླངས་པ།

steed: རྟ།

steel: ལྕགས།

steep: གཟར་པོ། (གྱེན་ཐུར)

steer: ཁ་ལོ་སྒྱུར་བ། ལམ་སྣ་འཁྲིད་པ།

stem: སྡོང་པུ། བཀག་པ། ཡུ་བ།

stench: དྲི་མ་ངན་པ།

stenographer: བསྡུས་ཡིག་བྲིས་མཁན།

step: གོམ་པ། གོམ་པ་སྤོ་བ།

sterile: འཕེལ་སྐྱེད་མེད་པ། གཙང་མ།

sterilize: སྐྱེ་འགོག་བྱེད་པ།

sterlization: སྐྱེ་བཀག

stern: རྩུབ་པོ། དྲག་ཤུལ་ཅན།

stew: ཐུག་པ། (སྐོལ་བ་)

steward: གཉེར་པ། སྣེ་ལེན་པ།

stick: རྒྱུག་པ། སྦྱར་བ། འཛུགས་པ།

sticky: འབྱར་རྩི་ཅན། ཚེད་མ་པོ།

stiff: མཁྲེགས་པོ། གྲིང་པོ།

still: འགུལ་སྐྱུ་མེད་པ། ཁ་རོང་བ།

stimulate: ངར་སློང་བ། འགུལ་འགུལ

stimulation: ངར་སློང་། འགུལ་གཏོང་།

sting: (སྦྲང་མའི) མདུང་རྒྱབ་པ།

stingy: སེར་སྣ་ཅན། ལག་པ་དམ་པོ། བསྒྲི་ཚིགས་ཆེ་པོ།

stink: དྲི་མ་ངན་པོ། དྲི་ངན་ཁ་བ།

stipend: འགྲོ་སོང་མཐུན་རྐྱེན།

stir: དཀྲུག་པ། འཁྲུགས་པ།

stirrup: རྟའི་ཡོབ།

stitch: འཚེམ་བུ། འཚེམ་པ།

stock: ཡུ་བ། དངོས་ཟོག

stocking: རྐང་ཤུབ་རིང་པོ།

stocky: ཐུང་ཐུང་དང་གྲོང་པོ།

stole: བརྐུས་ཟིན་པ།

stomach: གྲོད་ཁོག

stone: རྡོ། རྡོ་གཞུ་བ།

stony: རྡོས་གང་བ། རྡོ་འདྲ་པོ།

stood: ལངས་ཟིན་པ།

stool: རྐུབ་སྟེགས། སྐྱག་པ།

stoop: གཞུ་ལྟར་པོ་དགུར་བ། སྒུར་སྒུར་བྱེད་པ།

stop: བཀག་ཟིན་པ། དགག་པ།

storage: ཉར་སྒྲུང་།

store: གཉེར་ཚང་། མཛོད། ཉར་བ།

storey: ཐོག་རྩེག

storm: རླུང་འཚུབ།

stormy: རླུང་འཚུབ་ཅན།

story: སྒྲུང་། ལོ་རྒྱུས།

story-teller: སྒྲུང་བཤད་མཁན།

stout: རྒྱགས་པ་ཐུང་ཐུང་།

stove: ཐབ།

straight: ཁ་ཐུག དྲང་པོ།

straightaway: ལམ་སང་།

strain: ཤུགས་འཐེན།

strange: ཁྱད་མཚར་པོ།

stranger: ངོ་མ་ཤེས་པའི་མི།

strangle: སྐེ་བཙིར་བ། སྐེ་བསྡམ་ནས་

strangulate: སྐེ་བསྡམ་པ། ཁྲག་སོད་པ།

strangulation: སྐེ་སྡོམ།

strap: ལྷུང་ཐག

strategy: འཐབ་ཇུས།

straw: སོག་མ། (རྩྭའི)

strawberry: སོ་འབྲུ་དམར་པོ།

stray: འཁྱམ་པ། འཁྱམ་འགྲོ་མཁན།

stream: ཆུ་ཀླུང་།

street: ཁྲོམ་ལམ། རྒྱ་ལམ།

street-walker: གཞང་ཚོང་མ།

strength: ཤུགས། སྟོབས།

strengthen: བརྟན་པོ་བཟོ་བ།

strenuous: ཁག་པོ། ཧུར་བརྩོན་ཅན།

stress: དཀའ་ངལ། ཤུར་གནོན།
ཤུགས་ཆེན་པོར་ལབ་པ།

stretch: རྐང་ལག་སོར་རྐྱང་བ། འཐེན་པ།

stretcher: ནད་པ་འོར་འདྲེན་ཉལ་ཁྲི།

strew: གཏོར་བ།

strict: བཙན་པོ། སྒྲིག་ལམ་སོར་དམ་པོ།

stride: གོམ་པ། གོམ་པ་སྤོ་བ།

strife: རྒྱ་འདྲེ། འཁྲུག་རྩོད།

strike: ངོ་རྒོལ། ངོ་རྒོལ་བྱེད་པ།
རྒྱབ་པ། འཕོག་པ།

string: སྐུད་པ།

stringent: བཙན་པོ།

strip: བཤུ་བ།

stripe: ཁྲ་ཁྲ།

strive: འབད་བརྩོན་བྱེད་པ།

strode: གོམ་པ་སྤོས་ཟིན་པ།

stroke: གཞུ་བའམ་འཕོག་པ།

stroll: འཁྱམ་འཁྱམ།

strong: ཤུགས་ཅན། ཤེད་ཆེན་པོ།

struck: རྒྱབ་ཟིན་པ། འཕོག་ཟིན་པ།

struggle: འཐབ་རྩོད། འབད་བརྩོན།

stub: ཏུམ་ཏུམ།

stubborn: ཨུ་རྩུགས་ཆེ་པོ། མགོ་མཁྲེར་པོ

stuck: སྦྱར་ཟིན་པ།

student: སློབ་ཕྲུག དགེ་ཕྲུག

studious: བརྩོན་འགྲུས་ཅན།

study: སློབ་སྦྱོང་།

studying: སློབ་སྦྱོང་བྱེད་བཞིན་པ།

stuff: རྒྱུ་ཆ། འཚངས་པ། དགང་བ།

stumble: ཁ་རྡབ་པ། རེལ་བ།

stung: མདུང་རྒྱབ་ཟིན་པ།

stunt: རྩལ།

stupefy: གླེན་ལྐུག་པ་བཟོ་བ།

stupendous: ཧ་ལས་པོ།

stupid: གླེན་པ། ལྐུག་པ།

stupor: ཧ་ལས་པའི་རྣམ་པ།

sturdy: ངར་པོ། མཁྲེགས་པོ།

stutter: ཁ་དིག་པ།

sty: ཕག་ཚང་།

stye: མིག་ནད་ཞིག

style: བྱེད་སྟངས། བཟོ་སྟངས། བཟོ་ལྟ

subdue: དབང་དུ་སྡུ་བ།

subject: སློབ་མཚན། འོག་ཏུ་བཅུག་པ།

subjoin: མཐར་མཐུད་པ།

subjugate: དབང་དུ་སྡུ་བ།

sublime: ཁྱད་དུ་འཕགས་པ།

submarine: མཚོ་འོག་གྲུ་གཟིངས།

submerge: ཐིམ་པ།

submission: འགོ་འདོགས།

submit: མགོ་སྒུར་བ།

subordinate: གོ་ལ་དམའ་བ། ལས་རོགས།

subscribe: བསྡུ་ཆ་སྤྲོད་པ།

subscription: བསྡུ་ཆ།

subsequent: ཕྱི་མ།

subsequently: དེ་རྗེས་སུ།

subsidiary: ཕན་རོགས། ཕན་གྲོགས།

subsidize(ise): རོགས་དངུལ་སྤྲོད་པ།

subsist: འཚོ་བ། གནས་པ།

subsistence: འཚོ་ཐབས།

substance: རྒྱུ་ཆ། དངོས་ཡོད།

substantial: དངོས་འབྲེལ།

substantiate: རྒྱུ་མཚན་ར་སྤྲོད་བྱེད་པ།

substitute: ཚབ། ཚབ་བརྒྱུག་པ།

subtle: ཧུས་ཅན།

subtract: འཐེན་པ།

subtraction: འཐེན་རྩིས།

suburb: གྲོང་ཁྱེར་གྱི་མཐའ་བསྐོར།

succeed: མཐར་འཁྱོལ་བ། བརྒྱུད་པ་འཛིན་པ།

success: མཐར་འཁྱོལ། རྒྱལ་ཁ།

succession: རིམ་འབྱུང་།

successive: རིམ་འབྱུང་གི

successively: རིམ་བཞིན། རིམ་བྱུང་དུ།

successor: བརྒྱུད་གཟུང་མཁན། རིམ་འབྱུང་བ།

succinct: མདོར་བསྡུས།

succour: ཕན་གྲོགས། རོགས་པ་བྱེད་པ།

succumb: མགོ་སྒུར་བ།

such: དེ་འདྲ། འདི་འདྲ།

suck: འཇིབ་ཞེན་པ།

suckle: ནུ་འོ་སྣར་བ།

suckling: ཨ་མའི་འོ་མ་འཐུང་བཞིན་པ།

suction: འཇིབ་འཐུང་།

sudden: གློ་བུར།

suddenly: གློ་བུར་དུ།

suffer: མྱོང་བ།

sufferance: བཟོད་སྒོམ།

suffering: སྡུག་བསྔལ། ན་ཟུག

suffice: འདང་བ། འགྲིག་པ།

sufficiency: ལྡང་ཚད།

sufficient: ལྡང་ངེས།

suffix: རྗེས་འཇུག

suffocate: དབུགས་སུབ་གཏོང་བ།

suffocation: དབུགས་སུབ།

sugar: ཕྱེ་མ་ཀ་ར།

suggest: བསམ་འཆར་སྟོན་པ།
suggestion: བསམ་འཆར།
suicide: རང་སྲོག་རང་གིས་གཅོད་པ།
suit: ཆ་འགྲིགས།
suitable: རན་པོ། འོས་པོ། ཐུམ་པོ།
suitor: ཁ་མཆུ་རྒྱབ་མཁན། སྙན་ཞུ་བ།
sulk: གདོང་ནག་པོ་སྟོན་པ།
sullen: གདོང་ནག
sum: སྡོམ་རྩིས། སྡོམ་པ། དངུལ་འབོར།
summarize: སྙིང་དོན་དུ་སྡུད་པ།
summary: སྙིང་བསྡུས།
summer: དབྱར་ཁ།
summersault: མགོ་ཏིང་སློག་པ།
summon: སྐད་གཏོང་བ།
sumptuous: གྲ་རྒྱས་པོ།
sun: ཉི་མ།
sunburn: ཉི་མས་འཚིགས་པ།
Sunday: གཟའ་ཉི་མ།
sundry: སྣ་ཁ་མང་པོ། ཚག་ཚིག
sung: གཞས་བཏང་ཟིན་པ།
sunken: མཐིམ་ཟིན་པ།
sunny: ཉི་མ་དྲོ་པོ།
superb: ཁྱད་དུ་འཕགས་པ།
superior: གོ་ས་མཐོ་བ། ཡག་པ།

supernatural: རྫུ་འཕྲུལ་གྱི།
superstition: རྣམ་རྟོག
superstitious: རྣམ་རྟོག་ཅན།
supper: དགོང་ཟས།
supple: མཉེན་པོ།
supplication: ཞུ་བ།
supply: མཁོ་དགོས། མཁོ་ཆས་སྤྲོད་པ།
support: རྒྱབ་སྐྱོར། རྒྱབ་སྐྱོར་བྱེད་པ། རྟེན་པ། གསོ་བ།
supporter: རྒྱབ་སྐྱོར། རྟེན་ས།
suppose: བསམ་པ། ཚོད་སྒོམ་པ།
supposition: བསམ་ཚོད། དཔེ།
suppress: གནོན་པ།
supremacy: ཆེ་མཐོ།
supreme: ཆེ་མཐོའི། གོང་མའི།
surcease: མཚམས་འཇོག
surcharge: འཕར་གནོན་རྒྱབ་པ། ཉེས་ཆད
sure: ཏན་ཏན། ངེས་ཏན།
surely: ཏན་ཏན་རང་། ཐེ་ཚོམ་མེད་པ།
surety: ཁ་ཁྱེར། གཏའ་མ།
surf: རྦ་སོབ།
surface: ཁ། (གཏིང་མ་ཡིན་པ་)
surge: རླབས། (ཇ་རླབས་ནང་བཞིན་)
surgeon: གཤག་བཅོས་ཨེམ་ཆི།

surgery: གཤག་བཅོས།

surgical: གཤག་བཅོས་ཀྱི།

surmount: སྣང་ལ་བཞེན་པ།

surname: ཁྱིམ་མིང་། གྲོང་མིང་།

surpass: བརྒལ་བ། ལྷག་ཏུ་འདས་པ།

surplus: ལྷག་མ། འཕེལ་བ།

surprise: ཧ་ལས་པ། ཡ་མཚན་པ།

surrender: མགོ་སྒུར་བ།

surreptitiously: གསང་ཐབས།

surround: མཐའ་བསྐོར་བ།

surrounding: མཐའ་བསྐོར།

surveillance: ལྟ་རྟོག

survey: བརྟག་ཞིབ་བྱེད་པ།

survival: འཚོ་ཐབས།

survive: འཚོ་བ། མ་ཤི་བ།

survivor: ཤུལ་ལུས་པ། མ་ཤི་བ།

susceptible: ཚོར་སླ་པོ།

suspect: དོགས་པ་ཟ་བ། དོགས་པ་ཡོད་

suspend: དཔྱང་བ། འགེལ་བ། ཁ་འཐེམ།

suspense: དཔྱང་བའི།

suspension: དཔྱང་འགེལ།

suspicion: དོགས་པ།

suspicious: དོགས་པ་ཅན།

sustain: སྐྱོར་བ། སྐྱོམ་པ།

sustenance: འཚོ་ཐབས། བཟའ་ཆས།

suzerain: རྒྱལ་དཔོན་ཆུང་ཆུང་།

swallow: ཁྱུར་མིད་གཏོང་བ།

swam: བརྐྱལ་རྐྱབ་ཟིན་པ།

swamp: འདམ་རྫབ

swan: ངང་པ།

swarm: ཁྱུ། ཚོགས།

swastika: གཡུང་དྲུང་།

sway: འཁྱོར་བ། ཁྱེར་ཁྱོར་རེ་བྱེད་པ།

swear: མནའ་སྐྱེལ་བ།

sweat: རྔུལ་ནག

sweater: ཨོ་སྤུའི་སྟོད་གོས།

sweep: གད་རྒྱབ་པ།

sweeper: གད་རྒྱབ་མཁན།

sweet: མངར་མོ། བྱེ་རིལ། མཛེས་པོ། སྙན་པོ།

swell: སྐྲང་བ། སྦོས་པ།

swept: གད་རྒྱབ་ཟིན་པ།

swift: ཁྱུག་པོ། མགྱོགས་པོ།

swim: རྐྱལ། རྐྱལ་རྒྱབ་པ།

swindle: མགོ་སྐོར་བཏང་སྟེ་རྐུ་བ།

swine: ཕག་པ། འཕྱར་བ།

swing: གཡུག་པ། ཡོམ་ཡོམ་བྱེད་པ།

swirl: འཁྱིར་བ། འཁྱིར་འཁྱིར།

switch: གློག་སྒྱར་ས། བརྗེ་ལོ་རྒྱབ་པ།

swoop: ཤུར་འདེད་བྱེད་པ།

sword: གྲི་རིང་པོ། དཔའ་དམ།

swore: མནའ་སྐྱེལ་ཟིན་པ།

sworn: མནའ་སྐྱེལ་ཟིན་པ།

swum: བརྐྱལ་རྒྱབ་ཟིན་པ།

sycophant: སྤྲལ་ལད་ཁྲབ་མཁན།

syllable: ཚིག་བར་གཙོད།

syllabus: སློབ་ཚན་གྱི་རིམ་པ།

symbol: རྟགས།

sympathetic: སྙིང་རྗེ་ཅན།

sympathize(ise): སྙིང་རྗེ་བྱེད་པ།

sympathy: སྙིང་རྗེ།

symptom: ནད་ཀྱི་རྟགས།

synchronize: དུས་མཉམ་བཟོ་བ།

synonym: འདྲ་ཚིག དོན་གཅིག་གི་ཚིག

synopsis: སྡོམ་བརྗོད། སྙིང་བསྡུས།

syphilis: སེ་མོག (ནད་)

system: ལུགས་སྲོལ། རྒྱུད་རིམ།

systematic: ལུགས་དང་མཐུན་པ།
རྒྱུད་རིམ་ཡོད་པ།

T

table: ཅོག་ཙེ།

tablet: སྨན་ལེབ། རྡོ་འམ་ཤིང་ལེབ།

tabulate: དབྱེབས་ལེབ། རེའུ་མིག་འགོད་པ།

tacit: དངོས་སུ་མ་སྟོན་པ།

taciturn: སྐད་ཆ་ཉུང་ཉུང་།

tackle: ཐབས་ཤེས་སྟོན་པ།

tactical: ཐབས་ཇུས་ཀྱི།

tadpole: ལྕོང་མོ།

tag: སྒྲེ་བཏགས།

tail: གཞུག་བུ། མཇུག་མ། རྔ་མ།

tailor: འཚེམ་བུ་རྒྱབ་མཁན།

take: ལེན་པ།

taking: ལེན་བཞིན་པ།

tale: སྒྲུང་།

talent: རིག་པ། ཤེས་ཡོན།

talisman: སྲུང་བ།

talk: སྐད་ཆ། སྐད་ཆ་གཤོད་པ།

talkative: སྐད་ཆ་མང་པོ།

talking: སྐད་ཆ་གཤོད་བཞིན་པ།

tall: རིང་པོ། མཐོ་པོ།

tally: འདྲ་མཚུངས་བཟོ་བ།

tame: འདྲིས་པ། འདུལ་བ།

tan: མཉེད་པ། (ཀོ་བ་) སྨུག་པོ།

tangible: དངོས་སུ་ཡོད་པ།

tangle: འཛིངས་པ།

tank: ཆུ་མཛོད།

tanning: ཀོ་བ་མཉེད་རྩལ།

tantalize(ise): སླད་སྐོ་བ།

tantamount: གཅིག་མཚུངས།

tantra: བསྔགས།

tantric: བསྔགས་ཀྱི།

tap: ཐག་ཐག་གཏོང་བ། ཆུ་ཀ་ལ།

tape: སྒྲིག་ཐག

tape-recorder: སྒྲ་འཛིན་འཁོར་ལོ།

tapestry: ཐག་རིས་ཀྱི་རས།

tardy: ཉེབ་དོ། འགོར་པོ།

target: འབེན། དམིགས་ཡུལ།

tariff: ཁྲལ།

tarry: གནས་པ། སྡོད་པ། འགོར་བ།

tart: སྐྱུར་མོ། (སེམས་ལ་)གནོད་པོ། མདོར་བསྡུས།

task: ལས་ཀ། ལས་འགན།

tassel: སྙེ་ཐུར་ཐང་ཞེང་།

taste: བྲོ་བ། བྲོ་བ་ལྟ་བ།

tasteful: སྙིང་རྗེ་པོ།

tasty: བྲོ་བ་ཆེན་པོ།

tatter: རས་འཇོར། གོས་རྡུལ།

taught: བསླབ་ཟིན་པ།

taut: དམ་པོ། མཁྲེགས་པོ།

tavern: ཆང་ཁང་། ཟ་ཁང་།

tawdry: ཕྱི་མཛེས་པོ།

tax: ཁྲལ། ཁྲལ་རྒྱབ་པ།

taxable: ཁྲལ་རྒྱབ་རུང་བ།

taxation: ཁྲལ་འགེལ།

taxi: གླ་ཐེད་སྣུམ་འཁོར།

tea: ཇ།

teach: སློབ་པ།

teaching: སློབ་སྟོན། སློབ་འཁྲིད།

team: རུ་ཁག

tea-pot: ཁོག་ལྷེར།

tear: དྲལ་བ།

tear: མིག་ཆུ།

tearful: མིག་ཆུས་གང་ནས།

tease: སྟད་ཀོག།

teat: ནུ་ཏོག

technicolour: ཁྲ་ཁྲ

technique: རྩལ། རིག་རྩལ།

technology: བཟོ་རིག འཕྲུལ་ལས་རིག་པ།

tedious: ཐང་ཆད་པོ། ཚོར་རྒྱུ་མེད་པ།

teens: ལོ་གྲངས་ ༡༣ ནས་ ༡༩ བར།

teenager: ལོ་གྲངས་༡༣–༡༩ བར་སོན་པ།

teeth: སོ། (མང་ཚིག)

teetotaller: ཆང་རག་མ་འཐུང་མཁན།

telecommunication: ཐག་རིང་འཕྲིན་ཡིག་རིག་པ།

telegram: གློག་འཕྲིན།

telegraph: གློག་འཕྲིན་ཡོ་ཆས།

telephone: ཁ་པར། ཁ་པར་གཏོང་བ།

telescope: རྒྱང་ཤེལ།

television: གཟུགས་མཐོང་བརྙན་འཕྲིན།

tell: ལབ་པ། གཤོད་པ།

telltale: ལོ་རྒྱུས། (གཤོད་མཁན་)

temper: སེམས་ཀྱི་ཁམས།

hot tempered: མི་རླུང་ལང་པོ།

short tempered: མི་རླུང་ལང་པོ།

temperament: རྒྱུད་དག

temperate: ཚ་གྲང་སྙོམ་པོ།

temperature: ཚ་གྲང་།

tempest: ཆར་རླུང་ཆེན་པོ།

tempestuous: རླུང་འཚུབ་ཅན།

temple: ལྷ་ཁང་། མཆོད་ཁང་།

tempo: འགུལ་ཤུགས།

temporal: འཇིག་རྟེན་གྱི། ཚེ་འདིའི། ཆོས་ཕྱོགས་མ་ཡིན་པ།

temporary: འཕྲལ་སེལ། གནས་སྐབས།

tempt: སླུ་བ། ཉམས་ཚོད་ལེན་པ།

temptation: ཉམས་ཚོད། སླུ་བྱེད།

ten: བཅུ།

tenant: ས་ཁང་བདག་པོ། ཁང་པའི་ཞིང་

tend: ཕྱོགས་ལྷུང་། [ཀི་སྡོད་མི།

tendency: འདོད་ཕྱོགས། ཕྱོགས་ལྷུང་།

tender: མཉེན་པོ། འཇམ་པོ།

tenet: ལམ་སྲོལ། གྲུབ་མཐའ།

tenfold: བཅུ་འགྱུར། ལྡབ་བཅུ།

tenor: ཕོ་སྐད་མཐོ་ཤོས།

tense: དམ་པོ།

tense: དུས་གསུམ་རྣམ་གཞག

future tense: མ་འོངས།

past tense: འདས་པ།

present tense: ད་ལྟ། [སྐབ

tension: འཐེན་རྒྱང་། ཇོ་དྲག་དང་དངང་

tent: གུར། གུར་འབེབ་པ།

tentacle: འབུ་སྲིན་གྱི་ཚོར་བའི་དབང་པོ།

tentative: བལྟ་ཚོད་ཀྱི།

tenth: བཅུ་པ།

tenuous: ཕྲ་མོ། ཞུང་ཆུང་། ཆ་ཤ་ཆོག་ [ཆོམ]

tenure: གནས་རྒྱུན།

tepid: དྲོན་འཇམ།

term: དུས། སྐབས།

terminal: མཚམས།

terminate: མཚམས་གཅོད་པ།

termination: མཚམས་གཅོད།

terminology: ཐ་སྙད་རིག་པ། ཚིག་གི་བེད་སྤྱོད་བྱེད་སྟངས།

terminus: འབབ་ཚུགས།

termite: གྲོག་མ་དཀར་པོ།

terrace: ཐོག་ཁང་།

terrestial: འཛམ་གླིང་གི

terrible: ཞེད་སྣག་ཆེ་པོ།

terrific: ཞེད་སྣག ཧ་ཅང་གི

terrify: ཞེད་སྣང་སྐྱེལ་བ།

territorial: ས་ཁུལ་གྱི། མངའ་ཁུལ་གྱི།

territory: ས་ཁུལ། མངའ་ཁུལ།

terror: འཇིགས་དངངས།

terrorist: དྲག་ཤུགས་ཀྱིས་དབང་སྒྱུར་མཁན།

terrorize: འཇིགས་སྐྲག་སློང་བ། (སྐྱེལ་བ་)
terse: ཚིག་ཉུང་དོན་འདུས་པ།
test: ཡིག་ཚད། བལྟ་ཚོད། (བལྟ་བ་)
testicle: རླིག་རིལ།
testify: དཔང་པོ་བྱེད་པ།
testimony: དཔང་པོ།
tete-a-tete: གཉིས་གྲོས། གསང་བའི་སྐད་
tether: དུད་འགྲོ་བཏགས་རྒྱུའི་ཐག་པ། ཆ།
text: མདོ། དཔེ་ཆ།
textbook: སློབ་དེབ། ཀློག་དེབ།
textile: རས་ཀྱི།
textual: ཀློག་དེབ་ཀྱི།
texture: ཐགས་གཞི།
than: ལས། དེ་ལས། འདི་ལས།
thank: ཐུགས་རྗེ་ཆེ་ཞུ་བ།
thankful: བཀྲིན་བསམ་ཤེས།
thanksgiving: ཐུགས་རྗེ་ལེགས་འབུལ།
that: ཕ་གི དེ།
thatched: རྩྭས་བཟོས་པའི་ཁང་པ།
thaw: གཞུབ། དྲོད།
the: སྔོན་སོང་ཚིག་གི་ཚབ།
theatre: ཁྲབ་སྟོན་ཁང་། ལྷད་མོ་བལྟ་ཁང་།
thee: ཁྱེད་རང་། (བརྡ་རྙིང་)
theft: རྐུ་ལས།

their: ཁོང་ཚོའི།
theme: སྙིང་དོན། རྩ་དོན།
themselves: ཁོ་རང་ཚོ་རང་། (མང་ཚིག)
then: དེ་ནས།
thence: དེ་ན།
theology: ཆོས་ཀྱི་རིག་པ།
theoretical: བློ་ཐོག་ནས།
theory: ལྟ་བ། རྣམ་གཞག
therapeutic: བཅོས་ཐབས།
therapy: བཅོས་ཐབས། སྨན་བཅོས།
there: ཕ་གིར། དེར།
thermometer: ཚ་གྲང་ལྟ་ཆས།
they: ཁོང་ཚོ།
thick: མཐུག་པོ།
thicken: མཐུག་ཏུ་གཏོང་བ།
thicket: ཚང་ཚིང་།
thickly: མཐུག་པོར།
thickness: མཐུག་ཚད།
thief: རྐུན་མ། རྐུན་མ་རྒྱབ་པ།
thigh: བརླ་ཁ
thimble: ཅོང་མོ། མཛུབ་ལྷེབས།
thin: ཕྲ་པོ། སྲབ་པོ།
thine: ཁྱེད་ཀྱི། (བརྡ་རྙིང་)
things: དངོས་པོ། ཅ་ལག

think: བསམ་པ། བསམ་བློ་འཁོར་བ།

third: གསུམ་པ།

thirdly: གསུམ་པར།

thirst: སྐོམ་འདོད། ཁ་སྐོམ་པ།

thirsty: ཁ་སྐོམ་པོ།

thirteen: བཅུ་གསུམ།

thirty: སུམ་ཅུ།

this: འདི།

thistle: རྩྭ་ཅན་ཚེར་མ་ཞིག

thither: ཕ་གིར།

thong: ཀོ་ཐག (གོས་གཞུབ་)

thorn: ཚེར་མ།

thorough: ཞིབ་ཚགས་པོ།

thoroughbred: རྟ་རིགས་ཡག་པོ།

thoroughfare: གཞུང་ལམ།

thoroughly: ཞིབ་ཚགས་པོར།

those: ཕ་ཚོ། དེ་ཚོ།

thou: ཁྱེད། (བརྡ་རྙིང་)

though: ཀྱང་། ཡང་། འང་།

thought: བསམ་བློ། བསམ་ཟིན་པ།

thoughtful: བསམ་བློ་ལྡན་པ།

thoughtless: བསམ་བློ་འཁོར་རྒྱུ་མེད་པ།

thrash: ཞེ་རྡུང་གཏོང་བ།

thread: སྐུད་པ། སྐུད་པ་རྒྱུད་པ།

threat: ཞེད་སྐུལ།

threaten: ཞེད་སྣང་སྐུལ་བ། ཛེག་ཛེག་ ⌊གཏོང་བ།

three: གསུམ།

threshold: ཐེམ་ཟུར།

threw: གཡུགས་ཟིན་པ། འཕངས་ཟིན་པ།

thrice: ཐེངས་གསུམ། ཚར་གསུམ།

thrift: འགྲོ་གྲོན་ཆུང་ཆུང་།

thrifty: བསྲི་ཚགས་ཆེ་པོ། ཕང་སེམས་ཅན།

thrill: དགའ་བདེའི་ཚོར་བ།

thrive: འཕེལ་བ། དར་བ།

throat: མིད་པ། ལྐོག་མ།

throb: འཕར་བ།

throne: ཁྲི། རྒྱལ་ཁྲི།

throng: མི་ཚོགས།

through: བརྒྱུད་ནས།

throughout: ཡོངས་ལ། རིང་ལ།

throw: གཡུག་པ། འཕང་བ།

thrown: གཡུགས་ཟིན་པ། འཕངས་ཟིན་པ།

thrust: ཛེག་ཕུགས།

thug: ཇབ་ཅན། ཇག་པ།

thuggee: ཇབ་ཅན་ལས་ཀ།

thumb: མཐེ་བོང་། མཐེ་བོང་སྟོན་པ།

thump: ཕུགས་ཀྱིས་གཞུ་བ།

thunder: འབྲུག་སྐད། འབྲུག་སྐད་རྒྱབ་པ།

thunderbolt: ཐོག་ལྕགས།

thundering: འབྲུག་སྒྲ།

Thursday: རེས་གཟའ་ཕུར་བུ།

thus: དེ་ལྟར། འདི་ལྟར།

thy, thine: ཁྱེད་རང་གི (བརྡ་རྙིང་)

tick: དཔྱད་རྟགས། (རྒྱབ་པ་)

ticket: ལག་འཁྱེར།

tickle: ཨི་ཙི་སྐྱུལ་བ།

ticklish: ཨི་ཙི་སྐྱུལ་སླ་པོ།

tidal-wave: མཚོ་རླབས།

tide: མཚོ་རླབས།

tidily: ཁམས་གཙང་མར།

tidings: གནས་ཚུལ།

tidy: ཁམས་གཙང་མ། (བཟོ་བ་)

tie: འཆིང་བ། སྐ་འཆིང་།

tier: བང་རིམ། སྟེག་རིམ། སྟེགས་རིམ།

tiffin: ཉིན་གུང་ཁ་ལག

tiger: སྟག

tigerish: སྟག་ནང་བཞིན།

tight: དམ་པོ།

tighten: དམ་པོ་བཟོ་བ།

tile: ས་ཕག་ལེབ་ལེབ།

till: བར་དུ།

till: ས་རྐོ་བ། (ཞིང་འདེབས་ཆེད་)

tiller: ས་རྐོ་མཁན།

tilt: ཕྱོགས་གཅིག་ཏུ་སྒྱོག་པ།

timber: ཤིང་ཆ།

time: དུས་ཚོད། སྐབས། དུས་ཚོད་སྒྲིག་པ།

timely: དུས་ཐོག་ཏུ། དུས་སུ་བབས་པ།

tin: ལྕགས་དཀར།

tinge: ཚོན་ཁྱབ་པོ། (གཏོང་བ།

tinker: སྣོད་ཆས་བཟོ་མཁན།

tinkle: ཏིང་ཏིང་གི་སྒྲ། (སྒྲོག་པ་)

tint: མཚོན་མདངས། (རྒྱབ་པ་)

tiny: ཏ་ཙང་གཙུང་ཆུང་།

tip: རྩེ། སྣེ། ཏོག་ཙམ་གཞུ་བ། (ཐུག་པ)
ཟར་ཆུང་། (སྤྲོད་པ་) གསང་བཟ

tipsy: ར་ཏོག་ཙམ་བཟེབ།

tire: ཐང་ཆད་པོ་བཟོ་བ།

tiresome: ཐང་ཆད་པོ།

tissue: རྩ་རྒྱུས།

tit: ནུ་མའི་རྩེ།

titbit: ཙོག་ཙིག

to: ལ།

toad: སྦལ་པ་རིགས་ཤིག

toadstool: ཤ་མོ་རིགས་ཤིག

tobacco: ཏ་མག

tobacconist: ཐ་མ་ཚོང་མཁན།

today: ད་རིང་།

toe: རྐང་པའི་མཐེ་བོང་། རྐང་སོར།

toffee: ཅི་རི་ལ།

together: མཉམ་དུ། གཅིག་ཏུ།

toil: དཀའ་ལས། (རྒྱབ་པ་)

toilet: གསང་སྤྱོད།

token: རྟགས། དྲན་རྟེན།

told: ཤད་ཟིན་པ།

tolerable: བཟོད་འོས་པ།

tolerate: བཟོད་པ་སྒོམ་པ།

toleration: བཟོད་སྲན།

toll: ཁྲལ།

tomato: ཚལ་ཞིམ།

tomb: དུར་ཁང་།

tomorrow: སང་ཉིན།

ton: ཀི་ལོ་ ༡༠༠༠ ལྡིད་ཚད།

tone: སྐད་གདངས། སྒྲ་གདངས།

tongue: ལྕེ།

tonic: སྟོབས་སྐྱེད་སྨན།

tonight: དོ་ནུབ།

too: ཀྱང་། ཡང་། འང་། ཧ་ཅང་།

took: ལེན་ཟིན་པ།

tool: ལག་ཆ།

tooth: སོ། (གཅིག་ཞིག་)

toothache: སོ་ནད། སོའི་ན་ཟུག

toothbrush: སོ་འཁྲུ།

top: རྩེ་མོ། མཐོ་འབོས། ཁ་གཅོད།

topic: བརྗོད་དོན།

topography: ས་ཡུལ་བཤད་པ།

topple: ཨ་སློག་རྒྱབ་པ།

topsyturvy: མགོ་གཞུག་ལོག་པ། ཟང་ཟིང་།

torch: ཞུ་མར། སྒྲོན་མེ།

torment: དཀའ་སྡུག མནར་གཅོད།

tormentor: མནར་གཅོད་གཏོང་མཁན།

torrent: ཆུའི་འབབ་གཟར།

torrid: ཉི་མས་འཚིགས་པ།

tortoise: རུས་སྦལ།

tortuous: ཀྱག་ཀྱོག དཀའ་ངལ་ཚ་པོ།

torture: སྡུག་སྦྱོང་། སྡུག་སྦྱོང་གཏོང་བ།

toss: རྒྱན་གཡུག་པ། གཡུག་པ།

total: ཁྱོན་བསྡོམས། ཡོངས་རྫོགས།

totally: ཁྱོན་བསྡོམས་ནས། རྩད་དེ།

totter: ཁྱར་ཁྱོར་བྱེད་པ།

touch: ཐུག་པ། ལག་པས་འཆང་བ།

touchable: ལག་པ་འཆང་རུང་བ།

touching: སེམས་སྐྱོ་པོ། ལག་པ་འཆང་བཞིན་

touchy: སེམས་འགུལ་ཚོག་ཚོག་ པ།

tough: སྲོང་པོ། མཁྲེགས་པོ།

tour: འགྲིམ་འགྲུལ། (བྱེད་པ་)

tourist: འགྲུལ་བསྐོར་བ། སྤོ་འཁྱམ་བྱེད་པ།

tournament: རྩེད་འགྲན།

tow: ཐག་པས་འཐེན་པ།

toward: ཁ་ཕྱོགས།

towards: ཁ་ཕྱོགས་སུ།

towel: ཨ་ཙོར།

tower: མཁར། མཐོ་པོར་སླེབ་པ།

town: གྲོང་སྡེ།

toy: རྩེད་ཆས། རྩེད་མོ་རྩེ་བ།

trace: (རྐང་) རྗེས། རྗེད་འདེད་བྱེད་པ།
ཤུལ། བྲས་རྗེས།

track: ལམ། རྗེས་འདེད་བྱེད་པ། འཚོལ་བ།

trade: ཚོང་། ཚོང་རྒྱབ་པ།

trader: ཚོང་པ།

tradition: གོམས་སྲོལ།

traditional: གོམས་སྲོལ་གྱི།

traffic: འགྲིམ་འགྲུལ། (ལམ་)

tragedy: རྐྱེན་ངན།

tragic: སྐྱུ་ངན་གྱི། རྐྱེན་ངན་གྱི།

trail: འགྲོ་ཤུལ།

train: མེ་འཁོར། སྦྱོང་བརྡར་བྱེད་པ།

trainee: སྦྱོང་བརྡར་བྱེད་མཁན།

trainer: སྦྱོང་བརྡར་སྤྲོད་མཁན།

training: སྦྱོང་བརྡར།

traitor: ནང་སྲི་བྱེད་མཁན།

tramp: འཁྱམས་ནས་སྡོད་མཁན།

trample: རྡོག་རྫི་གཏོང་བ།

trance: དྲན་པ་དང་ཚོར་བ་མེད་པའི་
གནས་སྐབས། ལྷ་བཞུགས་པ།

tranquil: ཁ་ཁུ་སིམ་པོ། ཞི་བ།

tranquility: ལྷོད་འཇགས།

transaction: ཚོང་ལས།

transcribe: ཡིག་ཐོག་ཕབ་བཤུས་བྱེད་པ།

transfer: སྤོ་བ། གནས་སྤོས།

transform: བཟོ་དབྱིབས་འགྱུར་བ།

transformation: དབྱིབས་འགྱུར།

transgress: འགལ་བ།

transgression: འགལ་ཀླེ།

transient: མི་རྟག་པ། རྒྱུན་རིང་མི་གནས་པ།

transistor: སྐད་འཕྲིན། (ཆུང་ཆུང་)

transit: ལམ་བརྒྱུད།

transition: འགྱུར་བ་འགྲོ་བའི་གནས་སྐབས

translate: སྒྱུར་བ།

translation: སྒྲ་སྒྱུར། ཡིག་སྒྱུར།

translator: སྐད་སྒྱུར་མཁན། ལོ་ཙཱ་བ།

transliterate: སྒྲ་ཡིག་ཕབ་སྒྱུར།

transmigrate: རྣམ་ཤེས་གཞན་དུ་སྤོ་བ།

transmission: སྐྱེལ་འདྲེན།

transmit: བརྒྱུད་ནས་གཏོང་བ། མཁན།

transparent: འོད་མདངས་གསལ་ཐུབ་

transplant: རྩ་སྦྱོར་རྒྱབ་པ། གནས་སྤོ་བ།

transport: དབོར་བ། སྐྱེལ་འདྲེན་བྱེད་པ།

transportation: དབོར་འདྲེན། སྐྱེལ་འདྲེན།

transpose: གནས་བརྗེ་བ།

transverse: གསེབ་ལྷོག་ནས། འཕྲེད་ལ།

trap: རྙི། རྙི་སྐོར་པ།

trash: བེད་མེད་རྒྱུ་རོ། ཧ་ག་ཅིག

trauma: དཀའ་སྡུག

travail: དཀའ་ཚེགས་ཆེན་པོ།

travel: འགྲོ་བ། འགྲིམ་འགྲུལ་བྱེད་པ།

traveller: འགྲིམ་འགྲུལ་པ།

travelling: འགྲིམ་འགྲུལ།

travelogue: འགྲུལ་པའི་ལོ་རྒྱུས།

traverse: གསེག་ལ། འཕྲེད་རྒྱུག

tray: ཤིང་སྡེར། གཞོང་པ།

treachery: རྒྱ་སྒྱུ།

tread: འགྲོ་བ། རྐང་པས་རྫི་བ།

treason: གཞུང་ལ་ངོ་ལོག ཁ་རྒྱ་བ།

treasure: གཏེར་མཛོད། རིན་ཐང་ཆེན་པོར

treasurer: དངུལ་གཉེར། དཀོར་གཉེར།

treat: སྤྱོད་པ། མགྲོན་པོར་འབོད་པ།

treatment: བྱེད་ཕྱོགས། སྨན་བཅོས།

treaty: ཆིངས་ཡིག

treble: གསུམ་ལྡབ།

tree: ཤིང་སྡོང་།

trek: འགྲུལ་བསྐྱོད།

tremble: འདར་བ།

tremendous: ཧ་ཅང་གི

tremor: འདར་གསིག གཡོ་འགུལ།

trench: འོབས་དོང་། ས་དོང་།

trend: ཁ་ཕྱོགས། འགྱུར་ཕྱོགས།

trespass: ཧམ་འཛུལ་བྱེད་པ།

tri: གསུམ་གྱི་དོན་སྟོན་པའི་སྔོན་འཇུག

trial: ཚོད་ལྟ། དཀའ་སྤྱད། འདྲི་གཅོད།

triangle: ཟུར་གསུམ།

tribal: མི་རྒྱུད་ཀྱི། མི་རིགས་ཀྱི།

tribe: མི་རྒྱུད། སྡེ། རིགས།

tribulation: དཀའ་སྡུག

tributary: གཙང་པོར་འབབ་པའི་ཆུ་ཕྲན། མངའ་འོག ཁྲལ།

tribute: འབུལ་བ། དཔྱ་ཁྲལ། བསྟོད་པ།

trick: གཡོ་ཐབས།

trickle: ཐིགས་པ་འཛག་པ།

tricky: ཁག་པོ།

tri colour: ཚོན་མདོག་གསུམ་ཅན།

trifle: གལ་གནད་ཆུང་ཆུང་།

trifling: ཉུང་ཉུང་། ཆུང་ཆུང་།

trim: རྒྱ་གདུབ། འདྲ་ཆགས་པོ།

trinket: རྒྱན་ཆ་ཕལ་པ།

trio: གསུམ་བསྡེབས།

trip: རྐང་འདྲེད་ཁོར་བ། རིལ་བ།

triple: གསུམ་ལྡབ།

triplet: ཕྲུ་གུ་གསུམ་བསྡེབས་སྐྱེ་བ།

triplicate: ངོ་བཤུས་གསུམ་པ།

triumph: རྒྱལ་ཁ། རྒྱལ་ཁ་ཐོབ་པ།

triumphant: རྒྱལ་ཁ་ལྡན་པའི།

trivial: གལ་གནད་ཆུང་ཆུང་། ཕལ་པ།

troop: དམག་རུ། ཁྱུ།

trophy: རྣན་པ། བྱ་དགའ།

trot: འགྲོས་རྒྱབ་པ། (རྟ་ནང་བཞིན་)

trouble: དཀའ་རྙོག བསུན་པོ་བཟོ་བ།

troublesome: དཀའ་རྙོག་ཆེ་པོ། བསུན་པོ།

trough: གཞོང་པ།

troupe: ཟློས་གར་ཚོགས་པ།

trouser: གོས་སྨད། དོར་མ། [མཐན།

truant: ལས་ཀ་དང་སློབ་གྲྭ་སོགས་ནས་གཟུར་

truce: དམག་མཚམས། (གནས་སྐབས་རིང་)

truck: དོས་འཁྱེར་སྣུམ་འཁོར།

trudge: གོམ་པ་ཐང་ཆད་མདོག་སྤོ་བ།

true: དངོས་གནས། བདེན་པ། དྲང་བདེན།

truly: དངོས་གནས་རང་། བདེན་པར།

trumpet: དུང་ཆེན།

trunk: སྒྲོམ་སྒམ། གླང་ཆེན་གྱི་སྣ།

trust: ཡིད་ཆེས། ཡིད་ཆེས་བྱེད་པ།

trustworthy: ཡིད་ཆེས་བྱེད་འོས་པ།

trusty: བློས་འཁེལ་པོ།

truth: བདེན་པ།

try: ཚོད་ལྟ་བ། ཐབས་ཤེས་བྱེད་པ།

tub: ཁྲུས་གཞོང་། ཟོམ།

tuberculosis: གློ་ནད།

tug: འཐེན་པ།

tug-o-war: ཐག་འཐེན་འགྲན་བསྡུར།

tuition: སློབ་སྦྱོང་། ནང་སྦྱོང་།

tumble: འགྱེལ་བ། ཁ་སློག་ཐེབས་པ།

tummy: གྲོད་ཁོག

tumult: ཟིང་ཆ། ཟང་ཟིང་། རྙོག་དྲ།

tune: གླུ། གདངས།

tunnel: ས་འོག་ལམ།

turbid: རྙོག་པ།

turbulent: ཟང་ཟིང་ཅན།

turf: སྤང་རྩྭ།

turkey: རི་བྱ།

turmeric: ལྒ་སེར།

turn: སྐོར་བ། སྒྱུར་བ། བང་རིམ།

turquoise: གཡུ།

turtle: རྒྱ་མཚོའི་རུས་སྦལ།

tusk: གླང་ཆེན་གྱི་མཆེ་བ།

tussel: འཐབ་རྙོད་ཚུང་ཚུང་།

tutelage: སྲུང་སྐྱོང་འོག

tutelary: སྲུང་སྐྱོང་།

tutor: དགེ་རྒན། ཡོངས་འཛིན།

twain: གཉིས། ཆ།

twelfth: བཅུ་གཉིས་པ།

twelve: བཅུ་གཉིས།

twenty: ཉི་ཤུ།

twice: ཐེངས་གཉིས།

twig: ཡལ་ག་ཕྲ་མོ།

twilight: སྐྱ་རེངས། ས་སྲོད།

twin: མཚེ་ཕྲུག མཚེ་མ།

twinkle: འོད་འཚེར་འཚེར་བྱེད་པ།

twinkling: འོད་འཚེར།

twist: གཅུས་བསྒྲིམས་པ།

two: གཉིས།

two-fold: གཉིས་ལྡན།

tycoon: ཚོང་པ་ཆེན་པོ།

type: ལྕགས་པར་རྒྱབ་པ། རིགས།

typhoon: རྒྱ་ནག་རྒྱ་མཚོའི་རླུང་དམར།

typist: ལྕགས་པར་རྒྱབ་མཁན།(མཁས་པ)

tyrannize(ise): དབང་ཡོད་བྱེད་པ།

tyranny: བཙན་དབང་།

tyrant: བཙན་དབང་པ། དབང་ཡོད་གཞོད་མཁན།

tyre: འཁོར་ལོ།

U

ubiquity: ག་ས་ག་ལ་ཡོད་པ།

ugliness: མདོག་ཉེས།

ugly: མདོག་ཉེས་པོ།

ulterior: མཐའ་མའི།

ultimate: མཐའ་མའི།

ultimately: མཐའ་མར།

ultimatum: མཐའ་མའི་ཐག་གཅོད།

umbilical: ལུས་ཀྱི་ལྟེ་བའི།

umbrella: ཉི་གདུགས།

umpire: དཔང་པོ། བར་མི་བྱེད་པ།

umpteen: མང་པོ། (ཕལ་སྐད་)

unamimous: གཅིག་མཐུན།

uncertain: ངེས་མེད། ཏན་ཏན་རང་མེད་པ།

uncle: ཨ་ཞང་། ཨ་ཁུ།

uncover: ཁེབས་གཤུ་བ།

under: འོག་ལ། གཤམ་དུ།

undergo: མྱོང་བ།

underground: ས་འོག གསང་བ།

underline: འོག་ཐིག་འཐེན་པ།

underneath: འོག་ལ།

understand: ཧ་གོ་བ། རྟོགས་པ། ཤེས་པ།

understanding: ཤེས་རྟོགས།

undertake: ལག་ལེན་འཁྱེར་བ།

undertaking: ལས་ཀ། བྱ་བ། འགན།

undesirable: མི་རུང་བ།

undulate: ལྦེམ་ལྦེམ་བྱེད་པ།

unearth: ས་བྲུ་བ། བརྩལ་བ།

unification: གཅིག་སྒྲིལ།

uniform: སྒྲིག་ཆས། གཅིག་པ།

uniformity: གཅིག་པ།

unify: གཅིག་ཏུ་སྒྲིལ་བ།

unintelligible: ཧ་གོ་རྒྱུ་མེད་པ།

union: ཚོགས་པ། སྐྱིད་སྡུག

unique: གཞན་དང་མི་འདྲ་བ། ཁྱད་པར་ཅན།

unit: གཅིག་ཚད། གྲངས་ཚད།

unite: གཅིག་ཏུ་སྒྲིལ་བ། ཆིག་སྒྲིལ་བཟོ་བ།

unity: ཆིག་སྒྲིལ།

universal: ཡོངས་ཁྱབ། ཀུན་ཁྱབ།

university: མཐོ་སློབ་གཙུག་ལག་ཁང་།
unkempt: ཟ་དེ་ཟིང་ངེ། འཛོར་འཛོར།
unless: ན། དེ་མིན། མ་ཡིན་ན།
unlike: མི་འདྲ་བ།
unlikely: ངེས་མེད།
unload: དོ་པོ་ཕབ་པ།
unlucky: བསོད་བདེ་མེད་པ།
unmarried: ཆང་ས་མ་བརྒྱབས་པ།
unmistakable: འཁྲུལ་མེད།
unnecessary: དགོས་པ་མེད་པ།
unpleasant: མི་མཛེས་པ།
unprecedented: སྔོན་ཆད་བྱུང་མ་མྱོང་བ།
unprofitable: ཁེ་ཕན་མེད་པ།
unravel: གསལ་སྟོན་བྱེད་པ།
unrest: དུས་སྐབས་ཟང་ཟིང་ངེ།
unruly: ཁྲིམས་མེད།
unthinkable: བསམ་བློར་འཁོར་མི་ཐུབ་པ།
untill: བར་དུ། མ་གཏོགས།
unto: སུ།རུ།ལ།ཏུ།ན།ལ།དུ།
unwell: གཟུགས་ཁམས་མི་བདེ་བ།
unwilling: མི་འདོད་པ།
unwillingly: མི་འདོད་བཞིན་དུ།
up: སྟེང་དུ། སྟེང་ལ། ཡར།
uphold: རྒྱབ་རྟེན་བྱེད་པ།

upon: སྟེང་དུ། ཐོག་ལ། སྟེང་ལ། ཁར།
upper: སྟེང་གི། སྟེང་མ།
uppermost: མཐོ་ཤོས། སྟེང་ཤོས།
upright: དྲང་པོ། གྱེན་ངེར། ཀྱེ་རེ།
uproar: སྐད་ཅོར།
upside-down: མགོ་གཞུག་ལྡོག་སྟེ།
up-to-date: དུས་སྐབས་དང་མཚུངས་པ།
upward: གྱེན་ཕྱོགས་སུ།
urban: གྲོང་ཁྱེར་གྱི།
urge: ནན་སྐུལ། (བྱེད་པ་)
urgent: ཛ་དྲག
urinal: གཅིན་པ་གཏོང་ས།
urinary: གཅིན་པ་གཏོང་ལའི།
urinate: གཅིན་པ་གཏོང་བ།
urine: གཅིན་པ།
urn: བུམ་པ།
us: ང་ཚོ།
usage: བེད་སྤྱོད་བྱེད་སྟངས།
use: བེད་གཅོད། བེད་སྤྱོད་བྱེད་པ།
useful: བེད་སྤྱོད་ཆེ་པོ། ཕན་ཐོགས་པོ།
useless: བེད་སྤྱོད་མེད་པ།
usual: རྒྱུན་བཏང་གི། རྒྱུན་སྲོལ། ཕལ་པ།
userer: སྐྱེད་ཁ་ཆེན་པོར་བུ་ལོན་གཏོང་མཁན།
usurp: བཙན་འཕྲོག་བྱེད་པ།

utensil: སྣོད་སྤྱད། སྣོད་ཆས།

uterus: མངལ།

utility: བེད་སྤྱོད། གོ་ཆོད།

utilize(ise): བེད་སྤྱོད་གཏོང་བ།

utmost: མཆོག་ཕྱུར། མཐོ་ཤོས།

utter: བརྗོད་པ། སྐད་སྒྲ་འདོན་པ།

utterly: ཡོངས་རྫོགས། མཐའ་གཅིག

ཏུ

V

vacancy: ས་སྟོང་།

vacant: སྟོང་པ།

vacate: སྟོང་པ་བཟོ་བ།

vacation: གུང་སེང་།

vacuous: སྟོང་པ། (གང་ཡང་མེད་པ་)

vacuum: སྟོང་པ།

vagabond: འཁྱམས་འགྲོ་མཁན།

vagina: སྟུ། (ཁྲུང་) ཕྱུ་ལོ།

vagrant: གང་སར་འཁྱམས་འགྲོ་མཁན།

vague: གསལ་པོ་མེད་པ།

vain: དོན་མེད། ཚེ་མེད། དོན་ཆུང་།

valiant: བློ་ཁོག་ཆེན་པོ། དཔའ་བོ།

valid: འོས་པ། རུང་བ། ཚེག་པ།

validity: རན་འོས།

valley: ལུང་གཤོངས།

valour: བློ་ཁོག སྙིང་སྟོབས།

valuable: རིན་ཐང་ཆེན་པོ།

valuables: ཅ་ལག་གོང་ཆེན་པོ།

value: རིན་ཐང་། གོང་ཚད།

valueless: རིན་ཐང་མེད་པ། གོང་ཆུང་ཆུང་།

vampire: (འདྲེ)ཁྲག་འཐུང་མཁན།

vanish: ཡལ་བ།

vanquish: འདུལ་བ། དབང་དུ་སྡུ་བ།

vaporize(ise): རླངས་པར་གྱུར་བ།

vapour: རླངས་པ།

variable: འཕོ་འགྱུར་ཅན།

variation: འགྱུར་བ། འདྲ་མིན།

variety: སྣ་ཚོགས། མི་འདྲ་བ།

various: སྣ་ཚོགས། སྣ་ཁ། འདྲ་མི་འདྲ།

varnish: ཤིང་རྩི། ཤིང་རྩི་གཏོང་བ།

vary: ཁྱད་པར་ཕྱེ་བ། འགྱུར་བ།

vase: བུམ་པ།

vassal: འབངས།

vast: རྒྱ་ཆེན་པོ།

vault: མཆོང་བ།

vaunt: སྒོར་ཤོག་གཤོད་པ།

vegetable: སྔོ་ཚལ།

vegetarian: ཤ་མ་ཟ་མཁན། ཤ་མེད།

vegetation: རྩི་ཤིང་།
vehement: ངར་ཤུགས་ཅན།
vehemently: ངར་ཤུགས་ཀྱིས།
vehicle: བཞོན་འཁོར།
veil: གདོང་ཁེབས།
vein: རྩ། (ལུས་ཀྱི་)
velocity: མགྱོགས་ཤུགས། འགུལ་ཤུགས།
venerable: བཀུར་འོས། དད་གུས་བྱེད་
veneration: བཀུར་སྟི། དད་གུས། ཞེས་པ།
veneral: རྒྱོའི།
veneral desire: འདོད་ཆགས། རྒྱོ་འདོད།
veneral disease: སེ་མོག ཕོ་ཆེན་ མོ་ཆེན་གྱི་ན་ཚ།
vengeance: དགྲ་ཁ། དགྲ་ལན།
vengeful: དགྲ་ཁ་ལེན་འདོད་ཅན།
venom: དུག
ventilate: རླུང་འགྲོ་བཟོ་བ།
ventilation: རླུང་འགྲོ
venue: འཛོམས་ས་ས།
Venus: གཟའ་སྐར་པ་སངས།
verb: བྱ་ཚིག
verbal: ངག་ཐོག
verbally: ངག་ཐོག་ནས།
verbatim: ཚིག་རེ་རེ་བཞིན་དུ།

verdict: ཁྲིམས་དཔྱད། ཐག་གཅོད།
verge: ཟུར། མཐའ། ཉེན་ཁ།
verify: ངེས་བརྟན་ཡིན་མིན་ཚོད་གཅོད་བྱེད་པ།
vermin: འབུ་སྲིན།
vernacular: ས་སོའི་ལུང་པའི། (སྐད་སོ་)
versatile: འགྱུར་ལྡོག་ཅན།
verse: ཚིག་བཅད།
versed: མཁས་པ། ཉམས་མྱོང་ཅན།
version: འགྲེལ་པ། (འདྲ་མིན་)
versus: ཁ་ཐད།
vertebra: སྒལ་ཚིགས་ཀྱི་རུས་ཀང་།
vertical: གྱེང་གྱེང་། ཀེ་ཀེ།
vertically: གྱེང་ངེར།
very: ཤིན་ཏུ། ད་ཅང་།
vessel: སྣོད། གྲུ་གཟིངས།
vest: ཁབ་སྟོར།
veteren: མི་རྙིང་ཉམས་མྱོང་ཅན།
veterinary: དུད་འགྲོའི་ནད་བཅོས་ཐབས་ཀྱི།
via: བརྒྱུད་དེ། ལམ། ཐོག་ནས།
vibrate: འདར་བ། འགུལ་འགུལ་བྱེད་པ
vibration: འདར་གཤིག གཡོ་འགུལ།
vice: མི་དགེ་བ། སྐྱོན། ངན་པ།
vice-president: སྲིད་འཛིན་གཞོན་པ།
vice versa: ལྡོག་ཕྱོགས་སུའང་།

vicinity: ཉེ་སྐོར། ཉེ་འདབས།

vicious: སྐྱོན་ངན་ཅན།

vicissitude: སྐྱིད་སྡུག་འཁོ་འགྱུར།

victim: གནོད་འཚེ་ཕོག་མི།

victor: རྒྱལ་ཁ་ཐོབ་མཁན།

victorious: རྒྱལ་ཁ་ཐོབ་པ།

victoriously: རྒྱལ་ཁའི་ངང་དུ།

victory: རྒྱལ་ཁ།

vide: གོང་གསལ། གཤམ་གསལ།

vide infra: གཤམ་དུ་གཟིགས།

vide supra: གོང་དུ་གཟིགས།

view: མཐོང་སྣང་། བསམ་འཆར། མཐོང་རྒྱ། མཐོང་བ།

view-point: བལྟ་ཕྱོགས།

vigil: ལྟ་རྟོག སྲུང་བ།

vigilance: ལྟ་རྟོག་གི

vigilant: ལྟ་རྟོག་ཅན།

vigour: ངར་ཤུགས། སྟོབས་སྐྱེས།

villa: སྡོད་ཁང་།(གྲོང་གསེབ་ཁུལ་དུ་)

village: གྲོང་གསེབ།

villager: གྲོང་གསེབ་པ།

villain: མི་ངན།

vinegar: ཚུའུ།

violate: འགལ་ཟླ་ཕྱིན་པ།

violation: འགལ་ཟླ།

violence: དྲག་གཅོད། ཉེས་སྤྱོད།

violent: དྲག་པོའི། གཡོ་འགྱུལ་ཆེན་པོ།

violin: པི་ཝང་།

virgin: མོ་གསར། ཕོ་གསར། བེད་སྤྱོད་མ་ཕོག་པ།

virtue: བཟང་སྤྱོད། དགེ་བ།

virtuous: དགེ་བའི། བཟང་སྤྱོད་ཀྱི།

visa: རྒྱལ་ཁབ་ནང་འགྲོ་སྡོད་ཆོག་པའི་ལག་འཁྱེར།

visible: མཐོང་རྒྱུ་ཡོད་པ། གསལ་པོ། མངོན་རྒྱུ་ཡོད་པ།

vision: མཐོང་སྣང་། མིག་གི་མཐོང་རྒྱ།

visit: ཐུག་འཕྲད། ལྟ་བསྐོར།

visitor: ལྟ་བསྐོར་བ། འགྲུལ་པ། ཐུག་འཕྲད་ཡོང་མཁན།

visual: མཐོང་རྒྱའི།

visualization: མཐོང་སྣང་། སྣང་བ།

visualize: སྣང་བ།

vital: གནད་འགག་ཆེན་པོ། གལ་ཆེ།

vitality: སྟོབས་ཤུགས། ནུས་སྟོབས།

vitamin: སྟོབས་སྐྱེད་སྨན།

viva voce: ཁ་ནས། ངག་ཐོག་རྒྱུག་སྤྲོད།

vivid: གསལ་པོ།

vocabulary: ཚིག་མཛོད། ཚིག་བསགས།

vocal: སྐད་ཀྱི།

vociferous: སྐད་ཅོར་ཆེ་པོ།

voice: སྐད། སྒྲ།

void: སྟོང་པ།

volatile: རླངས་པར་འགྱུར་ཆོག་ཆོག

volcano: མེ་རི། ཕར་ཆག

volt: གློག་ཤུགས་ཚད།

voltage: གློག་ཤུགས།

voluble: ཁ་བདེ་པོ།

voluntary: དང་བླངས་ཞིག

volunteer: དང་བླངས་པ།

vomit: སྐྱུག་པ།

voracious: ལྟོགས་ཟམས་ཅན།

vote: འོས་འདེམས། འོས་ཤོག་བླུག་པ།

voting: འོས་འདེམས་ཀྱི།

vouschafe: ཁས་ལེན་བྱེད་པ།

vow: མནའ་སྐྱེལ་བ། དམ་བཅའ་བཞག་པ།

vowel: དབྱངས་ཡིག

voyage: མཚོ་འགྲུལ།

vulgar: མ་རབས། ལྟ་སྟང་མ་མཛེས་པ།

vulnerable: བཏུལ་སླ་པོ། གླང་རྙེད་སླ་པོ།

vulture: བྱ་རྒོད།

vulva: སྟུ།

W

wade: ཆུ་ལོང་ནང་ནས་འགྲོ་བ།

wage: གླ། ཕོགས།

wail: ངུ་སྐད་ཆེན་པོ། (རྒྱབ་པ་)

waist: སྐེད་པ།

wait: སྒུག་པ།

waiter: ཟ་ཁང་གཡོག་པོ།

waitress: ཟ་ཁང་གཡོག་མོ།

wake: གཉིད་སད་པ། གཉིད་དཀྲོག་པ།

walk: གོམ་པ་སྤོ་བ། འཆམ་འཆམ། འཆམ་འཆམ་འགྲོ་བ།

walking: གོམ་སྤོས།

walking stick: འཁར་རྒྱུག

wall: རྩིག་པ། རྒྱང་།

wallet: ལག་ཁུག དངུལ་ཁུག

walnut: སྟར་ཁ།

wand: དབྱུག་པ། རྒྱུག་པ།

wander: འཁྱམ་པ། འཁྱར་བ།

wandering: འཁྱར་མཁན།

wane: རྒུད་པ། ཉམས་རྒུད།

want: དགོས། དགོས་མཁོ།

war: དམག་འཁྲུག དམག་རྒྱབ་པ།

ward: ནད་ཁྱུང་། ནད་རྟེག

warden: ལྟ་སྐྱུང་བ། སྲུང་མཁན།

ware: ཚོང་ཟོག

warehouse: དངོས་ཁང་།

warfare: དམག་འཁྲུག

warlike: དམག་འཐབ་ལ་དགའ་པོ།

warlord: དམག་དཔོན།

warm: དྲོ་པོ། དྲོད་ཅན།

warmth: དྲོད།

warn: ཉིག་བརྡ་གཏོང་བ།

warning: ཉིག་བརྡ། ཉེན་བརྡ།

warrant: དབང་ཚའི་བཀའ་རྒྱ།

warrior: དམག་མི།

wart: མཛེར་པ།

was: (འདས་ཚིག་) རེད། འདུག ཡོད།

wash: འཁྲུད་པ།

washable: འཁྲུ་རུང་བ།

washing: ཁྲུས།
washerman: གོས་འཁྲུ་མཁན། (ཕོ་)
washerwoman: གོས་འཁྲུ་མཁན། (མོ་)
wastage: འཕྲོ་བརླག
waste: འཕྲོ་བརླག་གཏོང་བ། གད་སྙིགས།
wasteful: གཟན་པོ། འཕྲོ་བརླག་འགྲོ་བའི།
watch: ཆུ་ཚོད། (ལག་བཏགས་)
watch: ལྟ་བ། སྲུང་བ། དོ་ཁ་ཟེན་བྱེད་པ།
watch-dog: སྒོ་ཁྱི།
watchful: དོགས་ཟོན་ཅན།
watchmaker: ཆུ་ཚོད་བཟོ་མཁན།
watch-tower: སྲུང་མཁར།
water: ཆུ། ཆུ་རྒྱབ་པ། ཆུ་གཏོང་བ།
waterfall: འབབ་ཆུ།
waterish: ཆུ་ལྟར་སླ་པོ། བྲོ་བ་མེད་པ།
waterless: ཆུ་མེད།
watery: ཆུ་ཅན། སླ་པོ།
wave: རླབས། ལག་གཡུག་བྱེད་པ།
waver: ཡོམ་ཡོམ་བྱེད་པ།
wavy: རླབས་ཅན། ཡོམ་ཡོམ་ཅན།
wax: ལ་ཚ། འཕེལ་རྒྱས་ཕྱིན་པ།
way: ལམ། འགྲོས།
wayside: ལམ་ཟུར་དུ།
we: ང་ཚོ།

weak: ཤུགས་མེད། ཉམ་ཆག སྐྱོ་པོ།
weaken: སྟོབས་མེད་བཟོས།
weakling: ནུས་པ་མེད་པ། ཉམ་ཆག་པ།
weakness: ནུས་མེད།
wealth: རྒྱུ་ནོར། ལོངས་སྤྱོད།
wealthy: ཕྱུག་པོ། འབྱོར་ལྡན།
weapon: མཚོན་ཆ། ལག་ཆ།
wear: གྱོན་པ། ཟད་པ། ཐང་ཆད་པ།
weariness: ཐང་ཆད།
wearisome: ཐང་ཆད་པོ། ཁག་པོ།
weary: ཐང་ཆད་པའི། ཐང་ཆད་མདོག
weave: ཐགས་འཐག་པ། ལྟ་བ།
weaver: ཐགས་འཐག་མཁན།
web: ཐག སྤྲོམ་ཐག
wed: ཆང་ས་རྒྱབ་པ།
wedding: ཆང་ས། གཉེན་སྒྲིག་གི
wedding ring: ཆང་སའི་སྐབས་ཁྱོ་གས་
ཆུང་མར་བསྐོན་པའི་སོར་གདུ
wedge: ཟུ་བས། ཟུ་བས་རྒྱབ་པ།
wedlock: གཉེན་སྒྲིག
Wednesday: རེས་གཟའ་ལྷག་པ།
weed: རྩྭ་ངན། རྩ་ངན་ཀོག་པ།
week: བདུན་ཕྲག
weekday: གཟའ་ཟླ་བ་ནས་སྤེན་པ་བར།

weekly: བདུན་རེའི།

weep: ངུ་བ།   གཞལ་བ།

weigh: ཡང་ལྗིད་ལྗི་བ། ཡང་ལྗིད་

weighing machine: ཡང་ལྗིད་གཞལ་

weight: ཡང་ལྗིད། ལྗིད་གོག   ཆས།

weightless: ལྗིད་གོག་མེད་པ།

weighty: ལྗིད་གོག་ཆེ་པོ།

weird: ཁྱད་མཚར། རྫུ་འཕྲུལ་ཅན།

welcome: དགའ་བསུ། སྣེ་ལེན་ཞུ་བ།

weld: ལྕུག་ལ་ཚ་ལ་རྒྱབ་པ།

welfare: བདེ་དོན།

well: ཁྲོན་པ།   ཡག་པོ།

well: ཁམས་བདེ་པོ། ལེགས་པོ།

well-being: བདེ་སྐྱིད།

well-off: ལྟོ་གོས་ཡག་པོ།

well-to-do: ལྟོ་གོས་ཡག་པོ།

wench: འཆལ་མོ། བྱོ།

went: ཕྱིན་ཟིན་པ། འགྲོ་ཟིན་པ།

wept: ངུས་པ།

west: ནུབ། ནུབ་ཕྱོགས།

westerly: ནུབ་ཕྱོགས།

western: ནུབ་ཕྱོགས་ཀྱི། ནུབ་ཕྱོགས་པ།

westward: ནུབ་ཕྱོགས་སུ།

wet: རློན་པ། རླན་པ།

whack: རྒྱུག་རྡུང་གཏོང་བ།

whale: ཉ་ཆེན་ཞིག

what: ག་རེ། གང་། ཅི།

whatever: ག་རེ་ཡིན་ནའང་།

whatsoever: ག་རེ་ཡིན་ནའང་།

wheat: གྲོ

wheel: འཁོར་ལོ། འཁོར་བ། སྐོར་བ།

wheel-chair: རྐུབ་ཀྱག་འཁོར་ལོ་ཅན།

whelp: ཁྱི་ཕྲུག ཨ་ཡོ།

when: ག་དུས།

whence: ག་ནས། གང་ནས།

whenever: ག་དུས་ཡིན་ནའང་།

where: ག་པར། གང་དུ།

whereabout: ག་པར་ཡོད་མེད།

whereby: གང་གིས།

wherefore: དོན་གང་གིས།

wherever: ག་པར་ཡིན་ནའང་།

whet: (གྲི་སོ་ཏ་) སོ་བརྡར་བ། དང་གཉེད་པ།

whetstone: བརྡར་རྡོ།   གང་བ

whether: ཡིན་མིན། གཉིས་ཀྱི་ནང་ནས་

whey: དར་ར། ཆུར་ཁུ།

which: ག་གི

whichever: ག་གི་ཡིན་ནའང་།

while: དུས་སུ། སྐབས།

whip: རྟ་ལྕག། རྟ་ལྕག་གཞུ་བ། ལྕག་

whirl: འཁྱིར་འཁྱིར་བྱེད་པ། ཚོམ།

whisk: ཕག་ཞེ། ཕག་ཟེས་འཕྱུག་པ།
མགྱོགས་པོར་འཁྱེར་འགྲོ་བ།

whiskers: རྒྱ། ཁ་སྤུ། སྨ་ར། ཨ་ར།

whisper: སྐད་ཆ་ཤབ་ཤུབ། (ཤ་ཤོད་པ)

whistle: ཤི། ཤི་རྒྱབ་པ།

whistling: ཤི་སྒྲ།

white: དཀར་པོ།

whiten: དཀར་པོ་བཟོ་བ། དཀར་དུ་

whitish: དཀར་མདོག་ཅན། གཏོང་བ།

white-wash: དཀར་རྩི་གཏོང་བ།

whither: (བརྡ་རྙིང་) ག་པར། གང་དུ།

who: སུ།

whoever: སུ་ཡིན་རུང་།

whole: གང་ཚང་། ཚང་མ། ཡོངས་རྫོགས།

wholesale: ཐེབ་ཚོང་།

wholesome: བདེ་བྱེད། བདེ་པོ་བཟོ་མཁན།

wholly: ཆ་ཚང་དུ། གཙང་དག་ཏུ།

whom: སུ་ལ།

whore: གཞང་ཚོང་མ། སྨད་ཚོང་མ།

whorl: གཙུག་འཁྱིལ།

whose: སུའི།

whosoever: སུ་ཡིན་ནའང་།

why: ག་རེ་བྱས་ནས། ག་རེའི་དོན་དུ།

wick: སྡོང་རས།

wicked: ངན་པ། སྤྱོད་ངན་པ།

wide: རྒྱ་ཆེན་པོ། ཞེང་ཁ་ཆེན་པོ།

widen: ཞེང་ཁ་ཆེ་རུ་གཏོང་བ།

widespread: ཡོངས་ཁྱབ།

widow: ཡུགས་མོ།

widower: ཡུགས་པོ།

width: ཞེང་ཁ།

wife: སྐྱེས་དམན། ཆུང་མ།

wig: སྐྲ་ཚབ། སྐྲ་རྫུས།

wild: ཀླ་ཀློ། བདག་མེད། རྒོད་པོ།

wilderness: བྱང་ཐང་། མི་མེད་ལུང་སྟོང་

wilful: རང་བཙུགས་ནས། ཨུ་ཚུགས་ཅན

will: མ་འོངས་དོན་སྟོན་པའི་བྱ་ཚིག

will: འདོད་པ། སྙིང་རུས། ཁ་ཆེམས།

willing: འདོད་པ། འདོད་ལྡན།

willingly: འདོད་བབས་དང་བཅས།

willingness: འདོད་པ།

win: རྒྱལ་བ། ཁེ་བ། ཐོབ་པ།

wind: རླུང་། ལྷག་པ།

windmill: རླུང་འཁོར་རང་འཐག

window: སྒེའུ་ཁུང་།

windward: རླུང་ཕྱོགས་སུ། ལྷག་ཕྱོགས་སུ།

wind-up: སྒོ་རྒྱབ་པ། མཐའ་སྒྲོམ་པ། མཇུག་སྒྲིལ་བ།

windy: རླུང་ཆེ་པོ།

wine: ཨ་རག་ཞིམ།

wing: གཤོག་པ། ཤོག་ཁག

wink: མིག་འཛུམ་རྒྱབ་པ།

winner: རྒྱལ་ཁ་ཐོབ་མཁན།

winning: དགའ་བདེ། རྒྱལ་བཞིན་པ།

winnow: འབྲུ་སོག་རླུང་ལ་འཕྱར་བ།

winter: དགུན་ཁ།

wipe: འཕྱི་བ། སུབ་པ།

wire: ལྕགས་སྐུད།

wisdom: ཤེས་རབ།

wisdom teeth: འགྲམ་སོ།

wise: སྙིང་པོ། མཁས་པ། སྙིང་པོ།

wish: འདོད་པ། འདོད་པ་བྱེད་པ།

wishful: རེ་འདོད་ཅན།

wit: རིག་པ།

witch: བདུད་མོ།

witchcraft: ངན་སྔགས། མཐུ།

with: མཉམ་དུ། ལྷན་དུ། དང་བཅས།

withdraw: ཕྱིར་འཐེན་བྱེད་པ།

withdrawal: ཕྱིར་འཐེན།

withdrew: ཕྱིར་འཐེན་བྱས་ཟིན་པ།

wither: སྐམ་འགྲོ་བ།

withhold: འགོག་པ། ཕྱིར་བཤོལ་བྱེད་པ།

within: ནང་རྒྱུད། ཚུན་ཆད། ནང་ལ།

without: མེད་པར། ཕྱི་ལ།

withstand: དགག་པ་རྒྱབ་པ། སྡོམ་པ།

wives: སྐྱེས་དམན། (མང་ཚིག་)

wizard: བདུད། མི་ཆེན།

woe: སྡུག་བསྔལ། སེམས་ཁྲལ།

woke: གཉིད་སད་ཟིན་པ།

wolf: སྤྱང་ཀི།

wolves: སྤྱང་ཀི། (མང་ཚིག་)

woman: སྐྱེས་དམན། བུད་མེད།

womanhood: སྐྱེས་དམན་གྱི་གནས་སྐབས། ལང་ཚོ་ལོན་པ།

womanize: བུད་མེད་མཉམ་ཆགས་པ་བྱེད་པ།

womanly: བུད་མེད་ལྟ་བུ།

womb: མངལ།

women: སྐྱེས་དམན། (མང་ཚིག་)

won: རྒྱལ་ཁ་ཐོབ་ཟིན་པ།

wonder: ཡ་མཚན། ཁྱད་མཚར། ཡ་མཚན་པ།

wonderful: ཡ་མཚན་ཅན། ངོ་མཚར་གྱི།

wonderstruck: ཧ་ལས་ཏེ་འཐོམས་པ།

wondrous: ངོ་མཚར་ཅན། ཡ་མཚན་པོ།

wont: will not གི་འགྱུར་ཚིག

wood: ཤིང་། ནགས་ཚལ།

woodblock print: པར་ཤིང་།

woodcraft: ཤིང་བཟོ་རིག་པ།

woodcarving: ཤིང་བརྐོས།

wooden: ཤིང་བཟོས། ཤིང་ཅན།

woodwork: ཤིང་གི་ལས་ཀ

wool: བལ།

woollen: བལ་གྱི། བལ་བཟོས།

woolly: བལ་ལྡན་པ།

word: ཚིག སྐད་ཆ།

wording: ཚིག

wordy: ཚིག་མང་ཅན།

wore: གྱོན་ཟིན་པ། ཟད་པ།

work: ལས་ཀ། ལས་ཀ་བྱེད་པ། བྱ་བ།

worker: ལས་ཀ་བྱེད་མཁན།

working: ལས་ཀ། ལས་ཀ་བྱེད་བཞིན་པ།

workshop: བཟོ་གྲྭ

world: འཇིག་རྟེན། འཁོར་བ། འཛམ[གླིང་།

worldly: འཇིག་རྟེན་གྱི། འཁོར་བའི།

worm: འབུ། སྲིན་འབུ།

worn: གྱོན་ཟིན་པ།

worn out: ཟད་པ། ཟད་རྗེ་ཕྱིན་པ།

worry: སེམས་ཁྲལ།

worse: སྡུག་ག

worsen: སྡུག་ཏུ་གཏོང་བ།(འགྲོ་བ་)

worship: མཆོད་པ། གསོལ་བ།

worst: སྡུག་ཤོས།

worsted: བལ་སྐུད།

worth: རིན་གོང་། གོང་ཚད།

worthless: ཆོ་མེད། བེད་མེད། རིན་མེ

worthy: རིན་ཐང་ཅན། འོས་པ།

would: will གྱི་འདས་ཚིག

wound: བསྒྲིམ་ཟིན་པ། གཅུས་བསྒྲིམ་ཟིན་པ

wound: རྨ།

wounded: རྨས་སྐྱོན་ཅན།

wove: བཏགས་ཟིན་པ།

woven: བཏགས་ཟིན་པ། དཀྲིས་ཟིན་པ།

wrangle: ཁ་རྩོད། ཁ་རྩོད་རྒྱབ་པ།

wrap: གཏུམས་པ། དཀྲི་བ། སྒྲིལ་བ།

wrapper: གཏུམས་རས། གཏུམས་ཤོག

wrath: ཁྲོ་བོ། ཞེ་སྡང་། དྲག་པོ།

wrathful: ཁྲོ་བོ། དྲག་པོ།

wreath: ཕྲེང་བ།

wreck: འཐོར་བ། ཆག་པ། སྐྱོན་ཤོར་བ

wreckage: ཆག་རོ། ཆག་རྡུམ

wren: བྱིའུ་རིགས་ཤིག

wrench: གཅུས་བསྒྲིམ་བྱེད་སྐམ་པ།

wrestle: ཁྱུགས་རྩལ་རྩེ་བ།

wrestler: ཁྱུར་རྩལ་རྩེ་མཁན།

wrestling: ཁྱུར་རྩལ།

wretched: ཐབས་སྡུག བསོད་བདེ་སྐྱོ་པོ།

wring: བཙིར་བ། སྒྲིམས་པ།

wrinkle: གཉེར་མ།

wrist: ལག་ཚིགས།

wrist-watch: ལག་བཏར་ཚོད།

writer: རྩོམ་མ་མཁན། འབྲི་མཁན།

writing: རྩོམ་མ་བྲིས། འབྲི་རྒྱ།

written: བྲིས་ཟིན་པ།

wrong: ནོར་འཁྲུལ། ནོར་བ།

wrongful: ནོར་འཁྲུལ་གྱི།

wrote: བྲིས་ཟིན་པ།

wrung: གཙུས་ཟིན་པ།

X

Xmas: Christmas ཁྲི་སྐྱེས་ཚེས།
ཡེ་ཤུ་མ་ཤི་ཀའི་འཁྲུངས་ཚེས།

xylograph: ཤིང་བརྐོས་པར་ཤིང་།

x-ray: གློག་པར། གློག་པར་རྒྱབ་པ།

Y

yacht: གྲུ་ཆུང་ཞིག

yak: གཡག

yap: སྐད་ཅོར་རྒྱབ་པ། ཁྲེ་ལྷུར་ཟུག་པ།

yard: སྒོ་ར། ཨིན་ཅི་ ༣༦ ཚད།

yarn: སྐུད་དོག

yawn: ཨ་སྣོང་། ཨ་སྣོང་རྒྱབ་པ།

year: ལོ།

yearly: ལོ་རེའི། ལོ་ལྟར།

yearn: འདོད་པ། ཛམལ་པ།

year-wise: ལོ་རིམ་བཞིན།

yeast: ཕབས། སྦྱར་རྫོ།

yellow: སེར་པོ།

yellowish: སེར་མདོག་ཅན།

yes: རེད། ལགས་རེད། འོ།

yester: དུས་འདས་པ་སྔོན་པའི་སྔོན་འཇུག

yesterday: ཁ་སང་། མདང་།

yet: ད་དུང་ཡང་། ཡིན་ནའང་། འོན་ཀྱང་།

yeti: འདྲེ་མོང་།

yield: སྟེར་བ། མགོ་སྒུར་བ།

yoga: རྣལ་འབྱོར།

yogi: རྣལ་འབྱོར་པ།

yoke: གཉའ་ཤིང་།

yolk: སྒོ་ངའི་སེར་རིལ།

yonder: ཕ་གིར།

you: ཁྱེད། ཁྱེད་རང་། ཁྱོད། རང་ཉིད།

young: གཞོན་གཞོན། ལོ་ཆུང་།

younger: གཞོན་པ། ཆུང་བ།

youngest: ཆུང་ཤོས།

youngster: བྱིས་པ། བུ་གུ (བུ་)

your: ཁྱེད་རང་གི ཁྱོད་ཀྱི། ཁྱེད་ཀྱི།

yours: ཁྱེད་ཀྱི། ཁྱོད་ཀྱི། ཁྱེད་རང་གི

yourself: ཁྱེད་རང་རང་།

youth: གཞོན་པ། ན་གཞོན།

youthful: ལང་ཚོ་ལྡན་པ།

Z

zeal: བརྩོན་འགྲུས། འཁུར། སྙིང་རུས།

zealot: བརྩོན་འགྲུས་ཅན། སྙིང་རུས་ཅན།

zebra: རྐྱང་།

zenith: སྤྱི། གུང་།

zero: ཀླད་ཀོར།

zigzag: ཨ་ཀྱོག་པ་ཀྱོག ཀྱ་གེ་ཀྱོག་གེ

zinc: ཏི་ཚ། ཞ་དཀར། ཏིག་ཚ་ཡང་ཟེར།

zip: ཚེར། ཚེ་རྒྱབ་པ།

zodiac: ཁྱིམ་བཅུ་གཉིས། (རྩིས་)

zonal: ས་ཁུངས་ཀྱི།

zone: ས་ཁུངས།

zoo: གཅན་ཟན་ཁང་།

zoologist: སྲོག་ཆགས་གི་རིག་པ། (མཁས་པ་)

zoology: སྲོག་ཆགས་གི་རིག་པ།། ༎

Books of related interests:

English-Tibetan Dictionary of Modern Tibetan
by Melvyn C. Goldstein
The first scholarly dictionary of its kind by the world's leading lexicographer of modern Tibetan. It is a must for everyone who needs to write or speak modern Tibetan. It has 16,000 main entries and 29,000 sub-entries ranging from the technical and scholarly to the idiomatic and colloquial.
ISBN: 81-85102-46-5 ₹450.00

Modern Tibetan Language, Vol. I & II
by Losang Thonden
Beginning with the alphabet, vowels and combination of letters it presents the fundamental structures of the languages, each section being accompanied by exercises. The second volume adds to the first explaining more complex verb patterns, comparison of adjectives, notions of time and dating, use of gerundive particles, adverbs and so forth, as well as introducing some idiomatic expressions, rhyming terms and Tibetan forms of address.
M T L Vol. I ₹300.00 4 CD set ₹200.00
M T L Vol. II ₹225.00 3 CD set ₹150.00

Engish-Japanese-Tibetan Conversation
by Tsewang Gyalpo Arya
Learn Tibetan and Japanese through English—A very precise and easy to use conversational handbook for those interested in learning Tibetan and Japanese. Based on his experiences, the author has concentrated on those phrases and words which are frequently used in daily conversation and those which forms necessary part of speech. The book is perhaps first of its kind wherein a Japanese could learn Tibetan with the help of English and Japanese. A Tibetan could learn Japanese through Tibetan and English with this book.
ISBN: 81-86230-26-2 ₹160.00

A Basic Grammar of Modern Spoken Tibetan

by Tashi

This book is written for the non-Tibetans who have a keen interest in learning the grammar of spoken Tibetan. It is based on 12 years experience in teaching Tibetan language to foreigners at the Library of Tibetan Works & Archives, Dharamsala and one year of teaching and studying in the US.

ISBN: 81-85102-74-0 ₹150.00

Tibetan-English Dictionary of Buddhist Terminology

by Tsepak Rigzin

This is the first such dictionary in English and is based on "The Great Volume of Precise Understanding" (Mahavyutpatti)—the first Sanskrit-Tibetan dictionary commissioned by King Tri Ralpachen in the 9th century, supplemented from the works of various Tibetan lamas. The work contains 4,000 main entries and over 6,000 sub-entries providing Sanskrit equivalents.

ISBN: 81-85102-88-0 ₹450.00

Tibetan Quadrisyllabics Phrases & Idioms

by Acharya Sangye T. Naga & Tsepak Rigzin

It is a compilation of Tibet's rich repository of idioms and phrases. These are the important language which creates its life, beauty and melody.

This book aims to bridge the gap between the literary and colloquial world. Its creation acts as an aid to the world of Classical and Modern Tibetan language.

ISBN: 81-85102-90-2 ₹180.00